El Presidente que se iba a caer

Diario secreto
de tres periodistas sobre el 8.000

Planeta

Primera plana

El Presidente que se iba a caer

Diario secreto
de tres periodistas sobre el 8.000

Mauricio Vargas
Jorge Lesmes
Edgar Téllez

Planeta

Colección:
PRIMERA PLANA

Diseño de la cubierta:
Paula Iriarte

Diseño y armada electrónica:
Planeta Colombiana Editorial S.A.

Fotografía de la cubierta:
Archivo *Semana*
Fotografía de la contracubierta:
Julián Lineros

Derechos Reservados

© Mauricio Vargas, 1996
© Jorge Lesmes, 1996
© Edgar Téllez, 1996
© Planeta Colombiana Editorial S.A., 1996
Carrera 68A No. 22-55, Santafé de Bogotá, D.C., Colombia

ISBN: 958-614-542-5

Primera edición: noviembre de 1996
Segunda edición: diciembre de 1996

Impreso y encuadernado por:
PRINTER COLOMBIANA S.A.
Impreso en Colombia - Printed in Colombia.

Contenido

Este libro está dedicado a Cecilia, Nora y Ana Belén, que soportaron estoicamente muchas ausencias a lo largo de estos dos años, y a Laura, Juan Daniel y Juan Manuel, que algún día podrán leerlo. Es además un homenaje en memoria de Jaime Vásquez, amigo común a quien perdimos trágicamente en mayo de 1995.

Reconocimientos

El mayor agradecimiento de los autores es para Felipe López Caballero, presidente de la revista *Semana*, quien con sus críticas y consejos, y con su escepticismo funcional, se convirtió en estos dos años de brega en el mejor guía y abogado del diablo al que puede aspirar un grupo de periodistas. Su intervención a lo largo de las investigaciones de *Semana* sobre el proceso 8.000 fue decisiva para evitar errores y dejar entre el tintero lo que aún no estaba maduro para salir a la luz pública, pero también para resistir a las presiones y publicar lo que de ningún modo podía quedarse entre ese mismo tintero. Fue además especialmente comprensivo durante los meses de escritura de este libro, a lo largo de los cuales resultó inevitable sacrificar una parte del trabajo de la revista.

Los autores hacen un reconocimiento especial al periodista Hernando Álvarez Rebolledo, apoyo permanente para el manejo de archivos y apuntes, y para la verificación de numerosos datos del primer borrador. También a la gerente de *Semana*, Ángela Montoya de Mora, voz de respaldo que nunca faltó en los más críticos momentos.

Agradecen igualmente a los colegas Alberto Casas Santamaría y Pilar Calderón de Posada, cuyos comentarios y observaciones a los originales resultaron siempre valiosos y oportunos. Ellos y otros amigos que contribuyeron a recordar episodios y verificar datos, saben mejor que nadie cuánta ayuda suya hay en estas páginas.

Hay finalmente un agradecimiento que no puede ser expresado con nombres propios. Se trata del que los autores le deben a un puñado de fuentes que pusieron en peligro sus cargos en diferentes agencias y entidades del Estado, y sus propias vidas para que esta historia saliera a la luz pública. Ellos, que dieron información que otros negaban, que confirmaron aquella sobre la cual había dudas y que incluso advirtieron sobre las trampas desinformativas que salían a veces al paso, fueron pieza clave en todo este proceso.

Introducción

Este libro es muchos libros a la vez, pero sobre todo, es dos libros, dos historias que caminan y se entrelazan a lo largo de los 24 meses que transcurrieron desde la elección presidencial de 1994 hasta la culminación del proceso al Presidente en la Cámara de Representantes. Por un lado es la reconstrucción del mayor escándalo de corrupción política de la historia de Colombia, y por el otro, el relato de cómo fue descubierto por las autoridades y por los periodistas de la revista *Semana* y otros medios que se mantuvieron a la vanguardia de la investigación del llamado proceso 8.000.

En cuanto a la historia del escándalo, los autores no pretenden agotarla, pues ésa es una tarea imposible de cumplir cuando aún no es claro que se haya conocido toda la verdad y cuando no se descarta que, aunque lo que ya se conoce es de por sí suficientemente trágico, queden algunos huecos negros que nunca lleguen a iluminarse.

En lo referente al relato de la investigación periodística, el libro desnuda, con la misma crudeza con que narra el proceso 8.000, las polémicas internas que se dieron en *Semana* sobre lo que era válido publicar y lo que no, y revela las lecciones que la revista aprendió al enfrentar el mayor desafío periodístico de sus cerca de quince años de existencia.

El libro está construido como un diario, el de los autores, quienes desde la revista cubrieron uno a uno los dramáticos episodios que en estos dos años marcaron para siempre la historia de Colombia. Ese diario está basado en las agendas, notas y archivos personales de los tres periodistas, y ha sido enriquecido por averiguaciones y confirmaciones posteriores que se recogen en el texto mismo o en notas de pie de página que en algunos casos resultan tan reveladoras como el relato central.

A lo largo del diario surgen inevitables pinceladas de análisis y valoración de los hechos. Pero éstas se concentran, fundamentalmente, en el epílogo. Sin embargo, ni en los seis capítulos del diario ni en el epílogo los autores aspiran a realizar todos los juicios de valor que este caso amerita. Esa tarea queda reservada, como corresponde, a los lectores, quienes juzgarán de paso si valió la pena llegar hasta el punto final de este libro.

1994

Unas cintas muy enredadas

LUNES 20 DE JUNIO

Debían ser las 10 y 30 de la mañana. Trasnochado por el cierre de edición de la víspera, después de la elección presidencial de ese domingo, Mauricio Vargas, director de la revista *Semana*, se disponía a iniciar un largo y esperado periodo de vacaciones en su apartamento del norte de Bogotá. Había previsto tres semanas de descanso una vez terminado el agotador calendario electoral de 1994, convencido como estaba todo el mundo en Colombia por aquellos días de que una vez elegido el nuevo Presidente de la República, sobrevendrían algunos días de tranquilidad que Vargas, al igual que muchísimos colombianos, dedicaría a seguir uno por uno todos los partidos del mundial de fútbol USA-94. El plato fuerte de ese primer día sería el encuentro entre Brasil y Rusia, a las 3 de la tarde. No había más que tomar una buena ducha, preparar litros de café y sentarse al lado de la ventana con un buen libro, en espera de la hora del partido.

Pero poco antes de las 11, el recién nombrado jefe de redacción de la revista, Jorge Lesmes, quien había jurado no molestar a Vargas en los días por venir, incumplió su promesa.

—Oiga, qué pena fregarle la vida —dijo con la voz baja que suele poner Lesmes a las noticias delicadas—, pero es que por ahí andan rodando unos casetes que probarían que los Rodríguez le dieron plata, mucha plata a Samper.

—Tiene que ser mentira —se apresuró a sentenciar Vargas.

—Créame —insistió Lesmes—. Eso es lo que explica la carta de Andrés Pastrana.

El candidato conservador había divulgado el viernes 17 una carta dirigida a Samper en la que le pedía que jurara que su campaña no había recibido aportes del narcotráfico, y se comprometía él a hacer ese mismo juramento. Pero el domingo en la noche Vargas le había preguntado a Luis Alberto Moreno, jefe de campaña de Pastrana, poco después de que se confirmaran los resultados que le daban una estrecha victoria a Samper[1], por el alcance de esa carta, y Moreno le había dicho que era sólo una constancia para resolver algunos rumores y nada más.

—Pues le dijo mentiras —replicó Lesmes y le contó cómo Óscar Montes, reportero de la revista que había cubierto la campaña de Pastrana, había leído el viernes, en el avión en el que el candidato conservador hacía la gira de

---

[1] Samper obtuvo 3.696.745 votos contra 3.563.445 de Pastrana.

cierre por la Costa Atlántica, el borrador de la carta. Según Montes, Pastrana había asegurado en privado a los periodistas que lo acompañaban que había información muy seria sobre la financiación con plata del cartel de Cali de la campaña de Samper, pero no había dado mayores detalles.

—Hagamos una cosa —concedió finalmente Vargas—. Si consigue copia de las grabaciones, me cuenta y las oímos.

—No se preocupe, ya ando en ésas.

Hacia las 8 de la noche, estaba a punto de cumplir con la misión. La periodista del noticiero de televisión 24 Horas, Miriam Ortiz, que se había hecho buena amiga de Lesmes de tiempo atrás, lo llamó a *Semana* y le confirmó los rumores del día.

—Tengo el casete —le dijo entre emocionada y asustada—. Esto es una bomba. Samper no va a poder gobernar ni un solo día.

Una hora después, Lesmes se reunió con ella, escuchó la cinta y se quedó de una pieza. En la grabación, Miguel Rodríguez Orejuela hablaba con Alberto Giraldo, periodista de la vieja guardia que desde hacía años y sin ocultarlo demasiado, se había convertido en una especie de mensajero y relacionista público de los Rodríguez. Discutían sobre un aporte de varios miles de millones de pesos para la campaña samperista. Lo más grave de la charla era que indicaba que tanto Samper como su jefe de campaña, Fernando Botero, y su tesorero, Santiago Medina, estaban al tanto.

La periodista le contó a Lesmes cómo había obtenido la cinta y por qué el noticiero no había dicho nada esa noche. Según ella, una vieja fuente que no le reveló pero que Lesmes siempre sospechó que debía ser el jefe de la DEA en Bogotá, Joe Toft, le había entregado el domingo hacia las 11 de la noche el casete. Miriam se lo había llevado al día siguiente a Diana Sofía Giraldo, directora de 24 Horas, y ella había comprendido de inmediato que cualquier decisión sobre su divulgación dependía de la evaluación que hiciera Alvaro Gómez Hurtado, varias veces candidato presidencial, ex presidente de la Asamblea Constituyente y respetado líder del ala derecha del conservatismo, quien además era importante accionista del noticiero. Según Miriam, Gómez se reunió con ella a puerta cerrada y se sintió impactado por lo que escuchó, pero —curtido reportero que también era— planteó algunas dudas obvias sobre la autenticidad de las voces y la posibilidad de un montaje, y aconsejó que mientras no se resolvieran esas inquietudes, el noticiero no debía publicar la cinta.

Miriam y Lesmes terminaron tarde su reunión y ella le entregó una copia de la grabación. Lesmes estaba tan impresionado que casi no pudo dormir. Había votado por Samper y se había alegrado mucho por su triunfo y, sobre todo, por la derrota de Pastrana a quien consideraba un niño mimado de la política con muy poco vuelo. A pesar de que compartía las dudas que habían congelado la decisión de publicar la noticia en 24 Horas, le parecía casi imposible un montaje. Si la grabación era real, ¿quién la había hecho? Él tenía alguna idea de qué personas le podrían ayudar a resolver ésa y otras preguntas, pero ya era tarde para buscarlas y había que esperar al día siguiente.

Martes 21 de junio

Lesmes llamó temprano a Vargas a su casa y le contó lo que había averiguado con Miriam Ortiz.

—¿Usted cree que 24 Horas se decida a echar la noticia esta noche? —preguntó el director de *Semana*.

—O la echan ellos o la echa otro, porque los casetes andan rodando por todos lados y dicen que *El Tiempo* ya los tiene —respondió Lesmes antes de contarle que estaba buscando a Antonio, nombre clave de una fuente de inteligencia de la Policía que había demostrado su buena calidad en los meses que precedieron al operativo policial que terminó con la vida de Pablo Escobar en diciembre de 1993, y cuya identidad en *Semana* sólo conocían él y Vargas.

Antonio se mostró reservado cuando Lesmes finalmente lo encontró. Optaron por reunirse en una cafetería cercana a la revista, pero la charla decepcionó al jefe de redacción. Sin embargo, un dato de la conversación lo condujo a otra fuente de inteligencia que Lesmes no consultaba desde hacía meses. Pasadas las 7 de la noche, recibió a este hombre en su casa, pero, de nuevo, el resultado fue negativo.

—Todo el mundo anda muy misterioso —le dijo Lesmes a Vargas esa noche.

Ambos comentaron que 24 Horas había divulgado buena parte de la cinta, lo que indicaba que estaban resueltas las dudas que Álvaro Gómez había expresado el lunes. Samper, por su parte, había dado a conocer un comunicado en el que negaba rotundamente que su campaña hubiera recibido dinero de narcotraficantes y pedía a la Fiscalía General que iniciara una investigación. El escándalo ya estaba pues en los medios, y la preocupación de Lesmes y Vargas era que, aparte de la copia del casete entregada por Miriam Ortiz, *Semana* estaba con las manos vacías. Una luz de esperanza asomó hacia las 9 de la noche. La fuente que había visitado a Lesmes en su casa un par de horas antes llamó por teléfono y le sugirió al jefe de redacción que no se moviera de allí.

—Lo van a buscar y le van a entregar algo que le interesa —le dijo—. Pero a partir de ahora, olvídese de mí.

Lesmes esperó toda la noche, pero a las tres de la mañana lo venció el sueño.

MIÉRCOLES 22 DE JUNIO

Hacia las 7 de la mañana, la empleada doméstica de los Lesmes despertó al jefe de redacción. En un sobre de manila cerrado y sin anotación alguna, le habían dejado dos casetes. Eran un par de conversaciones más de los Rodríguez Orejuela con Giraldo, todas en torno al mismo tema: la entrega de aportes a la campaña de Samper. Lesmes las escuchó a las volandas, pues debía esperar temprano en *Semana* una llamada de Antonio.

Los periódicos publicaron ese día apartes de lo divulgado por 24 Horas y hacia las 9 de la mañana la radio aseguró que Andrés Pastrana daría al mediodía una rueda de prensa. Óscar Montes llamó entonces a la sede pastranista y averiguó que el derrotado candidato se había decidido a revelar la totalidad de las grabaciones que, según su oficina, le había entregado una persona desconocida en el *lobby* del Hotel Intercontinental de Cali varios días antes. A Montes le dijeron también que Pastrana estaba indignado porque, en su opinión, los medios habían divulgado los casetes de manera parcial e incluso algunos habían editado apartes en los que se hablaba claramente de Samper. Además, el joven político estaba molesto porque en una de las conversaciones grabadas se sugería que el cartel también había hecho ofertas a su campaña y que incluso él podría haber recibido plata del cartel del norte del Valle. Algunos noticieros de la víspera habían resuelto que, de ser reales las cintas, ambas campañas estaban bajo sospecha, a pesar de que la evidencia de las grabaciones era mil veces más nutrida en cuanto al caso de Samper.

Mientras esperaba, con el radio encendido, el inicio de la rueda de prensa de Pastrana, Lesmes recibió dos llamadas casi al mismo tiempo. En la primera, Antonio le decía con pocas y muy breves frases que lo visitaría por la noche en su apartamento. En la segunda, Miriam Ortiz le contaba de una nueva grabación que le habían entregado esa mañana y que resultaba muy difícil de descifrar. En ella Giraldo y Miguel Rodríguez hablaban de la entrega de una cantidad importante de dinero a un general horas antes de la ceremonia en la que asumiría un importante cargo.

Lesmes envió entonces por una copia de la nueva cinta y cuando la tuvo en sus manos, se fue para el apartamento de Vargas con todas las grabaciones.

Allí se habían dado cita con varios periodistas de *Semana* para ver el partido de esa tarde en el que Colombia se jugaba con los Estados Unidos su clasificación a la siguiente ronda del mundial de fútbol. Hacia las dos de la tarde cuando Lesmes llegó, había tanta gente que resultaba imposible escuchar los casetes. Lesmes estaba convencido de que Antonio le ayudaría esa noche a descifrar a todos los personajes que hablaban o eran mencionados en ellos y por eso acordó con su jefe dejar para el jueves en la mañana la tarea de revisión y análisis de las cintas. Los dos periodistas se dejaron llevar por la pasión que todavía esa tarde dominaba más las noticias que el escándalo de los narcocasetes: la selección nacional de fútbol.

Dos horas después, el 2 a 1 a favor de Estados Unidos había matado la pasión. Lesmes se fue entonces para su casa a esperar la visita de Antonio. Cuando éste llegó, el periodista puso a rodar las cintas en el equipo de sonido de su sala y comenzó a tomar apuntes de cada una de las observaciones que Antonio le hacía.

La primera cinta que revisaron fue la que Lesmes había recibido de Miriam Ortiz el lunes en la noche. En ella, Miguel Rodríguez y Giraldo conversaban sobre la difícil situación que atravesaba la campaña del candidato liberal. "El hombre está urgido de dinero", le decía Giraldo a su jefe. Cuando Miguel Rodríguez preguntaba de quién se trataba, Giraldo le contestaba que de "Eduardo", que según Antonio no era otro que el ex senador liberal y ex embajador Eduardo Mestre Sarmiento, quien en 1986 había tenido que enfrentar un debate público por una serie de transacciones financieras con empresas del cartel de Cali. En *Semana* se sabía que aunque Mestre no estaba directamente vinculado a la campaña, solía visitarla e incluso despachar en ocasiones desde su sede.

Tras una confusión en la charla sobre quién sería el mensajero entre la campaña y los Rodríguez, quedaba en claro que para la entrega del dinero habría dos mecanismos: el primero sería manejado por el propio "Eduardo" y el segundo por el tesorero de la campaña, Santiago Medina[2].

Giraldo procedía entonces a hablarle a Rodríguez sobre lo que parecía ser un principio de acuerdo con la campaña a cambio del cuantioso aporte. Se trataba de "cinco puntos", que Giraldo definía como "cinco nombramientos que son fundamentales". Giraldo preguntaba entonces qué razón debía llevarle a Medina, y Rodríguez le respondía que él había hablado ya con el tesorero de la campaña y que en pocos días enviarían lo acordado. Rodríguez lo interrogaba sobre cómo veía el periodista la

---

[2] Santiago Medina era un conocido anticuario de Bogotá, que había participado en la recolección de fondos en anteriores campañas del liberalismo e incluso había colaborado con el asesinado líder liberal Luis Carlos Galán. Medina había sido despedido por la puerta de atrás de su cargo como gerente de Ecosalud, en el gobierno de César Gaviria. Debido a ese antecedente que había servido para desatar muchos rumores, su designación como tesorero de la campaña samperista a finales de 1993 había causado sorpresa e incluso molestia en algunos sectores.

situación de Samper y de su campaña. Giraldo le respondía con una frase contundente: "Pues está en manos de ustedes. ¡Qué cosa tan curiosa!, ¿no?"

Rodríguez se mostraba en desacuerdo argumentando que Medina le había dicho que el grupo Santo Domingo —el más poderoso conglomerado empresarial del país— les había ofrecido cualquier suma que requirieran en la campaña. Giraldo le aclaraba que la campaña necesitaba más de lo que el grupo estaba en capacidad de dar: "La realidad es que ellos necesitan cinco mil millones, de los cuales tienen conseguidos dos. Necesitan tres de ustedes".

"Esa plata la hay", respondía Rodríguez. Al final de la charla, los dos interlocutores dejaban entrever algo aún más delicado: que "los dos más grandes de la campaña", al parecer Samper y Botero, estaban al tanto de la operación y habían aceptado los compromisos que "Eduardo" les había pedido.

Eso quedaba aún más claro en otra de las grabaciones, cuando Giraldo le contaba a Rodríguez que "Eduardo" le había dicho que había hablado sobre el tema con "los dos grandes, con el número uno y con el que va a ser el número uno de los verdes". Antonio deducía algo bastante fácil de concluir: que "el número uno" tenía que ser Samper, pues "el que va a ser el número uno de los verdes" no podía ser otro que Fernando Botero, de quien todo el mundo sabía que aspiraba al ministerio de Defensa. Según la charla, "Eduardo" le había dicho a Giraldo que "el número uno" le había dado "carta blanca para negociar". Giraldo aclaraba más adelante el alcance de esa carta blanca: "Mira, el número uno se reunió con Eduardo. Le dijo: 'Haga lo que sea, que yo no sepa, pero haga lo que sea' ".

Rodríguez respondía con disgusto a esto último, pues era obvio que lo que deseaba era justamente que "el número uno" supiera lo que él y su hermano iban a hacer para salvarle su campaña.

Antonio le explicó a Lesmes que aparte de las grabaciones que tenían relación con la campaña samperista, las otras conversaciones que estaban escuchando esa noche habían sido grabadas a principios de diciembre de 1993, como resultado —al igual que las cintas vinculadas con el tema de la campaña— de interceptaciones a varios teléfonos de Alberto Giraldo. En esta otra serie de charlas, Giraldo se comunicaba con algunos allegados de un general de la Policía a punto de asumir un importante cargo, con el fin de entregarle una cantidad grande de dinero en efectivo. En uno de esos diálogos, Giraldo hablaba del tema con Gilberto Rodríguez y se referían al general con el apodo de *Benitín*.

—¿Y *Benitín* es quien yo creo que es? —preguntó Lesmes.

—Pues claro —contestó Antonio—. ¿Quién más podría ser? ¿Quién más se posesionó en un alto cargo a principios de diciembre?

Antonio dejaba en claro con esto que, en su opinión, *Benitín* debía ser el general Octavio Vargas Silva, quien había sido nombrado director general de la Policía a fines de 1993, después de haberse convertido en héroe nacional por su tarea al frente de las operaciones que permitieron dar de baja a Pablo Escobar el jueves 2 de diciembre de ese año.

—¿Y cómo se sabe que las grabaciones sobre *Benitín* fueron hechas en diciembre? —preguntó Lesmes.

—Porque si usted escucha bien las cintas se va a dar cuenta que al principio de cada una de las intercepciones telefónicas, una voz define fecha y hora de la misma —respondió Antonio—. Es norma de todos los grabadores de los servicios de inteligencia tomar esa precaución, sin la cual el análisis de lo que se graba se dificulta mucho. Por eso sabemos que la charla sobre *Benitín* es a comienzos de diciembre del 93 y que las conversaciones sobre la campaña son posteriores a la primera vuelta de la elección presidencial.

En otra de las grabaciones, Miguel Rodríguez le comentaba a Giraldo sobre el avance de las negociaciones entre el abogado de él y de su hermano Gilberto Rodríguez, Juan Fernández Carrasquilla, con el fiscal Gustavo de Greiff. De esa cinta se deducía que De Greiff se oponía a la decisión del gobierno de Gaviria de emitir avisos de recompensa en la televisión para impulsar la captura de los hermanos Rodríguez y otros cabecillas del cartel de Cali.

Antonio tenía muy claro el alcance del asunto: para él, y para cualquiera que escuchara los casetes con algún grado de conocimiento de la situación colombiana, era obvio que la campaña de Ernesto Samper, con la aparente participación suya, de su director de campaña Fernando Botero y de su tesorero Santiago Medina, había entrado en negociaciones con Miguel Rodríguez Orejuela directamente y por intermedio de Eduardo Mestre, para acordar aportes por varios miles de millones de pesos. Lo único que no podía deducirse de las cintas era que la plata hubiera sido recibida y por eso la campaña samperista había asegurado la víspera que el dinero había sido ofrecido, pero no recibido. A lo largo de la reunión con Lesmes, Antonio se mostró dispuesto a hacer toda clase de análisis e identificar a todos y cada uno de los personajes mencionados en las cintas. Pero en cuanto a quién las había grabado, se negó rotundamente a hablar.

—Yo no se los voy a decir nunca, pero ustedes en la revista son capaces de averiguarlo —dijo antes de despedirse, pasada la medianoche.

Jueves 23 de junio

A las 8 de la mañana, una llamada de larga distancia despertó al director de *Semana*. Era Felipe López, presidente y propietario de la revista y del grupo editorial creado en torno de ésta, quien también estaba de vacaciones, en su apartamento de Nueva York.

—Cómo se ve todo por allá, ¿muy alborotado? —preguntó López, con ese tono que Vargas sabía que significaba que su jefe no había hecho más que hablar con Colombia en las últimas 48 horas, y no precisamente sobre la derrota de la selección de fútbol.

—La gente está tan impactada que nadie quiere creer que lo que dicen los casetes sea verdad —respondió Vargas—. Yo mismo me resisto a creerlo, a pesar de que me parece difícil que sean el resultado de un montaje. En todo caso, Lesmes tuvo anoche una reunión en la que debió lograr mucha claridad...

—Mire Mauricio, no nos digamos mentiras, esto es gravísimo —interrumpió López—. Los casetes son tan contundentes que eso es lo único realmente sospechoso.

—Samper ha dicho que la plata sí fue ofrecida, pero no entró. ¿Será cierto? —sondeó Vargas a López.

—Pero es que por lo que entiendo, los casetes hablan de unos compromisos a cambio de la plata...

—Sí. Pero le repito que aquí la gente parece decidida a no creerlo y lo que yo veo es un ambiente en contra de Andrés Pastrana después de la rueda de prensa. Enrique Santos Calderón le da durísimo en la columna de hoy, dice que los casetes no prueban nada y que si así procede como candidato derrotado, entonces no merecía ser presidente[3]. Yo creo que Pastrana se equivocó, porque no hacía falta que él presentara los casetes pues ya estaban circulando por todos lados. Y al hacerlo él, la denuncia quedó como si fuera suya y perdió mucha validez porque él fue el derrotado de las elecciones.

—No, claro, es que está quedando como resentido y mal perdedor —anotó López—. Pero nada de eso borra lo dicho por las grabaciones, que es gravísimo.

—Sí, de acuerdo —respondió Vargas—. Pero vayámonos con cuidado esta semana, porque el ánimo de la opinión es más bien de incredulidad.

López estuvo de acuerdo y convinieron que Vargas continuara de vacaciones, pero estuviera disponible para cualquier consulta por parte de los periodistas. Vargas trató entonces de volver al descanso, pero no pudo. Lesmes lo llamó para contarle que la campaña samperista,

---

[3] *El Tiempo*, junio 23 de 1994, p. 4A.

con Fernando Botero a la cabeza, estaba dedicada a filtrar información en el sentido de que el ministro de Defensa Rafael Pardo, casado con Claudia de Francisco, gerente administrativa de la campaña de Pastrana, era quien le había entregado los casetes al candidato conservador, por intermedio de su esposa.

Vargas trató de localizar a Pardo para obtener su reacción, pero el ministro, quien seis meses antes había sufrido una grave crisis cardíaca de la cual se había recuperado milagrosamente, estaba desde el lunes en Estados Unidos en un chequeo médico en compañía de su esposa. Se comunicó entonces con el periodista Jaime Vásquez, viejo amigo de Vargas, ex reportero de *Semana* y quien ocupaba el cargo de asesor del ministro. Vásquez desmintió categóricamente la información de la campaña samperista y le dijo que buscaría a Pardo para que lo autorizara a contar lo que él llamó "la verdadera historia" sobre cómo se había enterado el alto gobierno de la existencia de los casetes.

VIERNES 24 DE JUNIO

Vásquez no logró localizar a Pardo antes de la hora del cierre de la edición ese día y *Semana* se limitó a reseñar la información procedente de la campaña samperista y el desmentido del ministerio de Defensa. El esfuerzo en esas horas de cierre estaba centrado en analizar el contenido de los casetes relacionados con la campaña, pues los que tenían que ver con el tema de *Benitín* requerían una labor de verificación que tomaría algunos días más. Lesmes trataba también de avanzar en el tema de quién había grabado los casetes.

El jefe de redacción tuvo suerte con una de sus fuentes que, en un encuentro en la revista hacia el mediodía, le reveló el origen de las cintas. Se trataba de un capitán de la Dijin que parecía tener un gran dominio de toda la historia. El único problema, según le explicó Lesmes a Vargas más tarde, era que no había manera en las pocas horas que quedaban antes del cierre de la edición, de confirmar el conjunto del relato. De hecho, ninguna otra fuente de inteligencia parecía dispuesta a hablar del tema.

En su narración, el capitán se remontó hasta mediados de octubre de 1993, cuando el entonces director de la Policía, general Miguel Antonio Gómez Padilla, fue invitado a desayunar al Hotel Tequendama por algunos congresistas de la Costa Atlántica. Al encuentro asistió también —y sin que los parlamentarios se lo hubieran advertido previamente al general— el periodista Alberto Giraldo, quien, en medio de numerosas vaguedades sobre la situación del país, le preguntó a Gómez si la Policía pensaba perseguir a los hermanos Rodríguez Orejuela con la misma agresividad que caracterizaba por aquellos días la cacería de Pablo Escobar. El general respondió que en ese momento todos los esfuerzos del Bloque de Búsqueda estaban concentrados en el jefe del cartel de Medellín y los pocos hombres que aún le quedaban, y que además él tenía entendido que no había órdenes de captura vigentes en contra de los Rodríguez.

Según el relato del capitán, un par de semanas después, Gómez se enteró de que en Cali circulaba el rumor de que, durante el desayuno, el general se había comprometido a no perseguir a los cabecillas del cartel. Según el rumor, Giraldo estaba cobrándoles a los Rodríguez eso como un éxito propio. El director de la Policía se indignó con la historia y le pidió al general José Jairo Rodríguez, quien estaba al frente de la Dijin, que ejerciera un control sobre las actividades de Giraldo. Enterados el DAS[4] y la Brigada XX de Inteligencia Militar —al frente de la cual estaba el coronel Freddy Padilla de León, sobrino del general Gómez Padilla— sus respectivos hombres creyeron que había llegado la hora de averiguar qué tan importante era el periodista en la estructura del cartel.

Por aquellos días las diferentes agencias de inteligencia daban por hecho que Escobar caería tarde o temprano, y habían acordado diseñar mecanismos de seguimiento preliminar a personas cercanas al cartel de Cali, que aparecía como el nuevo y obvio objetivo a seguir. Tras lo sucedido a Gómez Padilla, estaba claro que Giraldo tenía que ser una de ellas.

En desarrollo de una operación a la que luego se uniría el grupo de inteligencia de la Armada Nacional, un selecto grupo de oficiales y agentes de Policía, Ejército y DAS comenzó a grabar las conversaciones telefónicas de Giraldo y de otros contactos importantes del cartel. El periodista solía hablar desde su casa o desde diferentes oficinas y apartamentos que visitaba ocasionalmente. En un momento dado, el grupo de grabadores llegó a tener una docena de líneas interceptadas sólo por cuenta de Giraldo. Según el capitán, las cintas comenzaron a

---

[4] Departamento Administrativo de Seguridad, organismo civil de inteligencia y seguridad del Estado.

acumularse y nada de lo que se grababa parecía tener mayor importancia. Finalmente, a mediados de diciembre y pocos días después de que cayera Escobar, hombres de la Dijin lograron captar una serie de charlas entre Giraldo y Miguel Rodríguez en las que hablaban de la entrega de un obsequio significativo a *Benitín*. El capitán le aseguró a Lesmes, al igual que lo había hecho Antonio dos días antes, que, en su opinión, *Benitín* era el general Vargas Silva.

De acuerdo con la fuente, a partir de entonces los grabadores siguieron adelante con su tarea, pero en medio de un inmenso secreto, pues el general Gómez Padilla, el primero que había sugerido seguir a Giraldo, ya no estaba al mando, y su reemplazo, el general Vargas Silva, aparecía mencionado en una de las grabaciones. Fue así como las labores de inteligencia continuaron sin que los mandos de las fuerzas fueran enterados.

Entre mediados de diciembre y principios de febrero no hubo mayores novedades. Pero a medida que avanzaba la campaña electoral, las menciones en las conversaciones de Giraldo a aparentes contribuciones del cartel a dirigentes políticos —casi todos liberales y unos pocos conservadores e independientes— se multiplicaron. Para fines de mayo y principios de junio, cuando Samper y Pastrana recorrían la recta final de la segunda vuelta, apareció lo más delicado mientras un grupo de cuatro hombres de la Dijin trabajaba en la sala de grabaciones del viejo edificio que ocupa ese organismo en el centro de Bogotá: las referencias a la financiación de la campaña del candidato liberal por parte del cartel, con el aparente conocimiento de la cúpula de dicha campaña.

Según el capitán, los hombres de la Dijin compartieron la información con sus colegas del Ejército y el DAS. Celebraron una reunión en la casa de uno de ellos para determinar qué hacer. Convinieron en que si se conocían las últimas grabaciones, habría un escándalo descomunal que podría dar al traste con las elecciones presidenciales. Uno de ellos les recordó que todas esas interceptaciones habían sido hechas sin orden judicial y no sólo carecían de valor probatorio, sino que ellos mismos se podían meter en un lío penal. Según el capitán, todos acordaron un pacto de caballeros que implicaba no revelar jamás las grabaciones. Las más importantes estaban contenidas en 17 casetes que fueron debidamente escondidos por los hombres de inteligencia, en lugares distintos a la sede de su trabajo.

Pero el compromiso fue incumplido. El capitán estaba convencido de que dos oficiales del grupo de inteligencia de la Dijin cercanos al subdirector de la Policía, general Fabio Campos, habían violado el pacto creyendo que con ello ayudaban a Campos, quien se había mostrado preocupado por un triunfo de Samper ya que suponía que éste no removería al general Vargas Silva de la dirección de la Policía. Esto último, pensaban los dos oficiales, significaría la salida de Campos, quien protagonizaba ya por aquel entonces una cruda disputa personal con el director de la institución.

—Con estas reflexiones en la cabeza, uno de los oficiales le pidió cita a Andrés Pastrana, y le entregó los casetes pocos días antes de las elecciones— concluyó el capitán.

Lesmes le hizo toda clase de preguntas a la fuente, entre ellas si los agentes de los Estados Unidos que colaboraban con los servicios de inteligencia de las distintas fuerzas estaban al tanto. El capitán aseguró que no sólo estaban al tanto, sino que habían brindado apoyo técnico a la operación.

Cuando concluyó la entrevista con el oficial, Lesmes llamó a Vargas a su apartamento. Después de transmitirle sus dudas ante la imposibilidad de verificar ese mismo día la totalidad de la historia con otras fuentes, Vargas le aconsejó que incluyera en el artículo cualquier dato que pudiera consolidar por otra vía. Lesmes lo consiguió con algunos pocos elementos sobre el papel de la Dijin y de los norteamericanos, que fueron publicados en el siguiente número. El resto, el grueso de la historia del capitán, debió quedarse entre el tintero[5].

LUNES 27 DE JUNIO

Lesmes recibió temprano una llamada del capitán que le había contado la historia de los casetes.

---

[5] En ediciones siguientes, la revista volvió sobre el tema y pudo divulgar —después de mayores confirmaciones— algunos apartes generales de esta crónica. Pero sólo en este libro se cuenta la historia completa consolidada con diferentes fuentes de la Policía, el DAS y el Ejército a lo largo de muchos meses de averiguación. Dos años después, parece claro que la narración que el capitán —quien sigue hoy una promisoria carrera en la Policía y se ha consolidado como una fuente veraz— le hizo ese día a Jorge Lesmes, es realmente un muy acertado resumen de lo sucedido. El oficial que le entregó los casetes a Pastrana, también continúa en servicio.

—Veo que no publicaron mucho de lo que le conté —le dijo.

—Es que no pudimos confirmar sino lo que salió publicado —respondió Lesmes.

—Bueno, pero se les fue un error, pues la DEA no tuvo nada que ver con las grabaciones —agregó el oficial.

—Pero si usted mismo me lo dijo.

—No —aclaró el capitán—. Lo que yo le dije era que habían sido los gringos, y me refería a la CIA, que es la que presta asesoría técnica a los servicios de inteligencia en asuntos como las grabaciones.

—Es que yo estoy casi seguro de que fue Joe Toft, el jefe de la DEA en Bogotá, quien le dio las cintas a 24 Horas —anotó Lesmes.

—Puede ser —agregó el capitán—, pero seguramente porque alguien más se las dio a él[6].

Ese mismo día, Jaime Vásquez llegó al apartamento de Vargas a almorzar, para hablar del tema de los casetes y ver el partido Bolivia—España. Vargas volvió sobre la versión de la campaña samperista en el sentido de que el ministro Pardo le había entregado los casetes a Pastrana.

---

[6] Dos años después, el domingo 21 de julio de 1996, en un artículo del periódico *The Washington Post*, Toft contó que Luis Alberto Moreno era quien le había entregado copia de los casetes al embajador de Estados Unidos, Morris Busby, quien a su vez se los había pasado al jefe de la DEA en Bogotá. Toft decidió entonces filtrarlos a algunos medios. Esa historia demuestra lo poco que sabía la DEA del seguimiento electrónico a Giraldo.

—Usted conoce a Rafael muy bien —dijo Vásquez— y sabe que eso no es cierto. Pero le digo más: fue Pastrana quien le entregó las cintas al gobierno.

Vargas quiso saberlo todo. Según Vásquez, el jueves 16 de junio, tres días antes de las elecciones, hacia las 4 de la tarde el presidente Gaviria telefoneó a Pardo al ministerio para contarle que Pastrana acababa de solicitarle una cita urgente y que el candidato conservador deseaba que el ministro de Defensa estuviera presente en la charla. Gaviria le comunicó a Pardo que el encuentro había quedado para las 5 y media y que a esa hora lo esperaba en el despacho presidencial. Pardo le comentó a Vásquez que pensaba que se trataba de algún problema de seguridad del aspirante conservador.

Pronto comprendería que el asunto era otro. El ministro —que tiene fama de ser un tanto impuntual— llegó poco antes de la seis, pero para su fortuna Pastrana también se había retrasado. Poco después Gaviria, Pardo, el candidato conservador y Moreno, su jefe de campaña, se encerraron en la oficina del primer mandatario. El candidato les contó que había estado días antes en Cali y que un desconocido le había entregado un casete, que él lo había escuchado y que quería que Gaviria y Pardo lo oyeran.

Pasaron unos minutos mientras la oficina de prensa de Palacio proporcionaba una grabadora. Pastrana mismo puso a andar el aparato y fue identificando uno a uno a los personajes, Miguel Rodríguez, su hermano Gilberto y Alberto Giraldo. Cuando terminaron de escuchar las grabaciones, que contenían tres charlas de Giraldo, una con Gilberto Rodríguez y dos con Miguel, y mientras Gaviria,

Pardo y Moreno guardaban silencio, Pastrana expresó su preocupación por el hecho de que aunque él venía ganando las encuestas, sus coordinadores regionales, especialmente en la Costa, le habían transmitido su preocupación porque los jefes samperistas estaban repartiendo plata a chorros.

—Yo dejo esta denuncia en sus manos —le dijo finalmente Pastrana a Gaviria.

El Presidente, conocido por los prolongados silencios que es capaz de sostener cuando sabe que cualquier cosa que diga puede ser usada en su contra, se quedó callado. Minutos después se despidió de sus visitantes con un solo comentario:

—Yo he oído muchas cosas graves entre las cuatro paredes de esta oficina, pero esto es de lejos lo más grave[7].

Cuando Gaviria y Pardo se quedaron a solas, el Presidente le sugirió a su ministro que entregara la cinta al fiscal Gustavo de Greiff, pues en su opinión lo que le correspondía al gobierno era poner el tema en conocimiento de la justicia. Lo demás, pensaba Gaviria, era una omisión de denuncia. Pardo compartió la idea pero le pareció que sería prudente que los organismos de inteligencia verificaran primero la autenticidad de las voces.

---

[7] Según un relato posterior de Luis Alberto Moreno a los autores, el presidente Gaviria le dijo al candidato conservador: "Ahora tengo un motivo adicional para votar por usted, Andrés". Pero ni Pardo ni Gaviria recuerdan esas palabras.

—¡Qué tal que sean Jaime Garzón o Guillermo Díaz Salamanca[8] tomándole el pelo a Pastrana, o algo más siniestro! —exclamó Pardo—. Nosotros como gobierno no nos podemos dar el lujo de mandarle al Fiscal General una grabación chimba.

—Está bien —aceptó Gaviria y se quedó pensando unos segundos—. ¿Usted se da cuenta Rafael que si esto estalla de aquí al domingo se friegan las elecciones?... ¿Y yo a quién carajos le entrego esta vaina el 7 de agosto?

Al día siguiente, Pardo se comunicó temprano con De Greiff y le pidió una cita para sus cuatro comandantes de fuerza, los del Ejército, la Marina, la Aviación y la Policía, y para el comandante general de las Fuerzas Militares. El Fiscal estaba ocupado toda la mañana y finalmente los recibió hacia las tres de la tarde, cuando el estudio de las cintas realizado en unas cuántas horas por los grupos de inteligencia de las fuerzas ya estaba listo y demostraba que las voces eran auténticas.

A solicitud de Gaviria, Pardo se había comunicado hacia las 8 y media de la mañana con Samper para ponerlo al tanto de todo lo sucedido y de lo que decían las grabaciones. El candidato liberal le contestó que era falso que los Rodríguez Orejuela hubieran hecho aportes a su campaña.

—¿Usted cree que Pastrana vaya a sacarlos a la luz pública? —le preguntó Samper.

---

[8] Garzón y Díaz Salamanca son dos conocidos humoristas de radio y televisión que imitan casi a la perfección las voces de personajes de la vida nacional, en especial de los políticos.

Pardo no supo que decir y se limitó a informar al candidato que el gobierno iba a entregar la cinta al Fiscal General.

—¿Y eso para qué? —interrumpió Samper.

—Porque es la obligación que tenemos como gobierno. Lo demás sería una omisión de denuncia.

Samper le pidió al Ministro que le enviara copia de las grabaciones a su jefe de debate, Horacio Serpa. Cuando éste las recibió y las escuchó, enseguida llamó a Pardo.

—Esto es aterrador —le dijo.—Usted me conoce, Rafael. Sabe que yo no soy el número uno aquí, pero quiero que sepa que por parte mía nada de eso pasó... y tampoco por parte de Samper...

Tras haber conversado con Samper y con Serpa y después de haber enviado las cintas al Fiscal General, Pardo consideró concluida su tarea. Hasta ahí sabía Vásquez del asunto.

Martes 28 de junio

Ese martes circuló un nuevo casete enviado a los medios por un grupo que se hacía llamar "Colombianos honorables". En él, Giraldo le decía a Gilberto Rodríguez que la campaña estaba "contando con esa plata hoy". Rodríguez le contestaba algo de suma gravedad: "Nosotros ya hemos mandado cuatro, ¿no?" Giraldo agregaba: "Ese Samper sí está dando manifestaciones de ser buen amigo".

Y Rodríguez remataba: "Ojalá no se le dañe el corazón en el camino a ese hijueputa".

Pero la cinta no salió al aire esa noche en ningún medio, pues el ministerio de Comunicaciones decidió censurar su divulgación en radio y televisión, con el argumento de que estaba prohibido en la legislación de orden público dar a conocer grabaciones con la voz de personas por fuera de la ley. De ese modo, los colombianos se privaban de escuchar la cinta que parecía confirmar que el dinero del cartel no sólo había sido ofrecido a la campaña sino recibido por ésta.

Miércoles 29 de junio

Ese día, Lesmes y Vargas se pusieron dos tareas: entrevistar a Medina —lo que el jefe de redacción garantizó muy pronto— y averiguar lo sucedido la víspera en la visita de Samper a Nueva York, durante una entrevista con funcionarios del departamento de Estado. El Presidente electo, quien había salido al exterior de vacaciones tras el estallido del escándalo de los casetes, se había visto obligado a hacer una escala en Nueva York después de que su futuro canciller, Rodrigo Pardo, lo había convencido de la necesidad de la entrevista con los funcionarios del gobierno de Bill Clinton. Esa reunión había sido sugerida a Pardo por el embajador de Colombia en Washington, Gabriel Silva, quien pensaba que era urgente un diálogo del nuevo Presidente con la gente del departamento de Estado, profundamente inquieta por lo que revelaban los casetes.

El embajador, uno de los colombianos que mejor conocen los vericuetos e intimidades de las oficinas públicas de la capital norteamericana, estaba muy preocupado porque en círculos del gobierno y el Congreso en Washington, algunos hablaban de que los Estados Unidos no dejarían posesionar a Samper. Silva se lo había comunicado al presidente Gaviria, quien le había pedido que tomara contacto con Rodrigo Pardo y con el propio Samper.

—En cuanto al departamento de Estado y a la Casa Blanca —le dijo Gaviria a Silva—, dígales de mi parte que no se vayan a meter en la locura de no dejar posesionar a Samper, que yo en eso no los acompaño porque dañarían de modo irremediable la estabilidad democrática de Colombia.

Silva y la canciller Noemí Sanín se dedicaron entonces a buscar un acercamiento entre Samper y Washington. Fue así como se convino la cita de Nueva York para ese martes, en la residencia oficial del embajador en la ONU, Luis Fernando Jaramillo. A ella asistieron la canciller, Silva, Samper, Rodrigo Pardo, el futuro ministro de Justicia Néstor Humberto Martínez y el embajador Jaramillo. Por el departamento de Estado vinieron Mike Skol, segundo a bordo en la subsecretaría de Estado para asuntos interamericanos, y Crescencio Arcos, segundo del subsecretario para narcóticos, Robert Gelbard. Los dos funcionarios llegaron acompañados de la especialista en Colombia en el departamento de Estado, Anne Wells, quien tomó apuntes del encuentro.

—¡Uy!, qué jartera —exclamó Samper cuando le informaron que Skol y Arcos habían llegado a la residencia de la embajada. El presidente electo había sido advertido por Silva en una reunión previa sobre la gravedad de la situación, pero se había resistido a reconocerla y por el contrario había asegurado que el embajador estaba exagerando.

—Yo podría estar viendo los partidos del mundial de fútbol, en vez de estar aquí atajándoles goles a ustedes —les dijo Samper a los dos visitantes, para tratar de romper el hielo. Pero Skol y Arcos apenas sonrieron.

Skol, un curtido diplomático caracterizado por sus excelentes maneras, inició su exposición con algunas frases amables en las que agradecía a Samper haber aceptado recibirlos. Noemí Sanín lo interrumpió y también agradeció la asistencia de Skol y Arcos.

—Lo importante es que ustedes conversen y que se garantice la continuidad de la cooperación entre los dos países, y la continuidad de la democracia colombiana —dijo la canciller.

—Señor Presidente —continuó Skol —nosotros estamos muy preocupados con la información sobre la presencia de dineros de los carteles en la campaña, tal y como ya se lo habíamos expresado a fines del año pasado a usted y a Rodrigo Pardo[9]. Y debe entender que esa preocupación se ha agravado con la aparición de los casetes. Todo

---

[9] A fines de 1993, durante una visita del ministro de Defensa Rafael Pardo al departamento de Estado en Washington, en compañía del embajador Silva, Robert Gelbard les advirtió que su gobierno estaba muy preocupado por las informaciones que tenía sobre inminentes aportes del cartel de Cali a la campaña de Samper.

esto es muy delicado. Nos preocupa la capacidad de su gobierno para mantener la lucha contra el narcotráfico. Las relaciones están alteradas y van a hacer falta muchos esfuerzos para mantener la colaboración.

—Ustedes no pueden tener dudas de mi equipo —respondió Samper—. Yo garantizo que pondré a los mejores hombres, a Rodrigo Pardo a quienes ustedes conocen desde la administración Barco, a Néstor Humberto Martínez, que ha estado un buen tiempo aquí en el BID, a Fernando Botero, que es intachable. Son ellos quienes van a manejar esos temas y las relaciones.

Arcos, un hombre de origen latino y tez morena, republicano y beligerante que había marcado con un fuerte perfil intervencionista su paso por la embajada en Honduras, le cortó la exposición a Samper.

—A mí me da mucho pesar tener que decirlo, pero nosotros tenemos evidencia de que a la campaña ingresó

El ministro le respondió que aprovechara una visita que Rodrigo Pardo haría semanas más adelante a Washington para tocar el tema con él. Gelbard lo hizo, y también habló del asunto con el propio Samper cuando éste visitó la capital estadounidense por aquellos días. Así lo confirmó el propio Gelbard, en declaraciones reproducidas por el semanario económico *Portafolio* el 13 de mayo de 1996: "En 1993, cuando me entrevisté personalmente y a solas con Ernesto Samper, le dije que tenía todas las razones para creer que su campaña, con su conocimiento, estaba aceptando y solicitando dinero proveniente del narcotráfico". El 7 de julio de 1996, el abogado del Presidente, Luis Guillermo Nieto Roa, le dijo a *El Espectador* que Gelbard mentía, pero días después el gobierno replanteó lo dicho por Nieto y dejó entrever que sí había habido advertencia de Gelbard.

dinero del narcotráfico, y no en pequeñas sino en grandes cantidades —aseguró.

—Un momento —replicó Samper mientras se incorporaba del sofá—, pero ésas son acusaciones infundadas, yo no las acepto, yo sobreviví a un atentado de los carteles[10], tengo un equipo que ya les presenté e impuse mecanismos inexpugnables en la campaña para que no entraran esos dineros. En cuanto a los casetes, eso es un montaje de la mafia para desprestigiarme, como lo hicieron hace años con Rodrigo Lara. Tal vez, en esa estrategia de desprestigio, hayan engañado a la campaña con algunos cheques de mala procedencia. Pero si eso pasó, fue algo irregular. Lo que yo sí necesito es que Estados Unidos quite esa sombra de duda que pesa sobre mi cabeza.

—No se trata de quitar sombras de duda —respondió Arcos—. Usted debe saber que no lo vamos a juzgar por el pasado, ni por su campaña, sino por los resultados que logre y por la cooperación que nos brinde. Usted tiene que demostrarnos que esos dineros que entraron a su campaña no van a debilitar el compromiso del gobierno colombiano en esta lucha.

---

[10] El viernes 3 de marzo de 1989, durante un atentado de sicarios del paramilitarismo contra el dirigente comunista José Antequera en el aeropuerto Eldorado de Bogotá, Ernesto Samper, quien se había acercado a saludar al político de izquierda, resultó gravemente herido, con diez balazos que lo mantuvieron entre la vida y la muerte durante varias semanas. Antequera, quien recibió 24 disparos, murió pocos minutos después del ataque, cuando era llevado a un hospital. Nunca hubo evidencia de que Samper fuera el blanco del ataque, pero él siempre se ha referido al trágico episodio como si lo hubiera sido.

El mensaje estaba claro, pero Samper insistió en que era injusta la sombra de duda y mantuvo un tono duro con Arcos. Skol tomó entonces la palabra para mencionar que lo importante era mirar hacia adelante. Arcos convino y le dijo a Samper que era necesario que Washington supiera qué iba a hacer el nuevo gobierno en materia antidrogas. Skoll se despidió con una frase más bien positiva en el sentido de que al menos habían comenzado a hablar. Pero Arcos fue más frío. La canciller Sanín y el embajador Silva lo acompañaron hasta la salida.

—Este hombre tiene la arrogancia de los corruptos —dijo Arcos al despedirse—. Me recuerda al presidente de Honduras, un día que le pregunté por un inmenso anillo que llevaba puesto su esposa y que todo el mundo sabía de dónde había salido.

Silva y la canciller trataron de controvertir la impresión que Arcos se llevaba, pero fracasaron. Sólo atinaron a decirle que no olvidara que lo importante era preservar, a toda costa, la continuidad democrática en Colombia.

La cita no había salido del todo bien y Samper estaba muy molesto. Pero tanto él como Pardo comprendieron que Silva había tenido razón en lo delicado de la situación, y el embajador y el nuevo canciller se pusieron en la tarea de redactar una carta para el Congreso estadounidense —donde el octogenario senador conservador Jesse Helms estaba preparando un debate contra Samper— en la que el nuevo gobierno anunciaba una serie de metas por alcanzar en la lucha antidrogas.

JUEVES 30 DE JUNIO

Ese día, la Corte Suprema de Justicia resolvió una inquietud que le había planteado el fiscal general, Gustavo de Greiff, sobre si a él, que el 20 de junio había cumplido 65 años, se le aplicaba la norma de retiro forzoso a esa edad que imperaba en la rama judicial. La sala plena de la corporación decidió que De Greiff debía retirarse y que el presidente Gaviria tenía que enviar una nueva terna a la Corte.

—No se le olvide que en uno de los casetes, Miguel Rodríguez y Giraldo hablan del "viejito" para referirse al Fiscal —le dijo Lesmes a Vargas al contarle la noticia en horas de la tarde—. Quién sabe si eso esté relacionado con la decisión, aparte de todas las polémicas que De Greiff ha desatado[11].

---

[11] El 28 de marzo de 1994, De Greiff envió una carta al juez Sterling Johnson, de la Corte de Nueva York, en la que le advertía, a solicitud del abogado de Dandenys Muñoz Mosquera, *La Quica*, que este narcoterrorista, que estaba siendo juzgado en esa ciudad estadounidense, no había tenido, según los registros de la Fiscalía, participación alguna en el atentado al avión de Avianca el 27 de noviembre de 1989, en el que murieron 107 personas, entre ellos dos ciudadanos norteamericanos. El envío de dicha carta fue considerado por las autoridades de Estados Unidos como un intento de De Greiff de obstruir a la Justicia de ese país. Las relaciones entre el funcionario colombiano y Washington ya estaban deterioradas por otros episodios, entre ellos la expedición por parte del entonces Fiscal de una especie de salvoconducto a jefes del cartel de Cali que carecían de antecedentes debidamente judicializados en la Fiscalía, y su posición en favor de la legalización de las drogas.

Viernes 1° de julio

Felipe López, Vargas y Lesmes tomaron por la tarde varias decisiones para la siguiente edición. Primero, hacer un resumen dentro del artículo principal del encuentro de Nueva York entre Samper y los funcionarios del departamento de Estado. Segundo, divulgar el casete censurado por el ministerio de Comunicaciones y justificar su publicación con el argumento de que mientras el tema de los narcocasetes no se ventilara y aclarara, las cosas dentro de Colombia y con los Estados Unidos se iban a complicar mucho más. Y tercero, presentar en carátula la entrevista con Medina, a pesar de no ser especialmente reveladora.

Sábado 2 de julio

Acababa de amanecer cuando Lesmes pudo por fin terminar la edición de la revista. El jefe de redacción tomó su carro para dirigirse a casa y a medio camino encendió el radio. Tuvo que frenar en seco cuando un boletín de noticias reveló que acababa de ser asesinado cerca de Medellín el defensa central de la selección nacional de fútbol, Andrés Escobar, autor sin culpa alguna de un autogol en el partido contra Estados Unidos que marcó la eliminación del equipo. Regresó a la revista y alcanzó a cambiar una página para registrar el trágico episodio, cuya explicación era aún difícil de establecer.

—Este país está maldito —le dijo a Hernando Álvarez, el editor de deportes, mientras redactaban la nota a las carreras.

JUEVES 7 DE JULIO

Después de un duro forcejeo con Samper, el presidente Gaviria envió ese día la terna para elegir al nuevo Fiscal. El mandatario saliente había querido concertar los tres nombres con su sucesor, pero las cosas no habían sido fáciles. Finalmente acordaron que cada uno aportaría un nombre y que el tercero lo convendrían. Samper propuso a Juan Carlos Esguerra y Gaviria a Carlos Gustavo Arrieta, quien debía dejar la Procuraduría General en septiembre. Luego Gaviria le sugirió a Samper un tercer nombre, el de Alfonso Valdivieso, ex ministro de Educación de su gobierno y derrotado candidato al Senado que había apoyado la aspiración presidencial de Samper. Todo el mundo, incluida *Semana*, concluyó que la pelea sería entre Esguerra y Arrieta, y que Valdivieso era el comodín de la terna a quien había que descartar de entrada.

JUEVES 14 DE JULIO

Felipe López, quien había regresado ya al país, insistió mucho en desarrollar un filón de la historia de los casetes que *Semana* y los demás medios parecían haber abandonado: el de las conversaciones de Alberto Giraldo con Miguel y Gilberto Rodríguez, no sobre la financiación de la campaña de Samper, sino sobre la entrega de "un paquete muy grande" a un alto oficial de la Policía que se suponía podía ser el director de esa institución, el general Octavio Vargas Silva. López deseaba a toda costa saber qué había de cierto en todo eso.

Lesmes pasó varios días tratando de confirmar que los servicios de inteligencia hubieran cotejado las voces de estas cintas tanto como las de aquellas que hablaban de la campaña presidencial. Ese jueves, Antonio, su fuente de mayor confianza, le aseguró que esas grabaciones eran tan reales como las otras.

El problema era que Vargas Silva había sido, a no dudarlo, el gran héroe de la lucha contra el cartel de Medellín, el hombre bajo cuyo mando el Bloque de Búsqueda había desbaratado la organización militar de Pablo Escobar hasta darlo de baja a él mismo. Por esa razón, sin pensarlo dos veces, el gobierno de César Gaviria lo había ascendido al cargo de director de la Policía, que seguía ocupando hasta la fecha.

Lesmes, que mantenía una buena relación con Vargas Silva desde los días de la guerra contra Escobar, lo convenció de que visitara *Semana* para hablar del casete. Acordaron entonces almorzar al día siguiente en la sede de la revista, en compañía de López.

Viernes 15 de julio

El general Vargas Silva llegó al almuerzo en compañía del general Luis Enrique Montenegro, un prestigioso oficial, frentero y francote, y del coronel Leonardo Gallego, otro exitoso oficial bajo cuyo mando había sido dado de baja Gonzalo Rodríguez Gacha a fines de 1989.

López entró en materia sin mayores rodeos, como era su costumbre. Le dijo al general que aceptara que para acabar con Escobar y con su organización, las autoridades habían hecho una alianza con el cartel de Cali. El general Vargas asintió. Luego López se tomó más confianza y le preguntó si en el marco de esa alianza podía haber habido regalos de los capos de Cali a oficiales y agentes del gobierno que habían combatido a Escobar. De nuevo el general asintió. Pero cuando llegaron al tema del casete, Vargas Silva negó rotundamente que él fuera *Benitín* o que hubiera recibido regalo alguno. Argumentó en su favor que había una diferencia de un día entre la fecha de su ascenso a la dirección de la Policía y la que estaba registrada al principio del casete como fecha de la grabación, a pesar de que se suponía que ésta había sido realizada el día mismo de la posesión.

Lesmes y López acordaron escribir un artículo de tres páginas con todos esos elementos, que señalara los indicios revelados por el casete sobre la posible identidad de *Benitín*, pero a la vez le otorgara al general el beneficio de la duda en virtud, entre otras cosas, de su hoja de vida y de sus logros en la lucha contra Escobar.

LUNES 25 DE JULIO

Mauricio Vargas regresó ese día de sus accidentadas vacaciones. Durante el consejo de redacción que los periodistas de la revista celebran todos los lunes para evaluar la edición que acaba de salir y planear la siguiente, el primer tema en la agenda era la elección del nuevo Fiscal General el martes en la Corte Suprema.

—Yo creo que va a ganar Alfonso Valdivieso —dijo Óscar Montes, quien después de terminada la campaña se había hecho cargo de cubrir las informaciones generadas por los altos tribunales de Justicia.

Todo el mundo le cayó encima. La idea de que Valdivieso había sido incluido en la terna en calidad de comodín y que los únicos con opciones eran el saliente procurador Carlos Gustavo Arrieta y el ex constituyente Juan Carlos Esguerra, había hecho carrera a tal punto que el vaticinio de Montes produjo escepticismo y hasta burlas.

—Yo he estado hablando con algunos magistrados —insistió Montes— y veo que Valdivieso es el único de los tres que ha hecho la tarea de visitarlos uno por uno, llevarles su hoja de vida, contarles qué piensa de la Fiscalía y qué piensa hacer con ella...

Nada de eso convenció al consejo de redacción y, por el contrario, salieron a relucir algunos chistes pesados —algo muy típico de esas reuniones— que pretendían cuestionar el manejo que Montes estaba dando a sus nuevas fuentes en las altas cortes.

—Óscar —dijo uno de los reporteros—, ¿a usted sí se lo están tomando en serio esos magistrados?

MARTES 26 DE JULIO

Un artículo de la primera página del diario *El Tiempo* de ese día hablaba de una disputa voto a voto entre Esguerra y Arrieta, y descartaba plenamente a Valdivieso para la elección de Fiscal que haría la Corte hacia el mediodía. Los pronósticos de Montes parecían cada vez más equivocados.

Hacia la una y media de la tarde, Valdivieso salió de la oficina de Horacio Serpa en la sede de la campaña samperista en la calle 72 al norte de Bogotá, después de una reunión en la que los dos viejos aliados políticos de Santander habían discutido con el senador Alberto Montoya sobre las próximas elecciones para gobernador del departamento.

—Felicitaciones —le dijo el conductor de Montoya a quien se cruzó en el parqueadero—. Acabo de oír que lo eligieron Fiscal.

Valdivieso no le creyó. Se subió a su automóvil particular y encendió el radio. Llevaba pocas cuadras de recorrido hacia la clínica Shaio a donde se dirigía para visitar a su madre que convalecía de una operación de la vesícula[12], cuando escuchó un boletín desde la Corte Suprema.

—Por abrumadora mayoría el exministro Alfonso Valdivieso Sarmiento ha sido elegido como nuevo Fiscal General de la Nación —dijo un periodista sin aportar mayores detalles.

En *Semana*, Montes les pasó la cuenta a todos los que le habían mamado gallo la víspera. La estrategia de

---

[12] Doña Mercedes Sarmiento, madre de Valdivieso, no alcanzó a verlo posesionado como Fiscal. Murió cuatro días después, tras una complicación postoperatoria.

Valdivieso había dado resultado: 15 magistrados quedaron convencidos con su visita y sus planteamientos, tres votaron por Esguerra, uno por Arrieta y otro más lo hizo en blanco.

—Si maneja la Fiscalía con la habilidad que demostró para hacerse elegir, se va a lucir —comentó la redactora política de la revista, Sylvie Duchamp, en un concepto que terminó incluido en el artículo de la siguiente edición.

En sus primeras declaraciones, Valdivieso comenzó a destapar sus cartas. Propuso aumentar las penas contra los narcotraficantes y anunció que iba a enfilar las baterías investigativas de la Fiscalía en contra del cartel de Cali, de cuyos jefes dijo que también eran terroristas, pero no como Escobar, que mandaba poner bombas, sino por la forma como habían corrompido e infiltrado las instituciones del Estado.

—Eso —afirmó—también es terrorismo.

El contraste con Gustavo de Greiff no podía ser mayor.

Lunes 8 de agosto

Era el primer día de actividades del nuevo gobierno. Samper se había posesionado la víspera durante una lucida ceremonia en la Plaza de Bolívar, en un acto con el cual parecía haber espantado los malos augurios surgidos con el escándalo de los narcocasetes. De hecho, el tema se había ido muriendo en las dos semanas anteriores a la posesión y todo el mundo en Colombia parecía dispuesto a darle una oportunidad al nuevo mandatario. Samper, por su parte, también estaba en plan de arrancar con pie derecho.

Cuando Mauricio Vargas llegó ese lunes a *Semana*, Luz Yolanda Mendieta, su secretaria, le reportó una llamada del nuevo Presidente, que él ordenó responder de inmediato.

—Qué hubo, Mauricio —dijo amablemente Samper—. Esta es una de las primeras llamadas que hago. Quiero que sepa que aquí tiene un Presidente amigo. Llámeme directamente a mí si es necesario, cuando requiera algún dato o tenga cualquier inquietud...

Vargas agradeció el gesto, que tenía un significado que iba más allá de la formalidad. Samper se había sentido maltratado por el director de *Semana* por cuenta de un libro que éste publicó a fines de 1993 sobre el gobierno de Gaviria, de quien Vargas fue consejero y ministro de Comunicaciones. Samper salió especialmente mal librado en el libro y la llamada del recién posesionado Presidente parecía indicar que todo eso era asunto del pasado.

—Yo le digo lo mismo, Presidente —contestó Vargas—. Cuando quiera quejarse de algo, cuando algo de la revista no le guste o lo encuentre equivocado, llámeme y lo discutimos.

El doble juego

VIERNES 12 DE AGOSTO

La primera semana de labores del recién posesionado ministro de Defensa, Fernando Botero, resultó especialmente agitada. La guerrilla, que había despedido a César Gaviria con una feroz ofensiva, la mantuvo para saludar a Samper. La respuesta paramilitar fue el asesinato, el martes 9, del dirigente comunista Manuel Cepeda. En las horas siguientes estalló la olla a presión de la narcocorrupción en la Policía de Cali, al tiempo que el noticiero 24 Horas revelaba un video grabado por el cartel de esa ciudad al coronel Carlos Alfonso Velásquez, comandante del componente del Ejército del Bloque de Búsqueda, mientras hacía el amor en un motel de la capital del Valle con una muchacha que los capos le habían puesto como señuelo. La historia del coronel, el primer oficial que había golpeado en términos efectivos al cartel con allanamientos, detenciones y la incautación de valiosa documentación, iba a ocupar la carátula de *Semana*.

El ministro Botero había sido consultado por Jorge Lesmes para conseguir toda la historia, y aunque era crítico con el coronel por el grave error cometido, había pedido que la revista le reconociera sus éxitos. En el curso de sus charlas con el Ministro, Lesmes encontró una segunda historia que podía servirle a la revista y para la cual ese viernes Botero también aportó información. Según él, el ministerio iba a cambiar la estrategia de persecusión en contra del cartel por una nueva en la cual el énfasis iba a estar en la inteligencia más que en las operaciones de fuerza en contra de los capos. La lógica de la decisión era que si los narcotraficantes de Cali habían cambiado el narcoterrorismo que caracterizó a Escobar, por mecanismos de corrupción como el de la Policía de Cali, o de desprestigio como el aplicado al coronel Velásquez, las autoridades también debían ponerse a tono con el enemigo.

Cuando esa noche Vargas y Lesmes revisaron el texto escrito por Sylvie Duchamp, la redactora política, se preguntaron si Botero no había tenido una segunda intención al sugerir el artículo. La insistencia del ministro en que en esta nueva fase no habría allanamientos, no resultaba del todo convincente.

—Lo que pasa es que los documentos y las informaciones contra los capos se consiguen precisamente en los allanamientos —observó Lesmes.

—Sí, y por ahora parece que no va a haber muchos —respondió Vargas—. De pronto en el gobierno están asustados y temen que los Rodríguez cuenten algo sobre lo que dicen los casetes. Pero talvez estamos hilando demasiado delgado. Dejemos ese artículo así, que en todo caso es interesante.

MARTES 16 DE AGOSTO

En horas de la tarde, la noticia que había sido prevista por los diferentes medios desde hacía varios días, se confirmó. El saliente fiscal, Gustavo de Greiff, había decidido archivar el caso de los narcocasetes, luego de tres semanas de indagaciones.

De Greiff, quien había asumido personalmente las averiguaciones, produjo una rápida decisión tras recibir poco más de una docena de declaraciones y revisar los libros contables de las dos campañas. La investigación concluyó que, según el testimonio del propio Alberto Giraldo, las conversaciones telefónicas sí habían tenido lugar, aunque algunas podían haber sido editadas (el documento de De Greiff no especificaba qué apartes), y en cualquier caso, como las cintas habían sido grabadas ilegalmente, carecían de valor probatorio. El Fiscal juzgó que había quedado establecido el intento de los hermanos Rodríguez Orejuela de financiar parte de las dos campañas presidenciales, así como el deseo de Giraldo de servir de intermediario para ello. Pero en cambio, en cuanto a la financiación de las campañas con dineros procedentes del narcotráfico, "ninguna de las pesquisas realizadas materializó esa posibilidad". Por tanto, determinó De Greiff, no había habido delito. Ni delincuentes, salvo quienes habían interceptado las comunicaciones telefónicas; pero como la indagación no había podido determinar quiénes habían sido, tampoco podía iniciar proceso en su contra.

Desde el punto de vista de la formalidad jurídica, era posible que el Fiscal hubiera llegado a una conclusión inevitable. Pero a las pocas horas de conocerse la decisión había numerosas críticas. Vargas y Felipe López comentaron telefónicamente esa tarde que la actitud de De Greiff tenía muchos problemas de presentación. Para empezar, el hecho de que la hija del Fiscal, Mónica de Greiff, hubiera actuado en la primera etapa de la campaña de Samper como su tesorera y que acabara de ser designada por el nuevo gobierno como consejera presidencial para asuntos internacionales, debía haber llevado a De Greiff a declararse impedido. No había duda de que era necesario escribir un artículo sobre el asunto.

Viernes 19 de agosto

Después de tres días de cuestionamientos a la decisión del Fiscal, el artículo parecía plenamente justificado. El mal sabor del episodio aumentaba por la noticia que el gobierno había filtrado días antes en el sentido de que De Greiff iba a ser nombrado embajador en México. Tenía todo el sentido del mundo que quien había ocupado el delicado cargo de Fiscal General durante dos años en plena guerra contra Pablo Escobar, mereciera una misión en el exterior como protección. Pero el cruce de esa información con el archivo del caso de las narcocintas molestó a muchos, entre ellos al ex ministro Enrique Parejo, uno de los primeros en pedirle a De Greiff que se declarara impedido en esa investigación. Parejo le dijo esa tarde a *Semana* en una pequeña entrevista sobre el tema, que si se confirmaba el nombramiento, "eso sería una desfachatez, equivaldría a cerrar con broche de oro este triste episodio".

La conclusión del artículo de *Semana* también era crítica: "Lo que se requería (con la investigación) era aclarar el asunto, no simplemente enterrarlo, pues es previsible desde ya que el fantasma de ese entierro vuelva a asustar en el futuro".

MARTES 23 DE AGOSTO

En su habitual columna de los martes en *El Tiempo*, Francisco Santos apuntaba en la misma dirección que *Semana* y otros medios y criticaba severamente al Fiscal General por el archivo de la investigación de los casetes. Con una argumentación sencilla y directa, Santos se preguntaba si De Greiff no debía haber ido un poco más lejos de la simple revisión de los libros contables oficiales de la campaña samperista; si no debía haber pedido, por ejemplo, el levantamiento de la reserva bancaria de las cuentas de la campaña y de sus principales directivos y colaboradores. Al final de su escrito el columnista acusaba al Fiscal de haberles dado "patente de corso" a los narcotraficantes que financiaron campañas en las elecciones del 94. "Luis Carlos Galán —decía el remate de la columna— debe estar revolviéndose en su tumba, donde ya ni siquiera descansa en paz"[1].

Pero las críticas a De Greiff no eran la única prueba de que el tema de los casetes estaba vivo. Los rumores en

---

[1] *El Tiempo*, 23 de agosto de 1994, p. 5A.

el sentido de que el asunto de las grabaciones desencadenaría cambios en la cúpula de la Policía iban en aumento. Así se lo comentó Jorge Lesmes a su amigo y colega Edgar Téllez, quien acababa de aceptar una oferta para entrar a reforzar el equipo de *Semana* como nuevo jefe de investigación. Téllez había hecho carrera por cerca de diez años en *El Tiempo* y el noticiero de televisión TV Hoy, y había consolidado relaciones periodísticamente productivas con algunas de las más informadas fuentes del Ejército, la Policía y el DAS. Había hecho un paréntesis durante los quince meses precedentes, para desempeñarse como secretario privado del procurador Arrieta, quien iba a dejar su cargo en esos días. Téllez estaba decidido a regresar al periodismo con el pie derecho y, tras su conversación con Lesmes sobre los posibles cambios en la Policía, decidió que cuando la semana siguiente empezara formalmente labores en la revista, lo haría con un paquete completo de información sobre el sacudón en la cúpula policial.

Por eso, ese mismo martes se puso a averiguar qué era lo que estaba pasando en la Policía. Por la tarde habló con una vieja fuente que estaba muy cerca del director de la institución, el general Vargas Silva. Supo que esa mañana, hacia las 11, el alto oficial había llamado a su despacho al general Rosso José Serrano, entonces director operativo, para hablar sobre su futuro en el organismo.

Vargas Silva estaba muy agradecido con Serrano por la forma como éste, conocido por sus magníficos contactos que consiguió en Washington como director antinarcóticos, había reestablecido las relaciones entre el director de la Policía y la DEA, interrumpidas por cuenta de las revelaciones del narcocasete de *Benitín*. Después de varias semanas de haber congelado sus nexos con el general Vargas Silva, el poderoso jefe de la DEA, Thomas Constantine, había enviado, a instancias de Serrano, un mensaje de condolencias al director de la Policía por la trágica muerte de su hijo Juan Carlos, en un confuso incidente a bala, en una noche de fiesta el jueves 18 de agosto en la zona rosa al norte de Bogotá.

—Le tengo buenas noticias —le dijo con una gran sonrisa Vargas Silva a Serrano, para luego explicarle que esa mañana había desayunado con el ministro de Defensa Fernando Botero y que éste le había expresado su deseo de promover al director operativo como nuevo subdirector de la Policía, en el marco de unos cambios que el gobierno pretendía llevar a cabo en la cúpula de la institución en los días por venir.

Téllez se enteró de que Botero deseaba enviar una señal de cambio radical para contrarrestar los duros cuestionamientos de que venía siendo objeto la Policía, después de que los medios revelaran una lista de oficiales y agentes de la Metropolitana de Cali, pagados por el cartel de esa ciudad. De paso, el ministro quería acabar con las historias de enfrentamientos entre Vargas Silva y el subdirector Fabio Campos, a cuyos hombres se acusaba de haber intervenido en la grabación y filtración de los narcocasetes[2].

---

[2] La revelación de los casetes y las sospechas en torno al papel jugado por la Dijin en la grabación de los mismos, desataron desde fines de junio una verdadera cacería de brujas en el interior

Botero, quien había estado semanas antes en Washington en cumplimiento de la misión que Samper le había prometido a Skol y Arcos en la accidentada reunión de Nueva York, había causado una excelente impresión entre los funcionarios norteamericanos como hombre decidido a endurecer las políticas en contra del cartel. En el marco de esas conversaciones y ante la avalancha de elogios a Serrano por parte de los funcionarios de las diferentes agencias estadounidenses, el ministro había dejado entrever que el gobierno pensaba nombrarlo como nuevo subdirector, de tal manera que cuando llegara la hora de relevar a Vargas Silva, Serrano estuviera en el primer lugar de la línea de sucesión.

La fuente le contó a Téllez que hasta ese momento nada era oficial y que Vargas Silva le había transmitido a Serrano la necesidad de que todo se mantuviera bajo reserva, pues el ministro consideraba que esa condición era fundamental para poder llevar a cabo los cambios.

---

de la Policía. El coronel Alonso Arango, un curtido investigador de inteligencia que se desempeñaba como adjunto de la agregaduría policial en la embajada en Washington, fue llamado de urgencia a Colombia para encabezar las pesquisas. Bajo su dirección una unidad especial de contrainteligencia realizó 18 allanamientos a las dependencias de la Dijin en Bogotá y a las casas de al menos 40 de sus oficiales y agentes, a quienes además sometió por varios días a intensos interrogatorios. La investigación no prosperó, pues Arango y su gente se encontraron con un verdadero muro de silencio y no hallaron un sólo documento.

VIERNES 26 DE AGOSTO

Andrés Pastrana, de regreso en el país por primera vez desde el estallido del escándalo, aceptó una entrevista con *Semana* para ese viernes en la tarde. La revisión del borrador —en desarrollo de una norma de los medios impresos que permite a los entrevistados afinar sus conceptos hasta conseguir una versión definitiva de la entrevista— resultó lenta y tediosa. Pastrana estaba nervioso e indeciso. Por momentos quería aparecer agresivo en la defensa de su derecho a denunciar el asunto de los casetes. Pero luego se arrepentía, pues recordaba que esa actitud le había costado numerosas críticas y puntos en las encuestas. El texto final del reportaje reflejó todas esas dudas, aunque Pastrana reveló un dato interesante: "... me sorprendí cuando el Fiscal asumió la investigación, pues cuando él se reunió conmigo al inicio del proceso, me manifestó que por razones obvias estaba impedido". El director de *Semana* buscó a De Greiff para que respondiera, pero el saliente Fiscal no quiso polemizar con Pastrana.

SÁBADO 27 DE AGOSTO

Ese sábado, tarde en la noche, Edgar Téllez recibió una llamada de su fuente policial. El oficial le informó que algo parecía estar cambiando en la decisión de Botero. De acuerdo con la fuente, el Ministro había llegado hacia las 8 y media de la mañana de ese día a la hacienda presidencial de Hatogrande, en las afueras de Bogotá, donde el mandatario tomaba un descanso de fin de semana con su familia. Según la información recogida por el oficial y procedente al parecer de personal militar o de Policía de la Casa de Nariño, Samper había querido discutir con su Ministro los cambios en la cúpula policial.

El Presidente le dijo a Botero en tono impositivo que él ya había averiguado quién había grabado los casetes y quién se los había entregado a Andrés Pastrana. Samper le habló de una lista de seis oficiales, tres de ellos generales, comprometidos en el episodio y a quienes ordenaba destituir. Los generales eran Fabio Campos Silva, Rosso José Serrano y Jairo Rodríguez, director de la Dijin. Para Botero, el primero y el último nombre concordaban con lo que él sabía, pero el caso de Serrano lo sorprendió, a tal punto que ni siquiera fue capaz de decirle al Presidente que pensaba nombrarlo como nuevo subdirector. Según los informes de la fuente de Téllez, el Ministro se había ido de Hatogrande sin controvertir la perentoria orden presidencial.

LUNES 29 DE AGOSTO

La fuente policial seguía informando a Téllez, paso a paso, de lo que sucedía en la cúpula de la institución. Lo último era que el general Campos Silva ya había sido enterado extraoficialmente de su inminente salida. Dos tenientes, uno vinculado a la Escuela de Cadetes y otro a la de Carabineros, llegaron ese lunes en la mañana a su oficina para decirle que su retiro y el del director de la Dijin, el general Rodríguez, eran cuestión de días. Los tenientes no parecían estar al tanto de que Serrano también estaba en la lista.

Según la misma fuente, Campos agradeció a los dos tenientes la oportuna información y los despachó. Minutos después salió de su oficina, recorrió los escasos 20 metros que la separan de la Dirección General y, sin siquiera saludar al general Vargas Silva, le preguntó a quemarropa si era cierto que lo iban a sacar.

—No le haga caso a esos rumores —fue la inmediata respuesta de Vargas Silva.

Viernes 2 de septiembre

Téllez llevaba dos días en su nuevo cargo en *Semana* y estaba dispuesto a lucirse con una historia detallada de los intríngulis que rodeaban los inminentes cambios en la Policía. El asunto de los cambios en la Policía que Téllez investigaba despertó el interés del director Mauricio Vargas, quien siempre ha privilegiado las historias —otrora tabú para los medios de comunicación— sobre las intrigas que preceden a los cambios en los altos mandos policial y militar.

En principio, el anuncio de los cambios estaba previsto para la semana siguiente, lo que le permitiría a Téllez anticipar algunos de ellos y contar cómo iba el proceso hasta el cierre de la edición de ese viernes. Pero hacia el mediodía el oficial que lo mantenía informado volvió a llamarlo.

—Algo está pasando porque mi general Vargas Silva salió de urgencia para el ministerio —le dijo—. Parece que la cosa se aceleró porque el noticiero QAP anda detrás de la historia de los relevos y Botero no quiere que los periodistas se le adelanten.

Un capitán amigo del oficial y quien laboraba en un despacho cercano al de Botero en el ministerio de Defensa, le había contado a la fuente de Téllez que el nuevo subdirector iba a ser el general Guillermo Diettes, quien para entonces se desempeñaba como agregado de Policía en la embajada en Washington. Según la fuente, Diettes había hecho varias llamadas desde el exterior a Samper —con quien mantenía de tiempo atrás una buena relación— y al propio ministro de Gobierno Horacio Serpa, viejo amigo de juventud, hasta que consiguió asegurarse el nombramiento.

A Téllez le pareció extraño que Diettes, quien había salido para ese cargo como antesala a su retiro definitivo de la Policía, fuera a regresar a la línea de mando.

—Eso es un lío —les dijo a Vargas y a Lesmes—, pues entre muchos oficiales existe la impresión de que Diettes no hizo absolutamente nada contra el cartel de Cali cuando estuvo en esa ciudad como comandante y, por el contrario, los hombres bajo su mando se vieron enredados en varios escándalos.

—Bueno, pero eso no lo podemos decir así no más —le dijo Vargas a Téllez—. Contemos lo que tengamos confirmado y preparemos para más adelante un informe sobre Diettes, si es que en verdad se confirma que va a ser el nuevo subdirector. Tratemos de confirmar también con otras fuentes las llamadas de Diettes al Presidente y a Serpa.

Al final del día los datos sobre Diettes no estaban consolidados. Pero buena parte del resto de la historia, sí. El general Vargas había llegado poco antes del mediodía al ministerio de Defensa y almorzó con Botero. Al regresar, hacia las 2 y media al edificio de la Policía, su cara era de molestia. Citó a los generales Campos Silva y Rodríguez y minutos después los tuvo al frente. Les explicó que por decisión del gobierno debía pedirles que solicitaran la baja. Ambos guardaron silencio y después de unos minutos se retiraron. Al llegar a la puerta el general Campos no resistió la presión del momento y estalló.

—A mí me sacó el cartel de Cali —gritó, y como la puerta ya estaba abierta, fueron muchos los que lo escucharon en el piso cuarto del edificio de la Policía.

Desde el punto de vista de Campos, su exclamación tenía cierta lógica. Entre él y Vargas Silva había crecido la desconfianza desde el estallido del escándalo de los casetes. El director de la Policía estaba cada día más convencido de que Campos estaba vinculado con la grabación y filtración de las cintas. Para el subdirector, Vargas Silva nunca explicó satisfactoriamente el casete de *Benitín*. Como consecuencia de sus sospechas sobre los vínculos de su superior con el cartel, Campos se abstenía de informarle sobre las operaciones del Bloque de Búsqueda en Cali, cuyo componente policial estaba bajo su mando. Algunos oficiales cercanos a Vargas Silva le habían dicho a Téllez, además, que hombres de Campos habían comenzado a grabar las conversaciones telefónicas del director de la Policía.

Téllez fue enterado también por sus fuentes de la reunión de Vargas Silva con Serrano, celebrada esa misma tarde a las 4 y 15. El director de la Policía había convenido con el ministro desatender parcialmente la orden del Presidente y, aunque cumplirían con el deseo de Samper de no nombrar a Serrano como nuevo subdirector, no lo sacarían de la Policía y, en cambio, lo mantendrían como subdirector operativo, por debajo de Diettes. De ese modo, Vargas Silva le retribuiría a Serrano los favores que éste le había hecho con el gobierno de los Estados Unidos semanas atrás, y a su vez el ministro cumpliría con lo que les había anunciado a los funcionarios de las agencias norteamericanas en Washington, en el sentido de mantener a Serrano, considerado por casi todos los conocedores colombianos y estadounidenses como el oficial más prestigioso de la Policía, en las filas de la institución.

Pero durante la reunión, Vargas Silva se enfrentó con un problema: Serrano se negaba categóricamente a ser subalterno de Diettes, sobre quien tenía las mismas sospechas que muchos otros oficiales tras el paso de ese general por la comandancia de Cali. Serrano mismo propuso una salida: viajar a Washington como agregado de la embajada. Vargas Silva le transmitió la idea a Botero y al Ministro le pareció bastante buena. Pasadas las 5 de la tarde, el director de la Policía dio una rueda de prensa en que anunció todos los cambios.

Un oficial cercano a Serrano le dijo esa noche a Téllez que era el fin de la carrera del general, pues todo el mundo sabía que Washington era una antesala del retiro y que el caso de Diettes, quien regresaba de esa ciudad para la subdirección, era una excepción irrepetible.

En uno de los párrafos finales del artículo escrito por Téllez esa noche, *Semana* planteaba: "El viaje de Serrano y la salida de Campos y Rodríguez, han llevado a algunos conocedores de las interioridades de la Policía a especular que si se aparta del camino al mejor de los oficiales y se envía a retiro a dos generales que habían estado investigando —de modo irregular, si se quiere— a quienes ellos creían que podían tener nexos con los carteles del Valle, la conclusión es que se puede estar buscando enviar a los narcotraficantes un mensaje tranquilizador".

Para ahondar en esta impresión, la revista recordaba cómo el jueves en Cali, el ministro Botero había declarado que en la persecución a los carteles de esa región del país no iba a haber "una nueva narcoguerra".

Mauricio Vargas, Lesmes y Téllez estaban de acuerdo en que los capos del Valle debían estar satisfechos con los cambios y con la frase de Botero. Pero a la vez pensaban que el Ministro había podido sacar a Serrano y no lo había hecho.

—Quizás está jugando a ponerle una vela a Dios y otra al Diablo —dijo Téllez—. Le manda mensajes tranquilizadores al cartel, pero a la vez salva a Serrano, aunque sea parcialmente, para mantener la confianza de Washington. Hay que ver cuánto le aguanta ese doble juego.

SÁBADO 3 DE SEPTIEMBRE

Con algunos datos bastante claros sobre el controvertido paso del general Diettes por la comandancia de la Policía de Cali, *El Tiempo* presentó esa mañana la noticia de los cambios en la institución. El diario de los Santos recordó una historia ocurrida en julio de 1993, cuando Diettes estaba en la capital del Valle y subalternos suyos permitieron que se fugara el capitán (r) Jorge Eduardo Rojas Cruz. Este hombre, conocido con el nombre clave de K-6 y uno de los jefes de seguridad de los hermanos Rodríguez Orejuela, había sido detenido días antes por orden de la Fiscalía. Para facilitar su huida fue cambiado por otro hombre de menor rango en el cartel. La historia, que se hizo famosa como la del "cambiazo del K-6", era una mancha en la hoja de vida de Diettes.

La fuente policial volvió a llamar a Téllez esa noche para comentarle la publicación de *El Tiempo* y contarle un dato nuevo. Según el oficial, el Presidente no estaba contento con la forma como Serrano había sido salvado. Al referirse al viaje del general como agregado de la embajada en la capital de los Estados Unidos, Samper le había dicho ese día a Botero en tono irónico: "No va a ayudar mucho el que ahora tengamos en Washington no sólo a Gaviria, a Hommes, a Carrillo, sino también a Serrano. Gran idea, Fernando".

Botero defendió la decisión con el argumento de que el gobierno de los Estados Unidos habría recibido muy mal la noticia de la baja de Serrano.

—Ese es un lujo, Presidente, que no nos podemos dar[3].

---

[3] Durante una serie de conversaciones en la Escuela de Caballería en julio y agosto de 1996, Edgar Téllez pudo confirmar

MARTES 6 DE SEPTIEMBRE

La columnista María Jimena Duzán metió baza en el tema de la Policía en su nota de la página editorial de *El Espectador* de esa mañana. Bajo el título "Cambiazo en la Policía", que no ocultaba la referencia al episodio del K-6, la periodista se refirió a la salida del general Campos por cuenta de su enfrentamiento con Vargas Silva, y a la llegada de Diettes: "... de pronto, por fortalecer las líneas de mando, nos quedamos con los que no eran, mientras que salieron los que estorbaban[4]".

MIÉRCOLES 7 DE SEPTIEMBRE

Alentado quizá por los artículos de prensa que cuestionaban los cambios en la Policía, el general Campos Silva rompió su silencio y decidió decir en público lo que desde el viernes venía sosteniendo en privado. En diálogo con varios periodistas tras regresar de cuatro días de descanso en Girardot, Campos acusó a sus superiores de haberle negado recursos para activar las operaciones contra el cartel de Cali. El asunto de los cambios en la Policía, que el gobierno había querido dejar resuelto en unas cuántas horas, se resistía a desaparecer de la actualidad noticiosa.

---

con Fernando Botero esta conversación, así como muchos otros datos de la historia de los cambios en la Policía.

[4] *El Espectador*, septiembre 6 de 1994, p. 2A.

JUEVES 8 DE SEPTIEMBRE

Las distintas fuentes del ministerio de Defensa y de la Policía coincidieron ese día en que Washington había recibido mal el envío del general Serrano al exterior y el nombramiento de Diettes como subdirector. Durante un encuentro internacional antidrogas en Cartagena, el subsecretario adjunto para narcóticos del departamento de Estado, Crescencio Arcos, el mismo que se había enfrentado con Samper en Nueva York días después de la elección, endureció el tono y se refirió de manera displicente a los anuncios del nuevo gobierno colombiano sobre lo que pensaba hacer contra los narcotraficantes. "Más importantes que las palabras y las declaraciones tienen que ser los hechos", dijo Arcos en la Ciudad Heroica[5].

MARTES 13 DE SEPTIEMBRE

De nuevo, la fuente policial de Téllez tenía un dato. Ese día temprano Diettes se posesionó como nuevo subdirector. Según el oficial, en horas de la tarde llamó a Serrano a su despacho y le reclamó en tono airado que hubiera preferido irse a Washington antes que trabajar como su subalterno. Serrano evitó la polémica y se limitó a decir que a él le habían ofrecido inicialmente la subdirección.

---

[5] *El Tiempo*, septiembre 9 de 1994, p. interiores.

Miércoles 14 de septiembre

Hacia el final de la tarde de ese día, Téllez consiguió una cita con el general Serrano. El alto oficial, a quien el periodista conocía desde su exitoso paso por la dirección antinarcóticos, aceptó hablar largo con él a condición de que el contenido de la charla sirviera de guía para los análisis de *Semana*, pero no para que fuera convertido en artículo de la siguiente edición. Téllez estaba un poco decepcionado por las condiciones impuestas por Serrano, pero se dijo que era peor no hablar con él.

Serrano le contó que había jugado tenis esa mañana, hacia las 6 y 30, con el ministro Botero en el Club Militar. El titular de Defensa lo había invitado para tener con él una conversación informal, la primera entre estos dos hombres que sólo se conocían por referencias de terceros o en actos y reuniones oficiales.

Botero le ganó por amplio margen el partido a Serrano y después se sentaron a conversar. El Ministro rompió el hielo con una pregunta.

—General, ¿se leyó el artículo de *Semana* sobre los cambios en la Policía?

Serrano respondió que sí. Botero le dijo entonces que era suya una afirmación atribuida por la revista a una alta fuente gubernamental en el sentido de que el general iría a Washington para mantenerse como reserva y convertirse en nuevo director de la Policía meses después, cuando los cambios de fin de año se llevaran a cabo. Botero le explicó a Serrano que le había pedido a *Semana* la reserva de su identidad en esa declaración, para no alertar a los enemigos del general dentro y fuera de la institución.

Serrano agradeció el gesto de Botero, pero después de despedirse de él pensó que nada de eso sería posible. De seguro, pensaba Serrano, el general Diettes iba a hacer todo lo que estuviera a su alcance para asegurarse el cargo de director en reemplazo de Vargas Silva, cuando a fin de año se presentaran nuevos cambios.

—Yo le garantizo Téllez —le dijo Serrano en tono pesimista— que de Washington regreso vestido de Everfit.

MIÉRCOLES 28 DE SEPTIEMBRE

Pasadas las 9 de la noche y mientras transcurría la hora crítica de cierre de la edición, María Isabel Rueda y María Elvira Samper, las directoras del noticiero de televisión QAP, discutían en su oficina el orden de los titulares del informativo cuando la reportera Gloria Congote y el asesor del noticiero Isaac Lee, entraron como una tromba.

—Traemos la chiva del año —dijo Gloria con la respiración agitada.

—Es una entrevista con el jefe de la DEA en Colombia, Joe Toft, quien no habló nunca en los cuatro años de su permanencia aquí y, ahora que se va, se destapa —explicó Lee.

—Bueno, pero ¿y qué dice? —preguntó afanada María Isabel.

—Que esto es una narcodemocracia y que la campaña de Samper sí recibió dineros del narcotráfico —contestó Gloria—. También dice que hubo plata de los carteles en la Constituyente para tumbar la extradición.

El noticiero ya estaba al aire y resultaba imposible lanzar la entrevista así no más. Además, Toft había puesto una condición a Gloria, a Lee y a la periodista de la revista *Cambio 16* María del Rosario Arrázola, quien también había participado en el encuentro: que la entrevista sólo podía ser divulgada el jueves, cuando Toft ya hubiera abandonado su cargo y el país.

Las directoras de QAP estaban aterradas. Después de más de tres meses de haber estallado el escándalo de los narcocasetes, el tema de la financiación de la campaña presidencial se había ido muriendo y en general la opinión pública parecía poco dispuesta a aceptar su resurrección. Al terminar la emisión del noticiero optaron por irse a dormir y dejar el asunto para la mañana siguiente, cuando tuvieran la mente fresca.

JUEVES 29 DE SEPTIEMBRE

Hacia las diez de la mañana y después del consejo de redacción, las directoras de QAP se sentaron en la sala de edición con Lee y Gloria Congote para ver la entrevista. Aparte de lo de la narcodemocracia y la Constituyente,

Toft decía: "En mi opinión, no hay duda de que la campaña de Ernesto Samper recibió plata del narcotráfico. Y mi opinión está basada en lo que sé, en la información de inteligencia. Yo no sé con seguridad si él estaba consciente de eso. Pero me sorprendería que no lo estuviera. Se ha hablado de millones de dólares, de muchos millones de dólares (...) hay mucha información al respecto. Los narcocasetes son solamente una parte, pero una parte muy concluyente. Son una evidencia contundente. Lo que me preocupa es que para la justicia colombiana no lo sean[6]".

La conclusión de las directoras de QAP fue una sola y automática: más allá de lo que pensara la gente sobre lo malo de revivir el tema de los casetes, la obligación que les correspondía como periodistas era divulgar la entrevista. Había, eso sí, que darle la oportunidad a Samper de que viera el reportaje y se pronunciara. Lo mismo pensaban hacer con Gaviria, respecto al tema de la Constituyente. María Isabel Rueda telefoneó a Samper pasadas las 11 de la mañana.

—Presidente —le dijo—, tenemos una cosa muy delicada en las manos y usted debería verla.

—Y ¿qué es? —indagó inquieto Samper.

—No le puedo anticipar más, pero por favor recíbanos lo más pronto posible.

—Bueno, vénganse para acá al mediodía —contestó.— Pero ¿qué es tanto misterio?

---

[6] Noticiero QAP, septiembre 29 de 1994.

—No, allá le explicamos, pero eso sí Presidente, hágase acompañar de sus mejores y más cercanos consejeros porque el asunto es bien delicado.

Pasado el mediodía, Samper recibió a las dos periodistas en la pequeña biblioteca de la casa privada de Palacio. Con él estaban el ministro de Defensa, Fernando Botero y el consejero para las comunicaciones, Juan Fernando Cristo. Cuando terminaron de ver la cinta de video en el televisor empotrado en el mueble de la biblioteca, Samper y Botero se escurrieron en el sofá que ocupaban.

—Ustedes no pueden publicar eso —opinó Samper.

—Presidente —le contestó María Isabel—, si nosotros no lo publicamos, Toft va a llegar a los Estados Unidos a decir que no sólo esto es una narcodemocracia, sino que los medios de comunicación somos cómplices de ello.

La discusión continuó durante algunos minutos. Para el primer mandatario, la divulgación de la cinta no sólo reviviría el tema de los narcocasetes sino que le haría daño a la imagen de Colombia. Para las directoras de QAP, era peor guardar la entrevista. Era un lujo que como periodistas no se podían dar.

—Y ¿por qué entonces no publican lo de la narcodemocracia pero dejan por fuera lo de la campaña? —propuso Samper en un último intento.

—No, Presidente, es preferible no sacar nada que editarle pedazos tan importantes a la entrevista; eso sería aún más escandaloso —respondió María Isabel Rueda.

—En todo caso, piénsenlo —les pidió finalmente.

Antes de despedirse, acordaron que Fernando Botero pasaría al final de la tarde por el noticiero para definir los términos del pronunciamiento del gobierno. Pero María Elvira Samper, que había permanecido más bien en silencio a lo largo de la cita, tuvo una inquietud final.

—Dígame una cosa Presidente —le preguntó sin rodeos—: ¿Usted alguna vez se ha visto o se ha reunido con los Rodríguez Orejuela?

—Mire Monita —le contestó Samper utilizando el apodo con el que muchos amigos llamaban a María Elvira—, le juro por mis hijos que jamás he estado con ellos.

Hacia las cinco de la tarde, María Isabel Rueda llamó desde el noticiero al director de *Semana*. Le explicó lo que tenía QAP para la emisión de esa noche, le contó la reunión con Samper y le pidió que le guardara el secreto mientras el informativo salía al aire.

—¿Hablaste con Gaviria? —le preguntó Vargas.

—Lo llamé para ver qué opinaba de lo que asegura Toft de la Constituyente y me dijo que no veía ningún problema en que todo eso saliera al aire. También me anunció un pequeño comunicado para aclarar algunos puntos sobre ese asunto. Pero me sorprendió que no se preocupó en lo más mínimo. Es increíble cómo son de diferentes Samper y él.

Una fuente de la Casa de Nariño le confirmó a Vargas que esa tarde, por primera vez desde el inicio del gobierno, el presidente Samper había perdido los estribos. Profundamente deprimido porque "esta historia es de nunca acabar", casi no pudo estar al frente de la preparación del comunicado oficial y de las reacciones de su administración ante el episodio.

Viernes 30 de septiembre

Ricardo Ávila, quien semanas antes había sido nombrado como nuevo asesor editorial de la revista, con el encargo de relanzar la sección de Economía y de brindar consejo a otras secciones, en especial la de Nación, habló esa mañana con Mónica de Greiff, consejera internacional del Presidente, a quien lo unía una amistad de algunos años.

La consejera le contó a Ávila que la víspera, ella y Samper habían aprovechado una cita pactada de tiempo atrás con el embajador de los Estados Unidos, Myles Frechette, para hablar de lo que QAP iba a divulgar esa noche. Según Mónica de Greiff, ella le había hablado en un tono severo al embajador y le había exigido el pronunciamiento que la embajada hizo luego desautorizando las declaraciones del saliente jefe de la oficina de la DEA.

—Ricardo, usted sabe que nosotros somos críticos de la manera servil como el gobierno anterior actuó frente a Washington —le dijo al asesor editorial de *Semana*, quien había trabajado como consejero económico y secretario privado del presidente Gaviria—. De ahora en adelante, le vamos a hablar a los gringos de tú a tú.

—Tengan cuidado, Mónica, que el palo no está para cucharas —le respondió Ávila sin entrar en una discusión sobre la administración Gaviria.

Ese mismo día, en horas de la tarde, el director de *Semana* trató de confirmar una información que circulaba desde hacía varios días de modo insistente, según la cual Santiago Medina iba a ser nombrado como embajador ante el gobierno de Grecia. Inicialmente, el rumor se refería a un nombramiento en Roma, en la embajada ante la FAO, pero luego las fuentes habían dicho que el destino de Medina sería Atenas. Días antes, el canciller Rodrigo Pardo le había contado a Vargas y a Ricardo Ávila que no estaba de acuerdo con esa designación, debido al evidente debate político que desataría por cuenta de los narco-casetes. Pardo le había confesado a Vargas y a Ávila que se había visto obligado a trancar tres veces el decreto de nombramiento, después de que el presidente Samper le hubiera dado su visto bueno.

El asunto había revivido esa semana porque Juan Gossaín, director de noticias de la cadena radial RCN, aseguró que el gobierno le había ofrecido a Medina la misión en Grecia. Gossaín le explicó a Vargas horas después de dar la noticia que él se había enterado porque el propio Medina había llamado al embajador en Atenas, Mario Calderón Rivera, para pedirle algunos detalles sobre el estado de la residencia de la embajada. Pero ese viernes todo parecía haber cambiado. Según el consejero presidencial para las comunicaciones, Juan Fernando Cristo, el gobierno había descartado en términos definitivos la posibilidad de nombrar al ex tesorero de la campaña en cargo diplomático alguno y deseaba que esa noticia se conociera. De modo que Vargas resolvió publicar un Confidencial con los rumores y la decisión final del gobierno. Al parecer, Rodrigo Pardo había ganado su batalla.

DOMINGO 9 DE OCTUBRE

Muy temprano en la mañana, porque el vuelo salía a las 8 y media, el general Serrano llegó al aeropuerto Eldorado de Bogotá para viajar a Washington a asumir su nuevo cargo. Un oficial cercano al general le contó a Téllez que cuando Serrano llegó al muelle internacional para abordar el avión, se encontró con una grata sorpresa. El general Luis Enrique Montenegro, entonces comandante de la Policía Metropolitana de Bogotá, había llevado al aeropuerto la tuna de la institución. La serenata de despedida culminó cuando el propio Serrano, vestido con una capa que le había puesto una de las jóvenes de la agrupación musical, tocó la pandereta para acompañar la última canción.

—Montenegro es el único que está convencido de que Serrano va a volver como director —le dijo el oficial a Téllez cuando terminó de contarle la anécdota.

MARTES 18 DE OCTUBRE

Esa mañana, uno de los oficiales cercanos a Serrano le contó a Téllez un dato interesante. Él y otro oficial amigo del general, en compañía del asesor de prensa de la Policía, el periodista Carlos Perdomo, habían acordado de modo absolutamente reservado —pues sabían que Diettes había comenzado a perseguir a cualquier sospechoso de ser amigo de Serrano— mantener informado al general en Washington de todo lo que pasara en el país y, en especial, en el interior de la Policía. La comunicación sería vía fax, desde un aparato ubicado en el segundo piso del edificio de la institución, que los dos oficiales controlaban. El primer mensaje había sido enviado el 13 de octubre y en él sus amigos le informaban a Serrano sobre la forma como Diettes había iniciado su campaña para la dirección general.

MIÉRCOLES 19 DE OCTUBRE

Téllez decidió visitar la sede de la Policía, para comprobar con algunas de sus fuentes qué era en realidad lo que estaba pasando. Confirmó que Diettes estaba en plena actividad proselitista y que hablaba con frecuencia con Samper y con el ministro Horacio Serpa. Además, recibía constantes visitas del edecán de Policía del Presidente, el mayor Germán Osorio.

—Lo más grave es que a pesar de que como subdirector tiene la tarea de dirigir las labores del componente policial del Bloque de Búsqueda en Cali, de eso no se ocupa ni poquito —le dijo a Téllez uno de los oficiales—. La gente del Bloque viene a veces a Bogotá y él los tiene hasta dos días haciéndole antesala, porque definitivamente el tema de Cali no le interesa.

Al jefe de redacción de *Semana*, Jorge Lesmes, otras fuentes de la Policía le habían contado algo muy parecido. Él y Téllez se lo comunicaron al director de la revista y acordaron iniciar una investigación, para ver si era posible evaluar con datos concretos las tareas del Bloque en Cali y el papel de Diettes en todo ello[7].

LUNES 24 DE OCTUBRE

Según uno de los oficiales que mantenían informado a Serrano desde Bogotá —y también a Téllez— la suerte de Diettes estaba desmejorando. El viernes 21, un grupo de invitados del ministro Botero a visitar la Base Naval de Bahía Málaga, en la costa Pacífica, debió esperar más de ocho horas en la base militar de Catam, en el aeropuerto Eldorado, pues una avioneta de la Policía destinada para su desplazamiento había sido prestada por Diettes a un ministro del despacho sin el consentimiento de la dirección general ni del ministerio.

—Es que como Diettes anda haciendo campaña con los ministros, se ha tomado unas atribuciones que no le corresponden —le explicó el oficial a Téllez ese lunes—. Pero ahora sí se le fueron las luces, pues el que quedó mal con sus invitados fue el ministro Botero. Por ahí me dijeron que quiere volver a traer a Serrano. Además, los gringos le volvieron a decir que ése era el hombre.

---

[7] Los periodistas no avanzaron mucho en esas averiguaciones, pues ningún oficial estaba dispuesto a sostener en público lo que decía en privado. Además, cada vez que preguntaban por las cifras relacionadas con la labor del Bloque de Búsqueda en Cali, obtenían una evasiva tanto en la dirección de la Policía como en el ministerio de Defensa.

La fuente le contó a Téllez que él, el otro oficial y el periodista Perdomo le habían enviado el sábado un fax a Serrano relatándole lo ocurrido entre Botero y Diettes.

Ese lunes en la tarde Téllez visitó nuevamente el edificio de la Policía. Supo que Diettes ya estaba pensando en el subdirector que nombraría cuando asumiera la dirección general. Se trataba del general Óscar Peláez Carmona, quien se venía desempeñando como director docente de la institución y había cumplido una aguerrida pero muy controvertida tarea en la lucha contra el cartel de Medellín.

Viernes 4 de noviembre

Reunidos con el resto de los periodistas en la oficina de la dirección de *Semana*, Vargas, Téllez y Lesmes pasaban revista esa mañana a los temas que serían incluidos en las páginas de la sección de Nación con la que se cerraría la edición. Téllez actualizó a sus compañeros sobre la situación en la Policía que, en su opinión, había adquirido una dinámica que obligaba a escribir un nuevo artículo.

Según el periodista, a medida que se aproximaba la fecha de las definiciones sobre los cambios de fin de año en la cúpula, el pugilato entre los partidarios del general Diettes y los del general Serrano se calentaba. Diettes seguía aferrado al apoyo de Serpa y Samper, pero estaba bastante desprestigiado ante el ministro Botero, sobre quien además estaban recayendo fuertes presiones del departamento de Estado en Washington, cuyos analistas del tema colombiano no creían que Vargas Silva y Diettes estuvieran haciendo tarea alguna en la persecución contra el cartel de Cali. Botero le había dicho en esos días a Lesmes que en Washington estaban muy pendientes de los cambios que se avecinaban.

Mauricio Vargas habló ese viernes con una fuente del departamento de Estado, un funcionario de la oficina de Robert Gelbard que desde hacía un par de meses había aceptado brindar información *off the record* sobre la forma como Washington estaba viendo el proceso colombiano. Vargas trató de establecer con el funcionario si era cierto que, como decía Botero, estaban muy pendientes de los cambios en la Policía.

—Más que expectantes, estamos muy preocupados —respondió el funcionario—. Aquí solamente creemos en el general Serrano. Y estamos esperando que pase algo contra el cartel de Cali, pero hasta ahora no ha pasado nada.

El funcionario agregó que ellos no se querían entrometer al punto de decir quién debía irse y quién debía quedarse en la Policía. Pero que era obvio que había oficiales que sí habían demostrado su compromiso en la persecución del cartel, como era el caso de Serrano, y otros que no. Vargas le preguntó si entre éstos estaban Vargas Silva y Diettes.

—Esa pregunta la puede responder usted mismo —contestó el funcionario—. Basta que mire qué han hecho ellos en contra del cartel de Cali desde que están juntos al frente de la Policía.

Semana ya tenía algunos datos que permitían evaluar como muy pobre la tarea del Bloque de Búsqueda en los tres meses anteriores. Un oficial del Bloque les había dicho días antes a Téllez y Lesmes que "con excepción de un operativo en contra de algunos blanqueadores, la acción del Bloque en el Valle está totalmente paralizada. No volvimos a realizar operativos y la inteligencia, que se suponía iba a ser el fuerte en este periodo, es casi nula. Es como si mi general Diettes y el gobierno quisieran que el tema se olvidara".

Téllez llamó esa noche a Serrano a Washington y le anunció que iba a relatar la historia del partido de tenis con el ministro a mediados de septiembre, en el cual Botero le había asegurado que lo traería de regreso como director. Lesmes había confirmado el relato en términos generales con el ministro la semana anterior y Téllez así se lo hizo saber a Serrano.

—Pues echen a ver esa historia —se resignó—. Pero no me vayan a citar a mí como fuente.

—Lo que nos importa es que la historia haya sido cierta —respondió Téllez— y la tenemos confirmada por usted y por el Ministro, los dos protagonistas. Así que no hace falta que citemos una fuente.

Ambos estuvieron de acuerdo en que la hora de las definiciones se aproximaba y que Diettes tenía problemas, pero también mucho respaldo, y que a él le quedaban pocos días en Washington, sea porque regresara de Everfit o porque lo hiciera para asumir la Dirección General.

—O es ahora o no fue nunca —remató Serrano al despedirse.

MARTES 15 DE NOVIEMBRE

El lunes había sido festivo y el comentario en el consejo de redacción de ese martes al mediodía era que la imagen de Diettes continuaba recibiendo golpes. El domingo le había concedido una entrevista al noticiero de televisión TV Hoy, durante la cual patinó una y otra vez al ser preguntado sobre las casi nulas acciones del Bloque de Búsqueda en el Valle. Además, en una entrevista con la revista *Cambio 16* que había salido a circulación ese día, soltó un par de frases en contra de la labor de la DEA en el país. "Se pecó por confianza en las relaciones con la DEA. En Colombia abrimos demasiado la puerta. Se nos meten en la cocina cuando no deben pasar de la sala[8]".

—Es evidente que está dando entrevistas dentro de una campaña para asumir la dirección de la Policía —comentó Vargas—, y aun si lo que dice contra la DEA es popular en algunos sectores y le gusta a Serpa y quizás al propio Presidente, es una estupidez pues al fin y al cabo es la DEA la agencia con la que la Policía trabaja en materia antidrogas.

MIÉRCOLES 16 DE NOVIEMBRE

Según una fuente de la Casa Militar del Palacio de Nariño que se comunicó con Téllez esa tarde, el general (r) Miguel

---

[8] *Cambio 16*, noviembre 15 de 1994.

Maza Márquez, controvertido ex director del DAS y quien había resultado golpeado indirectamente por los narco-casetes, al aparecer mencionado como alguien muy cercano a Alberto Giraldo, llamó por la mañana al presidente Samper para abogar por la designación de Diettes como nuevo director de la Policía. Según el oficial de la Casa Militar, era la segunda vez que Maza llamaba para promover el nombre de Diettes.

JUEVES 17 DE NOVIEMBRE

Felipe López llamó a Vargas temprano a su apartamento, para relatarle la curiosa reunión a la que había asistido la víspera en la Casa de Nariño, en compañía de otros periodistas, entre quienes estaban Roberto Pombo y María Jimena Duzán. Por el gobierno se encontraban el Presidente, el vicepresidente De la Calle, los ministros de Gobierno, Horacio Serpa, y de Defensa, Fernando Botero, y el comisionado de paz, Carlos Holmes Trujillo. En principio la idea de la reunión era ambientar las iniciativas de negociación con la guerrilla, que el gobierno pensaba dar a conocer en esos días. Pero muy pronto la charla evolucionó hacia el tema del narcotráfico y, en particular, del cartel de Cali. En un momento dado y ante una pregunta sobre la demora que se estaba presentando en la varias veces anunciada entrega de los Rodríguez Orejuela a la Justicia, Samper aseguró que el fiscal Valdivieso estaba entorpeciendo ese proceso, pues había endurecido las condiciones para el sometimiento y, con ello, había confundido a los abogados del cartel. Botero fue más lejos y dijo que existía información de inteligencia en el sentido de que el cartel podía estar pensando en abandonar su tradicional actitud no terrorista.

—Tenemos evidencia de que han traído grandes cantidades de explosivos plásticos desde Ecuador y podemos estar cerca del regreso del narcoterrorismo —explicó el Ministro.

Para los asistentes resultó claro que el gobierno quería, de alguna manera, culpar al Fiscal del fracaso del proceso de entrega de los Rodríguez y de un eventual retorno del narcoterrorismo. Vargas se dedicó a confirmar con otros asistentes a la comida los detalles relatados por López. Pombo recordó un dato adicional. Para él, no había sido una mera coincidencia que del proceso de paz con la guerrilla se pasara a hablar del sometimiento del cartel de Cali.

—En un momento dado —le contó Pombo a Vargas— Samper habló claramente de que la negociación de la paz era algo integral. Yo no sé si se refería a incluir de algún modo al cartel.

LUNES 21 DE NOVIEMBRE

Al terminar el consejo de redacción de la revista poco antes del mediodía, Vargas anotó en su agenda con doble subrayado: "Cambios en la cúpula — Policía y militares". Téllez había hecho una pormenorizada presentación de las novedades en ese campo, que incluían información sobre un encuentro la víspera en horas de la tarde en la Casa de Huéspedes en Cartagena, del presidente Samper con el ministro Botero.

Según lo que Téllez había podido averiguar y que Lesmes había podido confirmar esa mañana con el propio Ministro, Botero deseaba promover a Serrano como director de la Policía y al general Harold Bedoya Pizarro como comandante del Ejército. Samper se oponía a ambas decisiones.

—Lo de Serrano no se puede —le dijo el Presidente al Ministro—, pues es demasiado cercano a los gringos y no le podemos dar ese gusto a Washington.

Botero defendió a Serrano exactamente por la misma razón por la cual Samper no lo quería al frente de la Policía. Para el Ministro, quien había recibido en forma clara y directa el mensaje de Washington en el sentido de que sin Serrano no se recuperaría la confianza en la institución —y, por ende, tampoco en el gobierno—, nombrar a Diettes significaría una ruptura con los Estados Unidos. Durante una reunión meses atrás con el subsecretario antinarcóticos Robert Gelbard, Botero le había dado a entender que antes del primero de diciembre Serrano estaría al frente de la Policía, pero el Ministro no le había contado eso al Presidente por temor a ganarse un regaño.

Samper le propuso entonces consultar con el canciller Rodrigo Pardo cómo reaccionaría Washington si Serrano era retirado de la Policía. Para Botero, la consulta sobraba pues él ya tenía claro el pensamiento del gobierno de Bill Clinton.

—Yo he hablado con los gringos más que ningún funcionario del gobierno y le digo que sacar a Serrano sería funesto —argumentó Botero—. Además, ese general bien manejado sería muy valioso para usted y para todo el gobierno. Créame.

Samper aceptó darle vueltas al tema y le reconoció a Botero que la idea inicial que el Presidente tenía de un remezón moderado en la cúpula debía ser reemplazada por la de uno muy grande, que enviara la señal de nuevos vientos en las Fuerzas Militares y de Policía. Faltaba ponerse de acuerdo en los nombres. Y no parecía fácil.

JUEVES 24 DE NOVIEMBRE

Lesmes y Téllez se reunieron ese día en la oficina del jefe de redacción para evaluar la información sobre los cambios en la cúpula. Tras una reunión final con el Presidente el martes en la noche en la Casa de Nariño, Botero había logrado ganar sus dos batallas: llevaría a Serrano a la Policía y a Bedoya —quien también estaba en Washington, como agregado militar de la embajada— al Ejército.

En el caso de Serrano, Botero convenció a Samper de que ese nombramiento le permitiría al Presidente ganar puntos en Washington y ante los medios de comunicación nacionales que gustaban de ese general, con prestigio de honesto y eficiente. El Presidente aceptó, y sólo le hizo una petición final a su ministro:

—Hay que explicarle que no queremos desatar una narcoguerra en Cali.

—Tranquilo, Presidente —contestó Botero—. Yo ya dije eso en Cali hace algunas semanas y en ese marco voy a manejar a Serrano.

En cuanto al nombramiento de Bedoya, Samper puso como condición que Botero convenciera a Serpa y al consejero de paz, Carlos Holmes Trujillo, quienes habían expresado grandes reservas frente a ese nombre porque era conocido como un oficial de línea dura a quien poco le gustaba la política de diálogo con la guerrilla que el gobierno estaba promoviendo. El lunes, tras una serie de gestiones, Botero logró que Serpa y Holmes hablaran directamente con Bedoya. El general los tranquilizó y con ello allanó el camino de su designación.

Al final de la mañana, Lesmes y Téllez llamaron a Mauricio Vargas a la isla de Martinica. El director de *Semana* se encontraba en esa isla francesa de las Antillas, dando una charla para los miembros del Club de la Prensa francés sobre la situación de Colombia.

Le contaron todo lo que había sucedido, pero lamentaron no publicar buena parte de las intimidades de la historia, pues era obvio que Botero saldría a desmentir cualquier versión distinta a la oficial según la cual tanto él como el Presidente habían estado desde un principio de acuerdo en todo lo relacionado con los cambios.

—Botero va a jugar a dejar muy bien parado a Samper ahora que él le aceptó sus propuestas de cambio —comentó Lesmes— y lo que menos va a permitir es que digamos que el Presidente se oponía a ellas. Si lo contamos y nos desmiente, no tendremos cómo probar nuestra historia, pues el otro protagonista, el Presidente, también saldrá a desmentirnos y quedaríamos muy mal.

—Bueno, pero en todo caso hagamos un análisis de lo que significa la llegada de estos dos hombres al frente de la Policía y el Ejército —respondió Vargas.

Por la tarde, Téllez se dirigió al edificio de la Policía para esperar allí el anuncio oficial de los cambios. Vargas Silva había salido para el ministerio de Defensa y entre sus amigos había mucho nerviosismo. Diettes, por su parte, estaba encerrado en su despacho y no quería recibir visitas. Pasadas las 4, Vargas Silva regresó a su oficina y les contó a quienes se encontraban allí que pasaba a retiro. De pronto reparó en que el periodista estaba en su despacho y lo miró con un gesto de disgusto que confirmaba lo que éste sospechaba desde hacía días: que al general no le habían gustado los artículos de las recientes ediciones de *Semana* sobre el tema de la Policía, que siempre hacían referencia a los problemas que Vargas Silva tenía por cuenta del narcocasete de *Benitín*. El saliente director de la Policía había sido buena fuente de Téllez en los años más duros de la guerra contra Escobar, en la que el general había jugado un destacadísimo papel, algo que el entonces redactor de *El Tiempo* le había reconocido en sus artículos en más de una ocasión.

—Usted me ayudó a subir, y ahora ayudó a que me cayera —le dijo Vargas Silva.

Téllez trató de responder que él se había limitado a registrar lo bueno y lo malo de la carrera del general, pero una llamada telefónica interrumpió el diálogo y obligó al periodista a abandonar el despacho.

MARTES 29 DE NOVIEMBRE

De regreso de Martinica, Mauricio Vargas tuvo que hacer escala en Miami. Mientras esperaba para abordar el vuelo de American Airlines que debía llevarlo a Bogotá, reconoció el rostro del general Rosso José Serrano, quien, vestido de Everfit y en compañía de su extrovertida e inteligente esposa alemana, se preparaba para tomar el mismo vuelo.

—Veo que regresa vestido de Everfit, pero sé que en pocas horas estará de nuevo en uniforme —le dijo Vargas recordándole la conversación que el general había tenido con Edgar Téllez antes de viajar a Washington.

—Pues ahí ve, gracias a los gringos y a algunos periodistas, que me salvaron el pellejo —contestó Serrano—. *Semana*, por ejemplo, tuvo un par de artículos. *El Tiempo* también.

—Lo importante era contar lo del partido de tenis con Botero, porque el Ministro se sintió obligado a cumplir con su promesa —le respondió Vargas en broma—. Pero hablando en serio, ¿qué piensa hacer?… porque la tarea no es fácil.

Serrano sacó del maletín un extenso memorando y le explicó al director de *Semana* que ese documento contenía su plan de acción, enfocado sobre dos grandes objetivos: erradicar la corrupción interna en la Policía y capturar a los cabecillas del cartel de Cali y del norte del Valle.

—Se va a encontrar con muchos enemigos —le dijo Vargas—, incluso dentro del propio gobierno. El otro día, el Presidente y el Ministro le estuvieron hablando a algunos colegas míos acerca de la idea de una especie de proceso de paz con los narcos que nadie entendió muy bien...

—Yo no sé de eso —interrumpió Serrano—; pero lo que si sé es cuál es mi trabajo, y estoy decidido a cumplirlo. Puede que no me vayan a dar órdenes de echar para adelante, pero tampoco se van a atrever a frenarme, y si no me frenan yo lo único que tengo que hacer es volver efectivas las órdenes de captura que salgan de la Fiscalía.

Conversaron un rato más, hasta cuando los llamaron a bordo y se despidieron con el compromiso de volver a verse en Bogotá.

MARTES 6 DE DICIEMBRE

Esa mañana, el general Serrano tomó posesión de su cargo. Téllez llegó puntual al acto y pronto reparó en que la comidilla entre los oficiales era la ausencia del presidente Samper, quien en cambio había encabezado la víspera la ceremonia de ascenso a general de tres estrellas de Vargas Silva, un homenaje previo a su paso a retiro. El contraste había estimulado aún más los comentarios sobre la ausencia del jefe del Estado en la posesión de Serrano.

—De la Calle sí vino —dijo uno de los oficiales al oído del periodista de *Semana*—. Esta mañana temprano llamó al general y le dijo que había desbaratado su agenda del día para acompañarlo.

MIÉRCOLES 7 DE DICIEMBRE

Los informativos matinales de radio que dirigen Juan Gossaín en RCN y Darío Arizmendi en Caracol presentaron una curiosa noticia. Las dos cadenas revelaron que el gobierno, por intermedio del ministro Botero, había reconvenido al alto mando militar por un operativo del componente del Ejército del Bloque de Búsqueda el fin de semana anterior en el Hotel Intercontinental de Cali, donde se celebraba la primera comunión de la hija de Miguel Rodríguez Orejuela y la ex reina Martha Lucía Echeverri. Tanto Caracol como RCN aseguraban que el gobierno deseaba excusarse públicamente con la familia de la menor. Citando a Botero, los dos noticieros explicaron que el gobierno quería a toda costa evitar el regreso a "oscuras épocas" en las cuales las autoridades habían perseguido a las familias de los narcotraficantes, pues, según el Ministro, eso era lo que había desatado el narcoterrorismo.

Hacia las 11 de la mañana, Mauricio Vargas se comunicó con Juan Gossaín para preguntarle qué había detrás de la sorprendente información.

—A mí me llamó Botero como a las siete y media, me echó todo ese rollo y me autorizó a citarlo —respondió Gossaín.

—Pero, ¿y qué pensarán los oficiales que han combatido a los carteles de que el Ministro los culpe de haber desatado el narcoterrorismo por hacer allanamientos en los sitios donde se supone que pueden encontrar a los capos? —preguntó Vargas.

—Yo no sé Mauricio —concluyó Gossaín—, pero aquí están pasando cosas muy raras.

Esa tarde, Jorge Lesmes se encontró con Botero en la Escuela de Caballería, el sitio escogido por la fotógrafa Patricia Rincón para hacer un estudio con el funcionario, destinado a ilustrar el perfil de Botero que *Semana* iba a incluir en el número del 13 de diciembre, cuando circularía su tradicional edición con la selección de los personajes del año.

—¿Qué fue lo de esta mañana en Caracol y RCN? —le preguntó Lesmes apenas lo saludó.

—Pura exageración de Gossaín y Arizmendi —respondió Botero sin darle mucha importancia al asunto—. Es que como en estos días de cierre de año hay tan pocas noticias, agrandan cualquier cosa...

JUEVES 15 DE DICIEMBRE

Cuando Vargas llegó a la revista a eso de las 9 y 30 de la mañana, su secretaria le dijo que se comunicara lo antes posible con Felipe López. Vargas llamó al presidente de *Semana* a su residencia y éste le contó que Samper le había mandado un curioso mensaje. El primer mandatario consideraba que la revista estaba adoptando posturas de oposición al gobierno y que la prueba de ello era que había incluido en su última edición al fiscal Valdivieso entre los diez personajes del año; y que unas semanas atrás había dedicado su carátula con el título "Se creció el Fiscal", a exaltar la labor que Valdivieso había desempeñado hasta ese momento. Un poco sorprendido, Vargas le respondió a López que resultaba francamente sospechoso que el gobierno considerara oposición cualquier elogio al Fiscal.

—Es que Valdivieso no les está caminando para la entrega de los Rodríguez —concluyó López.

—Algo más —agregó Vargas—: yo creo que Samper tiene miedo de que el Fiscal reabra la investigación de los narcocasetes.

1995

El escándalo asoma

JUEVES 12 DE ENERO

Edgar Téllez, quien había dedicado los primeros días del año a seguirle la pista al tema del allanamiento al Hotel Intercontinental y las razones que habían llevado al ministro Fernando Botero a ofrecer excusas públicas a los familiares de los Rodríguez Orejuela, logró ese jueves reunir algunas piezas interesantes de la historia.

El jefe de investigación de *Semana* confirmó que el componente del Ejército del Comando Especial Conjunto —el nuevo nombre utilizado por el Bloque de Búsqueda— había recibido una información bastante clara en el sentido de que Miguel Rodríguez Orejuela estaría en el Gran Salón del hotel hacia las 5 de la tarde del sábado 3 de diciembre, para la celebración de la primera comunión de la hija que tenía con la ex reina de belleza Martha Lucía Echeverri.

Según un informe del fiscal sin rostro que había acompañado al Bloque en el operativo de ese sábado, el allanamiento no existió pues los militares no habían conseguido la orden judicial. Ante la falta de ésta y basado en la consideración de que el hotel era un lugar público, un mayor del Ejército y dos soldados entraron al Intercontinental para preguntar en la recepción si allí se encontraba Miguel Rodríguez. Mientras tanto, el fiscal sin rostro, el delegado de la Procuraduría y algunos soldados esperaron fuera del hotel. Martha Lucía Echeverri en persona salió hasta la recepción a decirles que allí no se encontraba el padre de su hija.

—De modo que el gobierno no sólo se excusó con los Rodríguez por el allanamiento —le dijo Vargas a Téllez al escuchar la historia— sino que, además, ni siquiera hubo allanamiento. Interesante, pero sería bueno consultar a Botero a ver qué dice.

Jorge Lesmes lo buscó esa tarde, pero el Ministro no quiso dar declaraciones sobre un asunto que consideró "superado". Se limitó a decir que lo que a él le había preocupado era la torpeza del operativo, que por la forma como había sido diseñado estaba destinado a fracasar.

Miércoles 18 de enero

Hacia las 4 de la tarde llegó a *Semana* un oficial de inteligencia que Vargas había conocido tres años antes cuando se desempeñaba como ministro de Comunicaciones y había requerido sus servicios para un estudio de seguridad.

El oficial, que también mantenía una buena relación con el jefe de redacción, Jorge Lesmes, había permanecido un año largo por fuera del país y, al regresar a fines de 1994, se había dado a la tarea de hacer sus propias averiguaciones sobre la historia de los narcocasetes y la financiación de la campaña. Desde principios del año había querido reunirse con Vargas, pero sólo ese miércoles pudo cumplirle una cita que había aplazado en dos ocasiones.

El oficial, que los dos periodistas conocían con el nombre de Jaime, le contó esa tarde a Vargas algo de lo que había logrado confirmar. Estaba convencido de que la financiación de los Rodríguez Orejuela y otros jefes del cartel de Cali a Samper se había dado finalmente en una cifra superior a los 5.000 millones de pesos, unos 6 millones de dólares al cambio de la época de la campaña. Según Jaime, el cartel de Cali envió cerca de 3.000 millones que Santiago Medina distribuyó entre los diferentes dirigentes regionales del liberalismo. La campaña utilizó alrededor de 1.200 millones más enviados por el cartel directamente a los jefes liberales de la Costa Atlántica. Otros 600 millones fueron repartidos por jefes samperistas del Valle, amigos de los Rodríguez, a dirigentes de ese departamento, del Cauca y de Nariño. Otros 200 millones adicionales sirvieron para llenar algunos huecos en distintas regiones.

—¿Qué pruebas hay de todo esto? —preguntó Vargas.

—¿Le parece poquito los casetes? —replicó Jaime—. En esas grabaciones se habla de esa cantidad. Y esa cantidad coincide con los datos de un informante del cartel que explica cómo fueron distribuidos. Pero hay más. No sólo el cartel de Cali dio plata. Otra gente contribuyó y de eso sí puede haber pruebas más claras.

Jaime explicó que estaba convencido de que hubo más contribuciones del narcotráfico. Una, de cerca de mil millones, procedente de un *pool* de traficantes del norte del Valle y Risaralda. Y otra, muy importante, que una pareja de supuestos narcotraficantes, el ex agente de la Policía Jesús Sarria y su esposa Elizabeth Montoya, le había entregado a la campaña de Samper. En opinión de Jaime, debían ser entre 500 y 600 millones de pesos adicionales.

—Yo escuché por ahí un par de conversaciones de Medina con los esposos Sarria —dijo Jaime en voz baja y en tono nervioso— y hay más cosas, muy graves...

—¿Como qué? —preguntó Vargas.

—Dejémoslo así, todo esto es muy peligroso —se arrepintió el oficial—. Pero si quieren avanzar un poco averigüen por Sarria. Puede que haya antecedentes suyos en el DAS o en la Policía, o de pronto en la Interpol.

Vargas iba a preguntar más pero el oficial le cambió el tema. Lo que le contó, sin embargo, no era menos interesante. Una noche durante las fiestas de fin de año, Edgar Hernández, amigo personal de Santiago Medina y su socio en varios negocios, se dejó picar la lengua en la sede central del conjunto residencial de El Peñón, un veraneadero de cierto lujo a dos horas de Bogotá, donde Medina tenía una casa, al igual que algunos altos oficiales de la Policía.

—Los tipos de la Policía —anotó Jaime— andan con el cuento de que un par de oficiales, que estaban en El Peñón acompañando a sus superiores, le oyeron todo el rollo a Hernández. Averigüen con sus fuentes en la Policía, a ver si les cuentan algo.

Jaime aseguraba que Hernández había dicho que su amigo Medina se iba a destapar "cualquier día de éstos" y que iba a decir todo lo que sabía de la financiación del cartel y las platas entregadas a Samper por los esposos Sarria.

—Otra vez los Sarria —dijo Vargas.

—Por eso le digo que averigüe sobre ellos —remató Jaime antes de despedirse.

JUEVES 26 DE ENERO

Edgar Téllez andaba en esos días inquieto por una serie de informaciones que había recibido de sus fuentes en la Policía, y que parecían indicar que el alto gobierno seguía muy poco comprometido en la lucha contra el cartel de Cali. Desde el 19 de diciembre, el general Serrano había presentado una estrategia para atacar al cartel desde todos los flancos. Carta fundamental del plan eran los avisos televisados que debían aparecer en horario triple A en los dos canales nacionales y el regional del Valle del Cauca, con los rostros de las principales figuras del cartel y una jugosa recompensa para quien brindara información que condujera a su captura. Más de un mes después de presentado el plan, ni el ministro de Defensa ni el presidente parecían muy decididos a poner en marcha esta iniciativa, que en el pasado había sido base de buena parte de los éxitos contra la organización de Pablo Escobar.

Esa noche, el jefe de investigación de *Semana* se había enterado de lo anterior e igualmente de lo sucedido en la reunión que ese día, como todos los jueves, había presidido Botero en su despacho con cerca de 20 oficiales y funcionarios de las distintas fuerzas y de la Fiscalía.

—Edgar —le dijo a Téllez una de sus fuentes en la Policía—, esas reuniones no están sirviendo para absolutamente nada, pues entre tanta gente hay mucha desconfianza, muchos informes y documentos que no van para ninguna parte. Por eso el general Serrano le propuso al Ministro que él y tres oficiales del Bloque se dieran cita en otro lugar para llevar a cabo encuentros más puntuales y operativos. Finalmente, Botero y mi jefe acordaron que dos oficiales se reunirían con él en el bar Chispas del hotel Tequendama.

La fuente no estaba segura de que el ministro fuera a tomarse esas otras reuniones muy en serio, pues la mayoría de los oficiales y funcionarios judiciales que asistían a las grandes cumbres del jueves en el ministerio tenían la impresión de que Botero era quien más enredaba la definición de acciones específicas en contra del cartel.

Téllez adquirió el compromiso con Vargas y Lesmes de avanzar en sus averiguaciones para ver si era posible escribir más adelante un informe sobre el tema.

DOMINGO 29 DE ENERO

El ex presidente César Gaviria había llegado días antes a Colombia en su primera visita después de varios meses de ausencia. Jean Claude Bessudo, propietario de Aviatur, la mayor agencia de viajes y turismo del país, había invitado, por sugerencia de Gaviria, a un grupo de amigos del ex mandatario a un almuerzo en la residencia de Bessudo en los cerros nororientales de Bogotá.

Mauricio, uno de los invitados al almuerzo, tuvo ocasión de conversar por cerca de dos horas con Gaviria. El ex presidente se mostró muy preocupado por los síntomas que él creía estar viendo en Washington, de un profundo deterioro de las relaciones entre Estados Unidos y Colombia.

—Yo tengo la impresión —le dijo Gaviria— que el gobierno de Clinton quiere distanciarse de Samper. Primero, porque además de las sospechas sobre lo sucedido en la campaña, los hombres del departamento de Estado están convencidos de que el gobierno colombiano les está mamando gallo con lo de la persecución al cartel de Cali. Y segundo, porque creen que si no se distancian de Samper, la oposición republicana, que ahora domina el Congreso, va a terminar cobrándole eso a Clinton.

El comentario de Gaviria era para Vargas la confirmación de algo que días antes había escuchado por boca de un funcionario del departamento de Estado adscrito a la oficina del subsecretario para narcóticos, Robert Gelbard. Según el funcionario, que Vargas consultaba con regularidad desde mediados del 94, Washington estaba cada vez más molesto con lo que la fuente llamaba "las promesas incumplidas y los engaños" del gobierno de Samper.

—Nos envían a los ministros de visita a Washington, ellos nos prometen que van a hacer esto y aquello, que van a presentar estos y otros proyectos de ley para endurecer las penas, y nada —le había dicho a Vargas el funcionario.

Vargas le contó ese día a Gaviria que, según esa fuente, al embajador de Colombia en Washington, Carlos Lleras de la Fuente, no le estaba yendo muy bien en la capital estadounidense.

—Yo tengo la misma impresión —le respondió Gaviria—, pero como él no me aprecia mucho usted puede pensar que mi visión está sesgada.

El periodista le contó a Gaviria otros detalles de su conversación con la fuente del departamento de Estado, a sabiendas de que el ex presidente debía estar mucho mejor enterado que él de esas historias, pero con la idea de averiguar más datos. El director de *Semana* recordó que esa fuente estadounidense le había narrado una anécdota sobre los resbalones de Lleras de la Fuente con los funcionarios del gobierno de Clinton. El embajador le envió una dura carta al secretario de Trabajo, Robert Reich, después de que la secretaria de éste le dijera que su jefe sólo podría recibir al embajador "dentro de algunos meses". Lleras, quien llevaba varias semanas solicitando la cita, se indignó y envió la misiva en tono de protesta. Según el funcionario del departamento de Estado, Reich quedó bastante molesto con Lleras. El problema, según la fuente, radicaba en que el secretario de Trabajo era uno de los funcionarios que debían dar su visto bueno anual al mantenimiento de las preferencias arancelarias a Colombia.

La misma fuente le había dicho a Vargas que en otra ocasión, a la hora de entregar las copias de las cartas credenciales del embajador al departamento de Estado, un procedimiento de rutina que los diplomáticos suelen cumplir con algún subsecretario, Lleras había exigido que su encuentro fuera con el secretario de Estado, Warren Christopher, en persona. El departamento de Estado le explicó al embajador que Christopher tenía su agenda ocupada con asuntos como Bosnia y las negociaciones entre Israel y los palestinos, pero que el subsecretario Strobe Talbot estaba comisionado para recibir las copias de las credenciales. En un principio, Lleras rechazó reunirse con Talbot, pero luego terminó por aceptar. Para Colombia, sin embargo, el daño ya estaba hecho: aparte de ser un amigo personal de Clinton y uno de sus más cercanos consejeros en los asuntos de América Latina, Talbot era uno de los funcionarios más influyentes del departamento de Estado, y quedó muy molesto con el embajador.

—Lo veo bastante bien informado —le dijo Gaviria a Vargas tras escuchar el relato—, pero le garantizo que en Washington Colombia enfrenta problemas más graves que los líos del embajador Lleras que, obviamente, no ayudan a mejorar las cosas. Me dicen que Frechette se echó un discurso bastante duro el viernes en el Consejo de las Américas en el que anunció que a Colombia le iba a costar mucho trabajo conseguir la certificación de la lucha antidrogas este año[1].

LUNES 30 DE ENERO

La revista *Cambio 16* publicó en carátula una historia que parecía ser el primer asomo de que el escándalo de la narcofinanciación de la campaña de 1994 podía resucitar por cuenta de nuevos indicios. Bajo el título "Tretas del cartel", la publicación reveló que en una serie de allanamientos meses antes en Cali a las oficinas del contador del cartel, el chileno Guillermo Pallomari, había sido encontrada una extraña lista con los apellidos e iniciales de los nombres de más de 25 congresistas y dirigentes políticos, y de Santiago Medina, frente a los cuales aparecían cifras de entre 3.000 y 10.000 y direcciones que correspondían

---

[1] En el marco de las leyes de ayuda externa de los Estados Unidos, los congresistas más conservadores encabezados por el duro senador Jesse Helms, impusieron desde principios de los años noventas la norma de que el gobierno debía presentar al Congreso una evaluación de la conducta en materia antidrogas de los países que, como Colombia, recibían ayuda para ése y otros efectos. La evaluación del gobierno de Washington debía incluir una recomendación para que fuera "certificado" el país que hubiera cumplido con los parámetros del departamento de Estado y otras agencias, "descertificado" para el que no, y "certificado por razones de seguridad nacional" el que, sin haber cumplido, fuera necesario mantener como aliado. Dicha recomendación debía ser revisada por el Congreso.

a las sedes políticas de algunos de los mencionados. Al indagar con los políticos y con Medina, la revista había establecido que podía tratarse de camisetas donadas por una empresa de fachada del cartel. La Fiscalía, según *Cambio 16,* no tenía claro si se trataba de camisetas o de dinero, pero en todo caso estaba desarrollando una investigación preliminar sobre este asunto, radicada bajo el número 8.000.

—No hay duda —les comentó Vargas a Lesmes y a Téllez—. Nos pegaron adelante. Tenemos que movernos porque *Cambio* está tras la pista.

Esa misma tarde, Téllez habló por largo rato con un periodista de *Cambio 16,* amigo suyo, y se enteró de que el viernes a las 5 de la tarde, mientras se preparaban para cerrar la edición en la cual la historia de las camisetas era uno de los artículos del rubro "Este país" y no iba en carátula, el director de la revista Eduardo Arias y la presidente de la misma, Patricia Lara, recibieron una serie de llamadas telefónicas de funcionarios del alto gobierno que se interesaban por el artículo y pedían que no se le diera mayor despliegue o, en lo posible, que no se publicara. El ministro de Gobierno, Horacio Serpa, llegó incluso a llamar al prestigioso abogado y ex procurador Alfonso Gómez Méndez, esposo de Patricia Lara, para que intercediera, pero Gómez no se prestó para ello.

Según el relato del periodista amigo de Téllez, pasadas las diez de la noche del viernes, el consejero de comunicaciones, Juan Fernando Cristo, se comunicó con Arias y le pidió que lo recibiera. El funcionario llegó a las 11 y 30 a la sede de la revista, donde se reunió con Arias y los periodistas Armando Neira y María Cristina Caballero, autores de la investigación.

—Ese cuento de las camisetas no es importante —les dijo Cristo—. Otros medios lo tienen y no lo van a publicar.

Los periodistas no apreciaron mucho ese argumento. Finalmente Cristo preguntó que si ese tema iba a ir destacado o en carátula, a lo cual Arias, en tono molesto, le respondió que ése era problema de la revista. Ante lo que juzgaban como una reacción desproporcionada del gobierno frente al tema, concluyeron que la historia de las camisetas debía ser más importante de lo que ellos creían y optaron por llevarla a la carátula.

—A Cristo le salió el tiro por la culata —le dijo ese lunes el periodista de *Cambio* a Téllez. Y no le faltaba razón.

MIÉRCOLES 1º DE FEBRERO

En el popular programa radial de la mañana, Viva FM, el embajador Lleras de la Fuente dio ese día nuevas muestras de que deseaba sostener su actitud de confrontación frente a Washington. Al comentar el discurso de Frechette en el Consejo de las Américas del viernes anterior, aseguró que los Estados Unidos sólo estaban contentos con la lucha antidrogas de Colombia si ésta producía "miles de muertos". Según Lleras, lo que esto indicaba era que ese país tenía "complejo de vampiro" y le gustaban "los cadáveres". El embajador Lleras no se limitó a decir eso a los medios colombianos: lo había asegurado horas antes en un discurso ante el mismo Consejo de las Américas al que se había dirigido Frechette.

Jueves 2 de febrero

Los medios de comunicación colombianos revelaron el texto íntegro del discurso de Frechette ante el Consejo de las Américas, pronunciado el viernes 27. Lo hicieron por cuenta de la respuesta de Lleras, que los obligó a leer detenidamente lo dicho por Frechette. El embajador estadounidense había advertido a un grupo de empresarios colombianos y norteamericanos con intereses de negocios en ambos países, que la batalla por la certificación —que se definiría el primero de marzo— iba a ser muy dura, pues en Washington "tanto en la rama ejecutiva como en la legislativa, hay quienes creen que la administración Samper no se ha desempeñado tan bien como habría podido" en la lucha antidrogas[2].

Como Lleras de la Fuente y la consejera presidencial Mónica de Greiff habían sostenido una y otra vez en charlas con periodistas colombianos que ese discurso no representaba el pensamiento de Washington sino el de Frechette, Vargas le preguntó ese jueves en la mañana por teléfono a su fuente en el departamento de Estado qué tan

---

[2] Traducción de USIS, febrero de 1994, archivo *Semana*.

válida era esa apreciación y qué tanto respaldo tenía el embajador norteamericano.

—Tiene todo el respaldo —contestó el funcionario—. Su discurso fue consultado con nosotros y refleja plenamente el pensamiento del departamento. La verdad es que hay una crisis de confianza con el gobierno colombiano que se ha agravado en los últimos años y que se ha exacerbado con todo lo que pasó el año pasado, con episodios como el de las excusas presentadas por el ministro Botero después del allanamiento al Hotel Intercontinental. Además, en Colombia deben entender que el nuevo liderazgo republicano en el Congreso está endureciendo la postura frente a los países productores de droga.

En las horas siguientes, Felipe López y Vargas acordaron que el tema de carátula tenía que ser los nubarrones en las relaciones entre Washington y Bogotá. Había que explicar en qué consistía el proceso de la certificación y cuál era el ambiente político que dificultaba las cosas. E investigar también qué había detrás del episodio del Hotel Intercontinental, pues la víspera el director antinarcóticos de Colombia, Gabriel de Vega, un joven y valiente funcionario con excelentes contactos en Washington, y quien acababa de regresar de esa ciudad, les confirmó a Lesmes y a Vargas que en la capital estadounidense ese incidente despertó muchas suspicacias. Uno de los interlocutores de De Vega en el gobierno de Clinton le dijo de frente que estaba convencido de que las excusas por el allanamiento al Intercontinental fueron exigidas a la Presidencia de la República por Miguel Rodríguez Orejuela.

—Algo saben esos gringos —aseguró— porque hablan de ese asunto con mucha seguridad[3].

Todos estos temas fueron analizados ese jueves al mediodía durante un almuerzo en la oficina de Felipe López, con el ministro Botero, al que además asistieron Lesmes, Vargas y Ricardo Ávila. A diferencia de otras fuentes gubernamentales que los periodistas de la revista habían consultado, Botero estaba enteramente de acuerdo en que las relaciones con Washington pasaban por un pésimo momento. El Ministro pensaba que era muy remota la posibilidad de que Colombia mantuviera la certificación. Sin embargo, no culpaba de la delicada situación al escándalo de los narcocasetes ni a la desconfianza que éste había generado en el gobierno estadounidense, sino a los conflictos políticos entre Clinton y los republicanos. En cuanto a las excusas por el allanamiento al Intercontinental, Botero le sacó el cuerpo al tema una y otra vez.

El Ministro reveló que todo eso estaba causando duros enfrentamientos internos en el gobierno. Mientras el canciller Rodrigo Pardo era partidario de una ofensiva diplomática de emergencia para evitar que Colombia fuera descertificada, la consejera internacional Mónica de Greiff le había propuesto al Presidente hacer una declaración

---

[3] *Semana* nunca pudo confirmar qué sabían las autoridades norteamericanas sobre una supuesta exigencia de Miguel Rodríguez —que habría sido hecha por teléfono en una llamada a la Casa de Nariño— para que el gobierno presentara excusas por el episodio del hotel, pero sí que había molestia con las excusas mismas.

para renunciar en términos definitivos a la ayuda estadounidense y, por ese medio, evitarle al país el proceso anual
de certificación de su compromiso en la lucha.

La idea de la consejera ni siquiera mereció una
discusión de fondo, pues el canciller le expuso al Presidente, entre otros argumentos, que Washington incluía
dentro del paquete de ayuda a Colombia las preferencias
arancelarias para gran cantidad de productos nacionales
exportados a Estados Unidos, preferencias que eran el
sostén del *boom* de rubros como las flores y los cueros.
De ese modo, aun si Colombia renunciaba al resto de la
ayuda, Washington mantendría la evaluación anual y, en
caso de descertificar al país, podía eliminar las preferencias
y asestar un duro golpe a los exportadores y a la economía
nacional.

Según contó Botero en el almuerzo en *Semana*, en la
mañana de ese jueves la consejera De Greiff presentó su
renuncia, después de entrar con lágrimas en los ojos al
despacho del Presidente para quejarse de que su idea no
había sido tenida en cuenta. Al parecer, Samper la tranquilizó después de media hora de charla, pero Botero aún
no sabía si la consejera se quedaría en su cargo.

En un momento dado, Vargas le preguntó si el
gobierno sabía algo con respecto a que a Edgar Hernández,
socio y amigo de Medina, se le fue la lengua en la sede
central del veraneadero de El Peñón a fines de año, donde
habría dicho que los Rodríguez sí financiaron la campaña
de Samper y que Medina iba a terminar por contar todo
eso un día.

—No, eso no es así —contestó Botero con espontaneidad—. Nosotros a ese asunto le metimos un poco de inteligencia y confirmamos que Hernández no está diciendo eso.

López, Vargas, Lesmes y Ávila quedaron tan estupefactos ante la revelación de que el ministerio de Defensa había desarrollado labores de inteligencia para establecer qué andaba diciendo el socio de Medina que no atinaron a preguntar más. Botero aprovechó el silencio para cambiar hábilmente de tema. Terminado el almuerzo, los cuatro periodistas comentaron el episodio.

—Botero se dio cuenta de que había metido la pata —dijo Vargas— y por eso es imposible que vaya a contarnos nada más del asunto, pero Jorge podría averiguar con otras fuentes a ver qué hay de cierto.

—Les garantizo dos cosas —dijo entonces López que aún no se reponía de la sorpresa—. La primera, que sí le hicieron inteligencia a Medina es porque andan aterrados de lo que pueda contar. Y la segunda, que va a resultar imposible confirmarlo.

A las pocas horas y tras varios intentos de Lesmes por consolidar algo de la accidental revelación del Ministro, todos comprendieron que López tenía razón.

VIERNES 3 DE FEBRERO

El consejero para las comunicaciones, Juan Fernando Cristo, habló temprano esa mañana con Vargas, quien lo había llamado para que la revista conociera la posición oficial de la Presidencia sobre la situación de las relaciones con Estados Unidos. En términos generales, Cristo trató de quitarle importancia al tema y le dijo al director de la revista que, en su opinión, no valía la pena dedicarle la carátula. No era la primera vez que el consejero trataba de influir en las decisiones periodísticas del semanario. López y Vargas se habían acostumbrado a ello, lo mismo que a sus llamadas y visitas de los viernes a altas horas de la noche. Por aquellos días lo habían bautizado en broma con el apodo de "el censor".

Cristo solía ser amable a la hora de plantear sugerencias y López y Vargas lo eran también al descartarlas, de manera que hasta entonces nunca se había presentado un conflicto. El director de *Semana* quiso que las cosas siguieran así y cordialmente le explicó que la revista ya había decidido que el tema de la carátula sería la crisis con Estados Unidos.

—No se desgaste tanto tratando de cambiar carátulas —le aconsejó Vargas—, concéntrese en explicar el punto de vista del gobierno.

Cristo se resignó y Vargas le preguntó entonces por la situación de Mónica de Greiff y su amenaza de renuncia presentada la víspera.

—El Presidente la convenció, después de que ella le lloró un rato en el hombro —contó Cristo con algo de ironía—. Ella se queda de consejera, pero la verdad es que ya no tiene ninguna influencia en las decisiones sobre política internacional.

—¿Puedo contar todo eso, o el lunes ustedes me rectifican? —preguntó Vargas pensando en enriquecer la sección Confidencial de la siguiente edición.

—Cuenten que renunció y que el Presidente la convenció de quedarse. Lo de que perdió la influencia me tocaría rectificarlo, aunque sea verdad.

Poco después de la charla con Cristo, Vargas se enteró de otra nota para la sección Confidencial. Era una simpática anécdota que Botero le había contado a López. Ese viernes en la mañana, el Ministro había llegado temprano a la residencia del embajador Frechette para desayunar. El diplomático, que ya había dado algunas muestras de buen humor, lo recibió con una dentadura postiza y una capa negra de Drácula. Era su respuesta al discurso de Lleras de la Fuente.

LUNES 6 DE FEBRERO

Al caer la noche, Botero y tres oficiales de inteligencia del Bloque de Búsqueda se reunieron por tercera vez en dos semanas, en desarrollo de lo acordado por el Ministro y el general Serrano el jueves 26 de enero. El encuentro, como siempre, tuvo lugar en el bar Chispas del Hotel Tequendama en el centro de Bogotá. Y Téllez consiguió esa misma noche, tarde, un relato muy completo por parte de uno de los hombres de inteligencia. Los oficiales insistieron en la urgencia de divulgar las cuñas de televisión ofreciendo recompensas por los capos de Cali.

Después, uno de los oficiales le entregó a Botero un documento confidencial que contenía información muy detallada de las actividades de Elizabeth Montoya de Sarria, el cuestionado personaje del que otro oficial de inteligencia, Jaime, le había hablado al director de *Semana* a mediados de enero, como una de las personas que habían contribuido con una importante suma a la campaña.

Esa noche en el Chispas, los oficiales que conversaban con Botero le advirtieron que el gobierno debía tener mucho cuidado porque habían detectado que "la señora de Sarria está utilizando de manera indebida el nombre del presidente Samper en reuniones sociales a las que asisten personas de dudosa reputación". Agregaron que Elizabeth Montoya se refería en términos demasiado familiares al jefe del Estado. Según uno de los seguimientos, la señora de Sarria había dicho en una fiesta delante de personas que los oficiales consideraban sospechosas: "Ernestico es mío y todo lo que ustedes necesiten del gobierno tienen que tramitarlo por intermedio mío".

Botero los escuchó en silencio y les dijo que él no tenía ni idea de quién era esa señora. Se negó a recibir el documento y les pidió que pasaran a otro tema. Los oficiales del Bloque le dijeron a Téllez que esa noche se habían convencido de que en el gobierno se escondían cosas muy oscuras.

Martes 7 de febrero

Por aquellos días en *Semana*, tanto López como Vargas, Lesmes, Téllez y otros periodistas que conocían el tema, tenían la íntima convicción de que unos 5 mil millones de pesos procedentes del cartel habían ingresado a la campaña de Samper. ¿Quién había estado al tanto de ello? Era difícil decirlo con certeza, pero parecía claro que cuando menos el Presidente y Botero estaban actuando para evitar que estallara el escándalo, que asomaba cada vez con más frecuencia en las conversaciones privadas, en los cocteles y en las charlas informales entre periodistas. La pregunta que se hacía con frecuencia la gente de *Semana* era si algún día habría suficientes elementos sólidos, periodísticamente hablando, para considerar que se podía contar la historia, o al menos parte de ella, sin arriesgarse a un gran desmentido del que la revista no tuviera pruebas con qué defenderse.

Después de ocho meses de indagaciones más o menos desordenadas, Vargas, Lesmes y Téllez, con la ayuda de Óscar Montes y de otros periodistas de la redacción, diseñaron esa semana un plan de trabajo para comenzar a investigar de modo organizado y sistemático lo sucedido en la campaña. Cualquier fuente debía ser exprimida al máximo, cualquier filón comprobado de la historia debía ser explorado más a fondo para ver hasta dónde se podía confirmar algo adicional. Pero *Semana* se abstendría de publicar rumores o historias que pudieran ser rectificadas sin darle oportunidad a la revista de echar abajo el desmentido con un documento o un testimonio grabado.

—Vamos a meter la nariz en esto hasta el fondo —les dijo Vargas a los periodistas que trabajaban en el tema—, pero sólo vamos a publicar una historia cuando no arriesguemos con ella la credibilidad de la revista, cuando no nos la puedan desmentir.

Felipe López, por su parte, se dedicó a utilizar su don natural para lograr que algunos personajes le contaran lo que no se atrevían a revelarle a nadie más. Ese jueves Alberto Giraldo llegó de visita a su oficina. Al principio de la conversación, durante buena parte de la cual estuvo presente Vargas, parecía obvio que estaba tratando de transmitir una queja de los hermanos Rodríguez Orejuela por artículos de *Semana* que ellos interpretaban como "poco amistosos", entre ellos el del incidente del Hotel Intercontinental.

Con habilidad, López le fue dando la vuelta a la conversación y a los pocos minutos, Giraldo desistió de sus reclamos y comenzó a revelar algunos puntos relacionados con la financiación de la campaña. López le preguntó si era verdad que después del episodio de los casetes, los Rodríguez seguían confiando en él, o si por el contrario le habían retirado los afectos, como sostenían algunas fuentes, por considerar que las imprudencias telefónicas de Giraldo los metió en un lío inmenso[4].

---

[4] La aceptación de Giraldo ante De Greiff en junio de 1994 de que las voces de los narcocasetes correspondían a él, a Gilberto y a Miguel Rodríguez, tuvo una consecuencia insospechada. A fines de ese año, las famosas cintas se convirtieron en pieza clave del proceso por narcotráfico contra Miguel Rodríguez en

—No, yo no he perdido la confianza de ellos —respondió Giraldo—. Ellos me siguen respaldando.

López preguntó entonces si podía ser cierta una versión que él había escuchado días antes en el sentido de que agencias norteamericanas poseían una grabación en video de una avioneta cargada de dinero del cartel y con Santiago Medina a bordo, que habría repartido grandes cantidades en efectivo a los jefes regionales de la campaña en diferentes ciudades.

—Eso no puede ser verdad —contestó Giraldo—. Medina no iba en esa avioneta.

—¿Pero entonces es verdad que hubo avioneta? —preguntó López y Giraldo le respondió con una amplia sonrisa.

Entonces López preguntó por otra versión, según la cual, las autoridades de Estados Unidos tenían en su poder una grabación de una llamada telefónica que demostraría que las excusas por el supuesto allanamiento al Hotel Intercontinental, habían sido exigidas por uno de los hermanos Rodríguez Orejuela a un alto funcionario de la Casa de Nariño.

Luisiana, Estados Unidos, cuya prueba reina contra el jefe del cartel era una grabación de su voz obtenida por la DEA de una charla telefónica en la que, en concepto de la Fiscalía de E.U., daba instrucciones sobre un cargamento. El juez del caso necesitaba cotejar la voz grabada por la DEA con otra que hubiera sido certificada como perteneciente a Miguel Rodríguez. Y la Fiscalía colombiana la tenía, gracias justamente a la declaración de Giraldo ante De Greiff en la investigación de los narcocasetes.

—¡Uy! —dijo Giraldo—. Sería gravísimo que los gringos tuvieran eso.

Finalmente, López le preguntó si los Rodríguez le habían dado plata a la campaña de Pastrana y Giraldo le contestó que no. Le dijo que en cambio ellos creían que Iván Urdinola o alguien del cartel del norte del Valle sí lo había hecho, pero que no tenían ninguna prueba de ello.

—No vayan a publicar nada de esto —dijo Giraldo al despedirse de López.

—No, tranquilo —respondió López sonriendo—, es pura curiosidad mía.

Por esos días, López era en verdad el más curioso de todos los periodistas de la revista. Su entusiasmo con el tema resultaba evidente en cada conversación. Con su estilo entre confianzudo y frentero, le iba preguntando "sólo por curiosidad" a todo el que podía saber algo, y luego se los contaba con verdadero deleite a Vargas, Lesmes y Téllez. El presidente de *Semana* parecía empeñado en demostrarles a los demás periodistas que él era mejor reportero que todos. Pero tenía un defecto: casi todo lo que averiguaba terminaba por contárselo por el teléfono a algún amigo.

Vargas, Lesmes y Téllez adoptaron una actitud muy diferente: no contarle a nadie lo que iban averiguando, y menos a López, a quien compartimentaban por miedo a que por su boca se filtraran informaciones que sólo hasta cuando se confirmaran y publicaran, debían ser mantenidas en reserva.

En un pomposo acto en la Casa de Nariño, el presidente Samper reaccionó ese mismo día por primera vez al deterioro que estaban sufriendo las relaciones con los Estados Unidos. Después de varios días de insistencia del canciller Pardo y del ministro Botero, el primer mandatario parecía haber comprendido que quedaban escasas tres semanas para evitar un desastre en el tema de la certificación de Washington. La prueba de que el discurso tenía como principal audiencia al gobierno de Bill Clinton era la presencia, en primera fila en Palacio, del embajador Frechette. Samper anunció que antes de dos años acabaría por completo con los narcocultivos y que en muy pocos meses capturaría a los principales cabecillas de los carteles. Ocho meses después de que estallara el escándalo de los narcocasetes y de que el mandatario colombiano enviara una carta al Congreso estadounidense con una serie de promesas para la lucha antidrogas, Samper se resignaba a endurecer su discurso.

Pero Washington tenía razones para desconfiar. Téllez se enteró esa misma tarde de algo que sin duda las agencias de los Estados Unidos ya conocían. Un sofisticado equipo de radiogoniometría que captaba e identificaba voces, y gracias al cual había caído Pablo Escobar, estaba arrumado en la base aérea Marco Fidel Suárez de la Fuerza Aérea en Cali. Tenía algunos daños y arreglarlo costaba poco más de 40 millones de pesos, una cifra insignificante para la utilidad del equipo que llevaba cerca de seis meses inactivo. El tema merecería en el siguiente número de la revista una nota en la sección Confidencial[5].

---

[5] Tras la aparición de la nota en la sección Confidencial, Botero se apresuró a garantizar los 40 millones para poner a andar

JUEVES 9 DE FEBRERO

Felipe López llamó temprano a Vargas para contarle de una conversación que había sostenido la víspera con el prestigioso constructor Pedro Gómez Barrero, amigo personal del presidente Samper y quien había prestado su colaboración al comité financiero de la campaña. Según López, el empresario le contó que cuando se aproximaba la recta final de la contienda electoral y Andrés Pastrana aparecía en todas las encuestas con una leve ventaja sobre Samper, en el comité se presentó una discusión sobre si la campaña debía o no aceptar contribuciones en efectivo. Gómez pensaba que no y así lo expresó, con el argumento de que el Código de Ética de la campaña lo prohibía y que lo prohibía justamente porque por ahí se podían colar dineros del narcotráfico. El empresario fue derrotado por los demás miembros del comité, liderados por Botero y Medina. Pedro Gómez, quien desde ese momento se desvinculó del comité financiero, no tenía claro si Samper había estado al tanto del debate ni de la decisión[6].

El empresario le manifestó a López su preocupación por la situación del gobierno de Samper y en especial, por la que consideraba inminente crisis con los Estados

---

el equipo, pero aún pasaron un par de semanas antes de que algunos oficiales de la FAC dejaran de poner obstáculos a la puesta en marcha del sistema.

[6] Otros asistentes a la reunión mencionada por Pedro Gómez a Felipe López, aseguraron a los autores que Samper había estado presente en la misma y que por ende estaba al tanto de la decisión.

Unidos, y le contó que algunos días antes le había transmitido sus inquietudes al Presidente.

—Como amigo —le había comunicado Gómez a Samper —quiero decirte que veo las cosas muy mal, los veo a ustedes muy emproblemados.

Ese jueves hacia las 5 de la tarde, el director del DAS Ramiro Bejarano, con quien Vargas había comenzado a cimentar una buena relación que estaba empezando a rendir frutos en materia de informaciones sobre el trabajo de esa agencia de seguridad del Estado, visitó al director de *Semana*. Bejarano llegó acompañado de Laude Fernández, un joven e inteligente investigador de origen costeño, a quien acababa de nombrar como nuevo jefe de inteligencia del DAS.

Bejarano deseaba que Fernández tuviera con *Semana* una relación directa para efecto de confirmar informaciones y dar a conocer investigaciones desarrolladas por el DAS. Vargas se mostró complacido, pues durante meses la revista había carecido de una buena fuente en esa entidad. El director de *Semana* recordó su conversación con Jaime, la fuente de inteligencia que había reaparecido a mediados de enero después de pasar más de un año en el exterior, y que le había hablado de los esposos Sarria.

—Oiga Ramiro —indagó Vargas—. ¿Ustedes saben algo de un tal Jesús Sarria, que dicen que es un narcotraficante importante?

—Es la primera vez que lo oigo nombrar —respondió Bejarano— pero déjeme le encargo a Laude que investigue si hay algún documento de inteligencia del DAS sobre ese personaje.

El jefe de inteligencia tomó nota del encargo y convino con Vargas en establecer una línea directa de comunicación para ésa y otras informaciones[7].

MARTES 21 DE FEBRERO

Vargas conversó esa mañana por teléfono con el vicepresidente Humberto de la Calle, con quien había trabado una estrecha amistad desde principios de la administración Gaviria, cuando De la Calle era asesor del gobierno en el proceso de preparación de la Asamblea Constituyente, frente a la cual actuaría luego como vocero de la administración en su calidad de ministro de Gobierno.

El vicepresidente estaba bastante inquieto por una solicitud que el presidente Samper le había hecho. El primer mandatario deseaba que De la Calle aprovechara su prestigio como constitucionalista para proponer, entre las reformas a la Carta de las que Samper había comenzado a hablar en privado en esos días, el paso de la Fiscalía de la rama jurisdiccional al ejecutivo. El Presidente le recordó a su compañero de fórmula electoral que ésa era la propuesta que él, como ministro de Gaviria, había defendido en la Constituyente.

---

[7] Fernández nunca cumplió con la tarea de entregar información sobre Jesús Sarria y Vargas se aburrió de insistirle. Pero Edgar Téllez tocó otras puertas en el DAS y obtuvo, semanas después de esta reunión, un completo documento sobre los antecedentes de este personaje, que iban a resultar muy útiles más adelante.

—La Constituyente no quiso que la Fiscalía fuera del ejecutivo, y eso fue un error —le dijo Samper—. Pero ahora hay una oportunidad de remediarlo y usted debería proponerlo.

Según le contó a Vargas, el vicepresidente trató infructuosamente de persuadir al primer mandatario sobre la inconveniencia de plantear ese tema en momentos en que algunos comenzaban a especular sobre un distanciamiento entre el gobierno y el fiscal Valdivieso.

—Mañana voy a reunirme largo con el Presidente —le contó De la Calle a Vargas— y voy a hacer todo para convencerlo, porque esa idea es una locura.

La tarde de ese martes, el contralor general David Turbay llegó de visita a *Semana* para reunirse con Felipe López y Vargas. Al igual que lo había hecho con Giraldo, López trató de sacarle información sobre lo sucedido en la campaña. A los pocos minutos de iniciada la charla, Turbay dejó entrever ante ellos que todo lo que se sospechaba era verdad: que el cartel había financiado buena parte de la campaña y que Medina y Botero lo sabían.

—¿Y Samper? —preguntó López.

—¿Usted qué cree? —contestó Turbay.

El contralor parecía muy molesto con el gobierno y en especial con el ministro de Defensa. Les contó a López y a Vargas que días atrás lo había llamado un periodista amigo suyo del diario *El Universal* de Cartagena, tierra natal de Turbay, para contarle que un grupo de agentes de inteligencia del Estado, al parecer de la Policía, estaban en el periódico revisando todo lo que *El Universal* había escrito sobre Turbay, en especial sobre su gestión como gobernador de Bolívar durante el primer año de la administración Gaviria. El contralor había interpretado la actuación de los agentes como una retaliación del ministro Botero por las investigaciones fiscales que la Contraloría desarrollaba sobre unos controvertidos contratos para la compra de fusiles Galil. Por esa razón, Turbay decidió llamar inmediata y personalmente por teléfono al presidente Samper.

—Yo le advertí que si las vainas iban a ser así —les dijo Turbay— se podrían conocer cosas muy graves de la campaña.

Según Turbay, él le había mencionado a Samper que conservaba en su casa unas fotografías de tiempos de la campaña que podían resultar muy comprometedoras. Relató que media hora después de su charla con el Presidente, en su despacho recibió una apresurada visita de Botero, quien le explicó que todo había sido un malentendido. Según Turbay, el Ministro tomó el teléfono del despacho del contralor y ordenó el desmonte de la visita al diario *El Universal*, así como una investigación para sancionar a quienes habían hecho "semejante barbaridad".

Según el contralor, todo había quedado aparentemente solucionado hasta que pocos días después del incidente, un destacamento de Policía Militar llegó a su casa al norte de Bogotá y revisó todos los rincones. El contralor recordó que los soldados aseguraron que se trataba de una operación destinada a garantizar la seguridad de la casa, pero a él le había quedado la sensación de que buscaban algo, talvez unas fotografías.

Felipe López quiso sondear a Turbay sobre la posibilidad de contar en la revista algo de lo que le acababa de narrar, pero el contralor descartó de plano la idea.

—Lo mejor es que en este país nos olvidemos de lo que pasó en la campaña y de todo lo demás —respondió Turbay—, porque si no, va a salir mucha gente perjudicada y también va a salir perjudicado el país.

MIÉRCOLES 22 DE FEBRERO

Vargas llamó al final de la tarde a De la Calle y pudo comprobar que tras su conversación con Samper, el vicepresidente había logrado persuadirlo de la inconveniencia de proponer en esos momentos el paso de la Fiscalía a la rama ejecutiva.

—Creo que mis argumentos funcionaron —dijo De la Calle—, pero me preocupa que esas ideas anden rondando en la cabeza del Presidente.

LUNES 27 DE FEBRERO

Ricardo Ávila le dijo a Vargas esa tarde después del consejo de redacción, que Andrés Talero, amigo común de ambos periodistas y gerente comercial de *Semana* a mediados de los años 80, le había contado una historia muy interesante sobre Santiago Medina, que parecía confirmar lo dicho por Edgar Hernández, el socio del anticuario, en El Peñón a fines de año.

Medina y Talero se habían conocido a mediados de 1992, cuando éste último gerenciaba la revista *Aló* y Medina estaba encargado de las ediciones especiales de decoración. Tras la divulgación de los narcocasetes, Talero había querido que su amigo, el ex tesorero, le contara la verdad de lo sucedido en la campaña. En octubre del 94, Medina lo llamó a Miami, donde Talero ocupaba el cargo de cónsul general de Colombia, para el cual había sido nombrado año y medio antes por la administración Gaviria y al cual renunciaría semanas después.

Talero, quien estaba en Bogotá esa semana, le dijo a Ávila que en esa llamada Medina se mostró muy molesto con el gobierno y le pidió que lo contactara con Tom Cash, jefe de la DEA en esa ciudad, uno de los principales centros de operación de la agencia antidrogas, pues quería solicitarle protección al gobierno estadounidense para contar todo lo que sucedió en las elecciones del año pasado.

—Yo no voy a pagar los platos rotos por haberle hecho un oficio a un hombre que como Samper tiene 14 años de contactos con los Rodríguez —le expresó Medina a Talero con franqueza e indignación.

MIÉRCOLES 1° DE MARZO

Tal como estaba previsto, el gobierno de los Estados Unidos envió al Congreso su recomendación de certificar la lucha antidrogas de Colombia solo por razones de "interés y seguridad nacionales", lo que quería decir que el gobierno de Samper merecía la descertificación, pero que Clinton recomendaba la medida intermedia para evitar romper definitivamente con un aliado que consideraba vital para combatir a los carteles. Estaba claro que *Semana* y otros medios de comunicación colombianos habían tenido razón: las relaciones se seguían deteriorando a pesar de lo que había dicho Lleras de la Fuente en el sentido de que el discurso de Frechette el 27 de enero no representaba la opinión del gobierno de Clinton. En esa ocasión el embajador estadounidense no había hecho cosa distinta de advertir lo que venía.

En horas de la noche, un extraño sujeto se presentó en *Semana* y pidió hablar con Téllez. El personaje, que se identificó con un nombre falso, dijo que él era uno de los "Doce del patíbulo[8]" y que mantenía una estrecha relación con los Rodríguez y con todos los grupos que, según él, estaban "interesados en una paz duradera con el gobierno".

—Ustedes no están ayudando a esa paz —le dijo el hombre a Téllez a puerta cerrada en su oficina.

—¿Y en qué sentido es esa paz? —preguntó el periodista.

---

[8] Con una referencia al clásico cinematográfico "Los doce del patíbulo", *Semana* reveló en la edición 664 del 24 de enero del 95, que horas antes de dejar su cargo como fiscal general, Gustavo de Greiff había otorgado beneficios equivalentes a la inmunidad a una docena de narcotraficantes que habían colaborado en la persecución contra Pablo Escobar.

—Pues se trata de abandonar el negocio a cambio de un sometimiento que implique que, al igual que pudimos hacerlo nosotros gracias a De Greiff, la gente pueda pagar su pena en su casa o algo así. Hay muchas fórmulas.

—¿Y por qué dice que no estamos ayudando? —preguntó Téllez.

—Pues el gobierno le ha mandado decir a estos grupos que el Fiscal y *Semana* son los enemigos de esa paz —explicó el hombre.

—¿El gobierno? ¿Quién en el gobierno? —trató de establecer el periodista.

—No le digo más, pero traten de ayudar, y además yo les puedo dar mucha información. Ayuden, carajo.

La charla continuó por varios minutos más mientras el periodista intentaba avanzar en el origen —y la veracidad— del mensaje que el hombre atribuía al gobierno. Pero fracasó.

Mientras Téllez recibía al curioso personaje en su oficina, en la dirección de la revista Vargas atendía al ex ministro de Justicia, Fernando Carrillo, quien se encontraba desde hacía varios meses en Washington como asesor del Banco Interamericano de Desarrollo, y al director de estupefacientes, Gabriel de Vega. Entre otros puntos tocados en el curso de la conversación, Vargas les contó sobre la discusión que se había presentado en el gobierno días atrás ante la inminencia de que Colombia iba a ser degradada en la escala de la certificación de Washington en materia antidrogas. El director de *Semana* les dijo que

Botero era uno de los que se habían opuesto a la idea de Mónica de Greiff de renunciar a la certificación.

—Pero claro —explicó De Vega—, si yo estaba con el Ministro cuando se reunió hace dos semanas con Gelbard en Washington y le preguntó tímidamente qué pasaría si Colombia renunciaba a la certificación.

—¿Y qué le dijo Gelbard? —indagó Vargas.

—Le contestó: "Atrévanse...", y Botero se apresuró a aclararle que sólo se trataba de una hipótesis remota.

Jueves 2 de marzo

Ese día en la tarde Ricardo Ávila estaba cargado de trabajo, pues debía dejar terminada en pocas horas la sección de Economía. Pero a pesar de que de modo angustioso se acercaba su hora de cierre, no resistió la tentación de interrumpir su trabajo para contarle a Vargas algo de lo que se acababa de enterar por intermedio de Andrés Talero, quien seguía de visita en Bogotá.

El martes anterior en la noche, Talero y algunos ex compañeros de la revista *Aló* se habían reunido para comer. El anfitrión era Santiago Medina, quien hacia la medianoche y después de algunos tragos, se destapó.

Según el relato de Talero a Ávila, el ex tesorero dijo que sería el colmo que él terminara pagando la cuenta de lo que había pasado en la campaña, cuando tanto Botero como Samper estuvieron al frente del asunto de la narcofinanciación. Medina contó que cuando Samper era embajador se reunió en Madrid con gente del cartel.

—A mí me encantaría ver qué cara pone Samper si un día un periodista le pregunta por el "Pacto de Recoletos" —manifestó Medina durante la cena.

Los presentes quisieron indagar sobre ese "Pacto de Recoletos", y Medina explicó que se trataba de una serie de compromisos que el entonces embajador y futuro candidato y Presidente de la República había adquirido con los emisarios del cartel, durante un encuentro en un café de la calle de Recoletos en la capital española a principios de mayo de 1993. Medina aseguró que el propio Samper había bautizado el acuerdo con el nombre de "Pacto de Recoletos".

Medina también reveló a sus contertulios del martes en la noche que si a él le pasaba algo como ir a la cárcel, o morir asesinado, amigos suyos tenían instrucciones de dar a conocer un sobre con recibos que demostraban la financiación por parte del cartel de Cali de la campaña samperista. Según Medina, él conservaba uno de esos sobres en una caja fuerte y había enviado a una amiga suya en el exterior un juego completo de copias de los documentos.

Vargas tomó nota de los datos recogidos por Ávila y se lamentó de nuevo de la cantidad de información suelta que había reunido *Semana* y que no podía divulgar por falta de confirmación, o porque la revista sería desmentida y no tendría cómo demostrar la veracidad de su historia.

—Voy a decirle a Lesmes que busque a Medina a ver si lo convence de hablar —dijo Vargas—, al fin y al cabo él lo entrevistó el año pasado cuando salieron los casetes y creo que han hablado un par de veces desde entonces.

Esa misma noche, Vargas habló con Lesmes y con Téllez y los puso al tanto de lo averiguado por Ávila. Lesmes quedó encargado de contactar al anticuario. Hacia las nueve de la noche llamó a la residencia de Medina en el barrio La Cabrera al norte de Bogotá, pero no lo encontró. Pocos minutos después, una fuente de la Policía lo obligó a olvidarse de Medina: llamó para contarle que el Bloque de Búsqueda acababa de capturar en Cali a Jorge Rodríguez Orejuela[9], hermano de los jefes del cartel contra quien la Fiscalía adelantaba algunos procesos importantes. Las horas siguientes estuvieron dedicadas a reconstruir este primer golpe del gobierno al cartel, dado al día siguiente de que Estados Unidos otorgara a Colombia una lánguida certificación condicionada en la lucha antidrogas.

—Lo menos que se puede decir —dijo Vargas al enterarse de la captura— es que el garrote gringo es muy efectivo. Aunque ese señor no parece muy importante en la cúpula del cartel, la clave del golpe es que rompe el mito de la invencibilidad de los Rodríguez.

---

[9] A fines de octubre de 1996, Jorge Rodríguez Orejuela fue condenado a 15 años de prisión por narcotráfico y otros delitos.

Lunes 6 de marzo

Minutos antes del consejo de redacción, Lesmes y Téllez se reunieron con el director de la revista. Vargas le preguntó a Lesmes si había sabido algo de Medina.

—Nada. No me ha devuelto la llamada del jueves.

Esa tarde, Lesmes marcó dos veces más a la casa de Medina, pero de nuevo le dijeron que no se encontraba.

Miércoles 8 de marzo

Hacia las diez de la mañana, Ana Cecilia, la secretaria del jefe de redacción de *Semana*, le comunicó por la línea interna que tenía una llamada de Medina. Lesmes se botó al teléfono. El ex tesorero de la campaña se excusó por la demora en responderle y alegó que había estado muy ocupado.

—Yo vivo muy agradecido por la forma como usted manejó la entrevista del año pasado y por eso quiero invitarlo a almorzar mañana a mi casa —dijo Medina, pero a Lesmes le pareció que el almuerzo debía tener otro propósito, pues nada tenía que agradecer el extesorero por una entrevista realizada nueve meses atrás.

Después de colgar, Lesmes subió al quinto piso y con una gran sonrisa entró a la oficina de Vargas.

—Bueno, listo —dijo—, mañana almuerzo con Medina y creo que el tipo quiere hablar del asunto.

JUEVES 9 DE MARZO

Hacia las diez y media de la mañana, las sospechas de Lesmes en el sentido de que Medina quería contar cosas importantes se confirmaron. El ex tesorero lo llamó para pedirle la dirección de *Semana* con el fin de enviarle con su conductor unas revistas que le había traído de París. Cuando llegó el conductor, impecablemente vestido de tres piezas y corbata, le entregó al jefe de redacción un sobre cerrado en su oficina del cuarto piso.

—El doctor Medina me dijo que se lo entregara y que no me fuera hasta que usted lo leyera.

Lesmes abrió el sobre que contenía una pequeña nota: "Por razones de seguridad, el sitio del almuerzo no es mi casa, sino el restaurante La Piazzeta que queda en la calle 92 Nº 13-51. Nos vemos a la una en punto. Por favor, confirme la cita".

Lesmes no dudó un instante en hacerlo por intermedio del conductor. Subió al quinto piso, a la oficina de la dirección, y le contó todo a Vargas. A puerta cerrada se sentaron a planear cómo debía Lesmes conducir el almuerzo.

—Yo no conozco un reportero con más habilidades para poner a hablar a los personajes que guardan secretos —le dijo Vargas—. Así que espero que Medina se le confiese.

Hacia las 12 y 45, Lesmes salió caminando de la revista, pues el restaurante estaba a un par de calles. Un mesero lo recibió en la puerta y lo condujo a una mesa un tanto aislada del resto, donde era evidente que los demás comensales no podrían escuchar la conversación.

—El doctor Medina está un poco demorado, pero por favor espérelo —dijo el mesero.

A la una y media pasadas, el ex tesorero de la campaña entró al restaurante. Lo hizo presuroso y un tanto nervioso. Presentó excusas por su demora y la atribuyó al tráfico. Se sentó de espaldas al salón y se inclinó hacia adelante para hablar con el periodista en voz baja. Sacó un paquete de Marlboro y encendió el primero de una treintena de cigarrillos que él y Lesmes habían de fumarse esa tarde. Llamó al mesero y ordenó vino blanco.

—Yo creo que las cosas van muy mal —dijo Medina después de preguntarle a Lesmes cómo veía la situación, y de que el jefe de redacción se hiciera el desentendido—. Ernesto tiene dificultades muy serias.

—Sí —se animó Lesmes— hay algunos problemas...

—¿Problemas? Más que problemas —lo interrumpió Medina.

—La verdad —se aventuró Lesmes— es que yo creo que el escándalo sobre la financiación de la campaña va a estallar de un momento a otro. Algunas fuentes nos dicen que pueden aparecer nuevas cosas, más documentos. ¿No cree que van a terminar fregándolo a usted? Esa es la impresión que nosotros tenemos.

—Jorge, lo cierto es que yo quiero hablar con usted muy privadamente. Necesito que me dé su palabra de que lo que le voy a contar nadie lo va a saber. No se puede publicar ni una palabra, si lo hace lo desmiento. Yo le prometo que en su momento tendrá las pruebas, será el primer periodista en tenerlas. Si está dispuesto a guardar el secreto, le prometo que *Semana* va a tener una superhistoria.

Lesmes lo llenó de confianza, le dio todas las garantías y le aseguró que lo más sagrado en el periodismo era respetar las condiciones que ponía una fuente para revelar una historia, sobre todo si se trataba de cuestiones de seguridad.

—Yo sé, a mí me pueden matar...

—Pero su verdadero seguro es contarlo todo —interrumpió Lesmes.

—El gobierno sabe que yo estoy muy molesto, pues me quieren culpar de todo lo ocurrido durante la campaña y eso nunca lo voy a permitir. Si a mí me meten a la cárcel, cuento lo que sé y me los llevo a todos por delante. Lo que más me indigna es que crean que me pueden comprar. El otro día Botero y Samper me invitaron a Hatogrande para hablar del tema y me dijeron: "¿Cuánto vale tu silencio?" Y eso sí que me da rabia. Como sé que me puede pasar algo, decidí grabar un video de 45 minutos donde cuento todo. Ese video y los documentos que demuestran que digo la verdad, se los entregué a una amiga que los tiene guardados en Europa en una caja fuerte. Ella tiene instrucciones de que si a mí me matan debe entregarle una copia de todo a un periodista del diario *El País* de Madrid y una a usted para *Semana*.

Como Medina no parecía dispuesto a revelar lo que decía en el video ni lo que demostraban los documentos, Lesmes le soltó un anzuelo para demostrarle que *Semana* estaba muy avanzada en la investigación.

—Dígame una cosa Santiago, ¿qué papel jugaron los esposos Sarria en la financiación de la campaña?

—¿Qué? —respondió Medina con los ojos bien abiertos—. Si ustedes ya saben lo de la *Mona* Sarria estamos fregados.

—Sabemos todo eso —cañó Lesmes y esperó unos segundos.

—Muy bien, le voy a contar todo, pero no puede tomar notas y necesito una plena garantía de que no me está grabando.

—Déjeme anotar unas cositas sólo para no dejarle todo a la memoria...

—Bueno, está bien —cedió Medina.

—...Y en cuanto a lo de la grabadora, si quiere me le empeloto aquí mismo —dramatizó Lesmes—, y si yo llego a tener una grabadora se acaba esta reunión de inmediato.

No hizo falta llegar tan lejos. Medina se tranquilizó y comenzó su relato, mientras Lesmes tomaba algunos apuntes.

—Empecemos por el principio: la plata del cartel de Cali sí entró a la campaña. Los Rodríguez la enviaron en efectivo a mi casa en unas cajas de cartón envueltas en papel de regalo color fucsia. En la mansarda contamos la plata, delante de un testigo enviado por ellos. Después se empacó en otras cajas y la llevamos al sótano de la sede de la campaña. Cuando los tesoreros regionales llegaban, yo les hacía firmar un recibo y ordenaba que subieran el efectivo. Un par de veces, los propios tesoreros bajaron al sótano y se llevaron su paquetico.

Lesmes lo interrumpió para preguntarle quiénes y por qué habían decidido recibir esa plata.

—La clave está en los narcocasetes, en ellos está la verdad. Giraldo nos ofreció la colaboración de los Rodríguez, y Samper y Botero decidieron que para ganar las elecciones debíamos aceptarla. Yo fui a Cali y me reuní con ellos en unas tres oportunidades. Para la segunda vuelta, que era cuando estábamos más apurados, Botero me dijo que tratara de conseguir dos mil millones de pesos, pero al final yo logré que nos dieran cinco mil millones.

—¿Y toda esa plata llegó a su casa?

—Una buena parte, pues creo que hubo cantidades que fueron directo en avioneta a otras regiones. Uno de los envíos desde Cali, que llegó en avión comercial y no como los demás en una avioneta privada, casi se pierde. Las cajas venían con un rótulo de "Delicado" encima del papel de regalo, y en el reclamo de equipajes dijimos que eran unas vajillas y las iba a coger la Aduana. Finalmente, cuando ya las iban a meter en una bodega, un guardia permitió que nos las lleváramos.

—¿Quién traía esos envíos?

—Políticos importantes, eso no se lo voy a contar hoy, pero era gente muy pesada; cuando usted sepa se va a ir para atrás.

—¿Y Samper y Botero sabían todo? —volvió a preguntar Lesmes.

—Sí, claro, ellos hablaron con Giraldo y con un político muy importante. Y mucha más gente de la campaña sabía. Serpa, por ejemplo, era quien decía cómo repartir la plata a las tesorerías regionales. Mire, faltando un día para las elecciones de la segunda vuelta, la tarde en que Colombia debutaba en el mundial contra Rumania, yo invité a toda la gente de la campaña a mi casa, a ver el partido en la mansarda. Cuando estaban por llegar me llamó Miguel Rodríguez en persona y me dijo que nos habían pillado, que estábamos grabados en un casete. Al momento llegaron Botero y Samper y yo estaba muy nervioso. Cogí a Botero del brazo, me lo llevé para el estudio y le conté lo de la llamada. Él me contestó: "Tranquilo, que eso ya está bajo control". Después hablé con Samper y él también me tranquilizó. Terminado el partido, bajamos a mi cuarto Samper, Botero, Rodrigo Pardo y yo, para ver el noticiero TV Hoy, convencidos de que los Pastrana[10] iban a reventar el escándalo, pues ya sabíamos que ellos tenían los casetes. Pero no sacaron nada. Nunca entendimos por qué.

---

[10] El noticiero de televisión TV Hoy es propiedad de la familia Pastrana Arango y todos, en el gobierno de Gaviria y en la campaña de Samper, esperaban que el informativo sacara los casetes esa noche, víspera de las elecciones, pero no lo hizo. Con el tiempo quedó en claro que se abstuvieron porque la víspera la

—¿Y usted por qué quiere ahora contar todo? —preguntó Lesmes.

—Porque me abandonaron. Samper y Botero me ofrecieron una embajada en Europa, algo que me daba una cierta seguridad personal, pero no cumplieron. Ahora quieren que yo asuma la responsabilidad de todo lo que pasó en la campaña, quieren que me sacrifique. Por eso me preguntan que qué precio pongo para eso. Desde el principio, quisieron que yo me diera la pela. El día que estalló el escándalo, Botero me llamó y me pidió que saliera en el noticiero QAP asumiendo la responsabilidad de lo sucedido y alegando que había sido un acto de ingenuidad mío. Yo le contesté que yo no me iba a hundir solo, que o todos en la cama o todos en el suelo[11].

—Hablemos de las pruebas —invitó Lesmes—. ¿Usted qué papeles tiene?

—Mire, tengo los recibos que firmaban los tesoreros regionales y muchos documentos de la campaña que demuestran quién sabía y quién estaba al tanto. También puedo demostrar lo de los compromisos que Samper y Botero adquirieron con los Rodríguez. La idea era que transcurridos los seis primeros meses del gobierno, con la ayuda de De Greiff en la Fiscalía iban a arreglarlo todo,

---

campaña pastranista estaba convencida de su victoria, y sus directivas creyeron que el escándalo era innecesario e incluso podía resultar contraproducente.

[11] La referencia de Medina tenía su veneno. Ernesto Samper había hecho famosa esa frase en muchos discursos a lo largo de sus diferentes campañas.

iban a encontrar una salida jurídica para que los jefes del cartel pagaran sus condenas en sus propias casas. La presencia de Mónica, la hija de De Greiff, en la Casa de Nariño, era la garantía de cumplimiento. Pero todo se fregó porque salieron los casetes y luego la Corte tumbó a De Greiff de la Fiscalía, y ahora esos tipos de Cali están muy bravos. Los están persiguiendo por la presión de los gringos y de ese sánduche Ernesto no va a salir bien librado.

—Mire Santiago, si esto lo manejamos bien se puede contar la historia. Usted puede darnos una entrevista o algo así y eso le da protección, le da seguridad. Si a usted lo matan es para que no hable. Pero si habla de una vez, ya no se atreven a matarlo.

—Mijito, ni muerto. Yo sólo hablo si me sacan del país, si me dan protección en el exterior. Mi seguro son los papeles y el video que están afuera. Ellos ya saben que si a mí me pasa algo, todo se destapa. Viven tan asustados conmigo que no es sino que yo llame a Botero, y se sale de cualquier reunión para venir a verme, a ver qué necesito. El otro día me llegó el abogado de Víctor Patiño[12], que es un tipo del norte del Valle, y me reclamó que las autoridades estaban persiguiendo a su cliente y que él había dado 800 millones de pesos a la campaña. Yo me

---

[12] Víctor Patiño Fómeque no era en ese momento un personaje muy conocido por la opinión pública. Pero informes judiciales y de inteligencia lo señalaban como uno de los jefes del cartel del norte del Valle. Acosado por el Bloque de Búsqueda, se le entregó al ministro Fernando Botero el 24 de junio de 1995.

sorprendí, porque la cifra de Patiño que tenía en mis documentos era de 500 millones. El abogado me aseguró que Patiño le había entregado a Botero 800 millones.

—¿Y es que acaso Botero se robó esa plata?

—No —contestó Medina—. Creo que esa plata sirvió para pagar algunas cuentas, yo no sé bien. Lo que sí le puedo decir es que hubo otros aportes que nunca se utilizaron en la campaña, que sirvieron para pagar bonificaciones a algunos de los directivos cuando ya Samper estaba elegido.

—¿Qué hizo usted con el abogado de Patiño? —preguntó Lesmes.

—Le dije que yo no estaba en el gobierno y que quien le podía responder era Botero, que para algo era el ministro de Defensa.

—¿Y de los Sarria qué me puede decir?

—Mire Jorge, con ese tema no se meta, esa gente es muy brava. Usted no tiene ni idea de lo peligrosos que son. Tengan cuidado, yo les ayudo con todo, pero vayan despacio.

La conversación comenzó a girar en círculo, pues Lesmes hizo un último intento por convencer a Medina de que hablara de una vez y él le repitió sus argumentos. Eran las 3 y 50 y Medina dijo que ya era tarde. El mesero acababa de recoger los platos con la comida intacta, pero fría.

—Vamos a seguir en contacto —le dijo a Lesmes—, pero tenemos que andar con mucho cuidado. Botero ya los está siguiendo, pues en el gobierno le tienen mucho miedo a *Semana*. Saben que ustedes han avanzado y se han enterado de muchas cosas. La oficina de seguridad de Palacio también anda pendiente de sus investigaciones.

Acordaron que Medina saliera primero. Lesmes se quedó unos diez minutos más. Aprovechó para tomar notas de aquello que no había alcanzado a copiar. Después salió del restaurante, atravesó la calle 92 en dirección a la revista y llegó a ésta casi al trote y con cara de espanto.

Subió directo al quinto piso, a la oficina de Mauricio Vargas.

—Esta es una historia muy hijueputa —exclamó mientras se dejaba caer en una silla frente al escritorio del director.

Le contó todo y Vargas también tomó algunas notas. Cuando terminaron de reconstruir la conversación, eran casi las 7 de la noche.

—Oiga Jorge, nos está llegando información por todas partes —dijo Vargas—. Me llamó el periodista del *Dallas Morning News,* David Marcus, el que entrevistó a *María,* la misma informante de la DEA con la que Gerardo Reyes habló el año pasado para el *Miami Herald*[13], la que contó que fue testigo de una entrega de plata de Miguel

---

[13] El 23 de junio de 1994, poco después de que estallara el escándalo de los casetes, el *Miami Herald* publicó una nota de uno de sus periodistas, el colombiano Gerardo Reyes, que incluía la información de que una testigo de la DEA conocida como *María,* aseguraba haber presenciado la entrega de unos 400 millones

Rodríguez y José Santacruz a Samper en 1989. Marcus me dijo que ella quería darle una entrevista a un medio colombiano y que él le había aconsejado que fuera a *Semana*. Ella debe llamar en unos cuántos minutos.

Pasadas las 8 de la noche entró la llamada. La mujer se identificó como María y reiteró lo dicho por el periodista de Dallas. Vargas aceptó el encuentro y le propuso que Lesmes viajara el lunes a Miami. Ella estaba en otra ciudad de los Estados Unidos, pero convino en encontrarse con el periodista a las 10 de la mañana del martes siguiente en el *lobby* del Hotel Intercontinental del centro de Miami. Antes de despedirse intercambiaron una serie de señales de identificación para facilitar la reunión.

MARTES 14 DE MARZO

Pocos minutos antes de las 10 de la mañana, cuando Lesmes ingresó al *lobby* del Hotel Inter en Miami, le resultó fácil identificar a María. Estaba sentada en uno de los sofás del salón, leyendo la prensa local. Lucía *jeans* y

---

de pesos de Miguel Rodríguez y José Santacruz a Ernesto Samper, en septiembre de 1989. Cuando el *Herald* divulgó la nota, el gobierno colombiano anunció que lo demandaría, pero Reyes demostró que antes de publicar el artículo, esperó infructuosamente durante varios días una respuesta de Samper a una carta suya del 9 de junio, con preguntas sobre el caso. El gobierno desistió entonces de la acción judicial. El periodista David Marcus, del *Dallas Morning News*, volvió sobre el tema en un artículo del 2 de marzo de 1995, tras entrevistar también a *María*.

una camiseta roja. Era una mujer de unos 40 años de edad, de baja estatura pero de contextura gruesa y rostro redondo, que llevaba su pelo castaño más bien corto. Parecía una turista más, sin afanes, esperando a alguien. Cuando Lesmes se acercó al sofá que ocupaba, ella levantó la cabeza.

—Hola, yo soy María y tú debes ser Jorge —le dijo con una sonrisa mientras se ponía de pie.

La mujer se terció un bolso negro y salió con Lesmes a buscar un taxi. Acordaron dirigirse al hotel donde se hospedaba el periodista, el Hampton Inn, camino a Key Biscayne, para trabajar allí.

—A mí no me gusta mucho Miami —le dijo por el camino con aire nervioso—, pues aquí vive mucho narco colombiano que me conoce de cuando trabajé para la gente de Cali. Me llegan a reconocer y son capaces de hacer cualquier cosa. Llegué ayer de Carolina del Norte donde estoy viviendo por unas semanas, y no me puedo quedar mucho en Miami porque en pocos días tengo que ir a Washington para una reunión con los asesores del senador Jesse Helms. Él me va a presentar en estos días ante el Senado para que cuente lo que sé.

Cuando llegaron a la habitación de Lesmes, ella tomó el teléfono para hacer una llamada.

—Tengo que reportarme —dijo.

—¿A quién? —preguntó Lesmes.

—Eso no se pregunta.

Terminada la llamada, comenzó a contar su historia: a principios de 1983 trabajaba como tramitadora de documentos en Cali, donde vivía con su madre y sus hermanos. Ganaba poco, pero en ese año logró conocer a algunos personajes del cartel. Entonces empezó a tramitarles salvoconductos para armas, pasados judiciales y paz y salvos tributarios y de negocios. Logró hacerse a buenos contactos en el mundo de la burocracia, y tenía fama de cumplir con sus tareas de manera rápida y eficiente. Hizo buenas migas con algunos oficiales de la Policía y el Ejército, y sabía que con 20 mil pesos garantizaba cualquier salvoconducto de armas.

María contaba todo esto despacio y con gran tranquilidad. Por momentos se detenía en su relato para recordar amigos que no veía hacía algunos años. Se le escurrieron las lágrimas cuando habló de sus hermanos y soltó una maldición cuando contó que uno de ellos se había perdido en la droga.

En ese momento tocaron a la puerta. Ella se sobresaltó y corrió a esconderse en el baño. Era un botones que traía un mensaje telefónico para Lesmes. La mujer lo regañó tras la partida del empleado del hotel.

— Usted es muy confiado —le dijo—. No vuelva a abrir así la puerta.

La calma volvió y con ella, el relato. María aseguró que había conocido a muchas personas que hacían trabajos sucios para el cartel, pero que en los primeros años desde su primer contacto con ese mundo, nunca se relacionó directamente con los jefes. Según ella, fue a mediados de 1989 cuando conoció a Fernando Espinosa, que trabajaba en la bodega de la Aduana Nacional en Cali, a donde ella tuvo que ir para tramitar documentos relacionados con la importación de unas camionetas de gente del cartel.

—Espinosa fue muy amable conmigo, me ayudó con los papeles y logré nacionalizar los carros en muy pocos días. Él me pidió mi teléfono y comenzamos a hablar muy seguido. Cuando entramos en confianza, me preguntó que para quién trabajaba yo. Le conté quién me pagaba y me dijo que él era amigo personal de algunos de los más importantes hombres del cartel. Aseguró que también era amigo de varios políticos, entre ellos de Ernesto Samper, quien le había conseguido ese puesto en la Aduana y con quien tenía muy buenas relaciones. Me dijo que en unas pocas semanas Samper iba a ir a Cali, pues ya se encontraba bastante recuperado del atentado del aeropuerto[14].

La mujer hizo una breve pausa. Lesmes, que tomaba notas además de estar grabando, comprendió que el corazón de la historia estaba por aparecer.

—Entonces, durante los primeros días de septiembre del 89 conocí a Samper en un desayuno político en el Hotel Inter de Cali, al que Fernando Espinosa me invitó. Después del desayuno, él se reunió por unos minutos con Samper. Delante mío, le dijo que la reunión de la que él le había hablado ya estaba organizada para esa noche en su apartamento. Samper se quedó callado y Fernando

---

[14] El viernes 3 de marzo de 1989, Samper resultó gravemente herido en un atentado contra el dirigente comunista José Antequera. Véase última nota de pié de página del miércoles 29 de junio.

aprovechó para presentarme. "Ella es de mucha confianza y nos va a acompañar esta noche", le dijo. Cuando el candidato se fue, Fernando me dijo que después de las seis de la tarde me recogería para que fuéramos a la reunión en su apartamento. A las siete y media llegamos a su casa, un lugar lujoso, pues a él le gustaba ostentar. Poco después llegaron Miguel Rodríguez y José Santacruz. Diez minutos más tarde llegó Samper. Después de los saludos, Fernando y yo nos retiramos a un pequeño salón desde donde podíamos ver y escuchar todo lo que pasaba. Rodríguez tomó la palabra y le dijo a Samper, mostrándole dos maletines de cuero, que ahí estaba la ayuda de ellos para la campaña, que eran 400 millones y que podían conseguir otros 400 con la gente del norte del Valle.

Según el relato de la mujer, Santacruz abrió los maletines, en los que había pesos y dólares. Samper dio las gracias y conversaron por unos minutos más. Les dijo que él no pensaba que fuera a ser el próximo Presidente, pero que en todo caso iba a tener una bancada muy importante en el Congreso, donde sería posible trancar la extradición, que por demás a él nunca le había gustado.

—Luego —continuó *María*—, Samper cogió los maletines, se despidió de Rodríguez, de Santacruz y de nosotros, y se fue. Como se dio cuenta que lo mirábamos extrañados porque él mismo cargara los maletines, nos dijo: "No se preocupen, que en el sótano me están esperando los escoltas".

MIÉRCOLES 15 DE MARZO

La mujer había repetido a Lesmes una y otra vez la historia hasta bien entrada la noche del martes. El periodista, con su grabadora encendida, repreguntaba las mismas cosas para ver si obtenía más datos o si ella cambiaba alguno o cometía un error. El miércoles se volvieron a encontrar en el hotel de Lesmes y de nuevo el periodista le pidió que le hiciera el relato completo, mientras caminaban por la playa. Con paciencia, la mujer contestó una y otra vez, siempre lo mismo, agregando un pequeño dato aquí y allá, pero sin caer en contradicción alguna. Fue así como Lesmes alcanzó a grabar tres casetes de 60 minutos cada uno, en las dos jornadas de trabajo. Al mediodía se despidieron tras almorzar en un restaurante frente al mar, con el compromiso de hablar de nuevo por teléfono, si Lesmes necesitaba alguna precisión adicional.

—Llámeme a estos teléfonos —le dijo la mujer—, pero para evitar problemas pregunte por Linda, así sabré que es usted.

A las dos de la tarde y tras cerca de 14 horas de conversación, Lesmes se dirigió al aeropuerto de Miami para tomar el avión de American Airlines rumbo a Bogotá. Cuando caminaba por el pasillo del aparato en busca de la silla 26A, escuchó que alguien lo llamaba por su nombre. Se detuvo en la fila 7 y vio que se trataba de Juan Fernando Cristo, el consejero de comunicaciones del Presidente.

—¿Usted qué hacía por aquí? —le preguntó Cristo.

—De compras —le contestó Lesmes—. Como usted sabe, mi hijo está por nacer, y aproveché una invitación para llevarle algunas cosas.

Quince minutos después de despegar, Lesmes se puso unos audífonos en las orejas para escuchar la grabación de la entrevista con *María*. Cristo se le acercó con aire desconfiado y le preguntó de nuevo qué era lo que estaba haciendo en Miami.

—Ya le dije, hombre —respondió el periodista—, de compras.

—¿Y qué está oyendo? —le dijo señalando la grabadora.

—Música de carrilera, es lo único que me tranquiliza cuando vuelo. ¿Quiere oír un poco? —le preguntó Lesmes mientras le acercaba los audífonos.

—No, esa vaina a mí no me gusta. Más bien apague eso y conversamos.

—Olvídese —le dijo Lesmes— yo sin esta música me muero del susto.

—Bueno —se resignó Cristo—. ¿Y compró muchas cosas?

—Sí, muchas.

—Entonces nos vemos en el aeropuerto en Bogotá y si necesita que lo ayude con las maletas, me dice. Me está esperando el conductor de Palacio, y si quiere lo llevo a su casa.

—Bueno, gracias —respondió Lesmes, mientras se preguntaba qué demonios iba a hacer al llegar al aeropuerto de Bogotá, cuando Cristo se diera cuenta de que él había viajado solamente con un maletín de mano.

Jueves 16 de marzo

Temprano en la mañana, Lesmes y Téllez se reunieron con Vargas en la dirección de la revista. Lesmes hizo un relato de su viaje y resumió lo que *María* le había contado. Acordaron hacer varios ejercicios de verificación. Primero, averiguar por Fernando Espinosa, quien según la testigo había sido asesinado meses después de la reunión de septiembre del 89. Segundo, establecer si Samper había estado en Cali en esas fechas y si su agenda era congruente con el relato de la entrevistada. Tercero, confirmar con la DEA cuál era el valor que esa agencia le daba a su testimonio. Y cuarto, verificar con los asesores del senador Helms si la iban a llevar a declarar a la comisión de relaciones exteriores de la Cámara alta, o no. Mientras no se confirmaran todos esos elementos, *Semana* no publicaría ni una línea de la historia.

Poco después de terminar la reunión en la dirección de la revista, Lesmes recibió un nuevo mensaje de Santiago Medina, quien lo invitó a su casa a las 12 del día. Cuando el jefe de redacción de *Semana* llegó, encontró a un Medina nervioso, claramente asustado. Le dijo a Lesmes que de seguro Botero los estaba siguiendo y ya estaba enterado de sus reuniones.

—Ellos son capaces de todo y por eso hay que tener mucho cuidado —insistió Medina—, pero usted ya sabe que si a mí me pasa algo, toda la verdad sale a flote.

Cuando logró calmarse un poco, le contó a Lesmes que le tenía nuevos datos sobre Elizabeth Montoya de Sarria.

—Ella es muy amiga de Ernesto —le advirtió de entrada— y tiene mucha plata, es muy rica. Tiene criaderos de caballos y está metida en el negocio de diamantes con algunas joyerías. Si ustedes investigan, descubrirán que ella estuvo en Palacio en la posesión de Samper. Fue una de las invitadas especiales. Yo me la encontré en uno de los salones esa noche. Me acuerdo bien porque ella lucía unas joyas impresionantes, entre ellas un anillo de oro con un gigantesco diamante. Ella me contó que lo había comprado en los Estados Unidos en una subasta de objetos de Imelda Marcos, y que tenía la certificación de la autenticidad de la joya y de su origen. He sabido que después de la posesión volvió a Palacio un par de veces a comer. La entran por los sótanos de la Casa de Nariño y no queda registro en los libros de control de visitantes.

—Bueno, pero y de su papel en la campaña ¿qué? —preguntó Lesmes ansioso.

—Ella aportó plata en pesos y en dólares, en cheques y mucho en efectivo. Yo no sé qué va a hacer Samper si un día Elizabeth se decide a contarlo todo.

—¿Y por qué estaría dispuesta a contarlo?

—Jorge, el gobierno le está poniendo conejo a mucha gente que aportó dinero. Hay personas del norte del Valle, por ejemplo, que dieron mucha plata, que nunca habían sido perseguidas y ahora están a punto de salir en los carteles de recompensa que el gobierno piensa poner a circular. Están indignados porque cuando aportaron la plata, les hicieron saber que el gobierno de Samper les buscaría una salida judicial negociada con la Fiscalía[15].

---

[15] Desde mediados de diciembre de 1994, el general Rosso José Serrano había insistido en la necesidad de distribuir volantes

—¿Quién les prometió esa salida?

—Pues Samper y Botero, en algunos casos yo mismo llevé las razones.

—¿A qué personas les hicieron esa clase de promesas?

—A Patiño, al *Alacrán*...[16]

La conversación siguió adelante, pero ese día Medina estaba especialmente inquieto y no lograba redondear su relato. Finalmente le dijo a Lesmes que esa noche se iba a reunir con Samper y Botero en la Casa de Nariño.

—Esas reuniones son fuera de agenda, a mí me tratan como empleada doméstica —se quejó Medina—. Entro por la puerta de servicios del Palacio, después de las nueve de la noche, y no queda registro alguno. Cada vez que me le pongo bravo a Botero y le digo que veo las cosas mal y que yo voy a salir fregado, Samper convoca a una reunión.

---

de recompensa y de divulgarlos por televisión. El alto gobierno se resistía con el argumento de que eso podía desatar el narcoterrorismo. Finalmente, el 7 de abril, Serrano ganó su batalla y las recompensas se hicieron públicas: mil millones de pesos por cada uno de los hermanos Rodríguez Orejuela, y 500 millones por José Santacruz, lo mismo que por Helmer Herrera, Phanor Arizabaleta, Víctor Patiño y Henry Loaiza.

[16] Henry Loaiza, más conocido como *El Alacrán*, nacido en Bolívar, al norte del Valle, tenía 47 años cuando se le entregó el 19 de junio de 1995 al ministro Botero. Loaiza es acusado de ser uno de los cabecillas del cartel del norte del Valle, y de haber patrocinado grupos paramilitares que cometieron atroces masacres en esa región del país.

Esta vez yo quiero que me garanticen que no me va a pasar nada y que la Fiscalía no se va a meter conmigo.

Pasadas las dos de la tarde se despidieron. Medina volvió a advertir a Lesmes sobre el cuidado que era necesario tener porque según él, Botero había concentrado sus labores de vigilancia en la gente de *Semana*.

—Él y Samper saben que ustedes tienen mucha información, y están muy preocupados —aseguró mientras acompañaba al periodista hasta la puerta.

MIÉRCOLES 22 DE MARZO

El miércoles en la mañana, Lesmes recibió una inesperada visita. Jaime, el oficial de inteligencia que se había reunido con Vargas a mediados de enero, apareció en el cuarto piso del edificio de la revista con su inconfundible chaqueta de cuero, después de más de dos meses de rechazar cualquier contacto con *Semana*. Lesmes lo invitó a seguir a su oficina y el visitante pidió que la cerrara con seguro.

—¿Tiene una grabadora a la mano? —preguntó el hombre.

—Sí, aquí mismo —contestó Lesmes colocando sobre su escritorio una grabadora de doble casete que mantenía al lado del televisor de su oficina.

Jaime sacó un casete del bolsillo derecho exterior de su chaqueta.

—Póngalo desde el principio —le pidió a Lesmes.

A los pocos segundos, el jefe de redacción pudo escuchar la voz inconfundible de Santiago Medina conversando con una persona desconocida, quien luego le pasaba a Elizabeth Montoya de Sarria. Medina, a su vez, ponía en la línea a Ernesto Samper. La señora saludaba al entonces candidato presidencial con un caluroso "Aló, Ernestico" y luego le preguntaba: "¿Cómo te va?" Samper le respondía en el mismo tono de confianza: "Pues pensándote, ¿y tú?" El candidato dejaba luego el tuteo, pero no el cariño: "¿Me ha pensado?" Y ella también abandonaba el tuteo, pero reiteraba su aprecio: "Sí, imagínese, cómo no lo voy a pensar, si yo cuánto lo quiero a usted".

Después de ese cálido intercambio, la señora de Sarria, a quien Samper llamaba *Mona*, le advertía al candidato que no le fuera a comprar nada de regalo a su esposa para el cumpleaños "que yo le tengo mañana el regalo listo". Samper preguntaba: "¿De verdad?", y ella le decía que no le fuera a decir nada a su esposa. "Ella descubre que no se lo compré yo, ¿no vé?", replicaba Samper. Elizabeth de Sarria le explicaba entonces que se trataba de "un anillo pero precioso, de un diamantico muy lindo". Y Samper respondía: "¡Ay!... tan divina".

En la charla se iniciaba entonces una discusión sobre unos extraños personajes que la señora de Sarria quería reunir con Samper. Él aceptaba encontrarse con ellos pero en su oficina. Ella en cambio quería que fuera en "mi apartamento". Él se negaba y le decía que les había abierto un campo en su agenda del día siguiente, hacia el mediodía, para que lo visitaran en su despacho. La señora insistía en que fuera Samper quien se trasladara al apartamento de ella. "Ellos están de sport, ellos vienen del Brasil, ellos son los de la Phillip Morris", explicaba antes de aclarar que los personajes no irían a la oficina de Samper. "Entonces, venga usted mona", proponía luego él y agregaba: "No sea tan retrechera". Ella explicaba: "Pero es que yo no soy, yo no soy la que, la que te va a dar unas cartas...".

La discusión continuaba por varios minutos. Samper proponía enviar a la reunión con los sujetos, a Santiago Medina o a Fernando Botero, de donde Lesmes dedujo que la charla había ocurrido en tiempos de la campaña. Ella replicaba, molesta: "Nada, ellos no quieren hablar con nadie. Ellos quieren la..., yo les prometí que tú ibas a estar aquí y ellos me traen unas cartas", y cada vez que decía "cartas" hacía una pausa larga. Samper y la *Mona* no lograban ponerse de acuerdo y la conversación se interrumpía, sin que quedara en claro qué iba a pasar con la reunión.

Una segunda cinta, grabada al parecer al siguiente día, registraba una conversación entre Medina y la señora de Sarria. Allí se concluía que Samper había terminado por recibir a algunos de los amigos de la *Mona*, pero que otros dos se habían ido de Bogotá sin poder entrevistarse con el candidato. De la charla se podía deducir también que lo que ella había bautizado como "las cartas" era en realidad una cantidad de dinero no especificada, que sería aportada después del 13 de marzo, fecha de las elecciones de consulta interna del liberalismo, tras las cuales Samper se convertiría en aspirante oficial del partido liberal. Medina se lamentaba de que el dinero sólo llegara después de la consulta liberal, pero ella le hacía ver que a manera de adelanto, los señores habían entregado ya "cincuenta".

Lesmes quedó estupefacto al escuchar el casete y se levantó para sacar una cinta del armario de la oficina.

—¿Qué hace? —preguntó Jaime.

—Pues voy a copiar las dos conversaciones —respondió Lesmes.

—¿Está loco? —replicó Jaime—. Yo no voy a dejar que las copien.

—Y entonces para qué demonios me las muestra —se indignó Lesmes—. Por cuenta de tanto misterio y tanta pendejada es que este escándalo no ha estallado como debería...

—No señor, al contrario, ¿acaso los narcocasetes del año pasado tuvieron alguna consecuencia? No ve que este país parece insensible, inconmovible... Yo le dejo oír este casete para que tenga información y trate de averiguar más sobre la relación de Samper con la *Mona* Sarria, porque si le suelto este casete, aparte de poner en peligro a mucha gente buena de inteligencia del Ejército, de la Policía, del DAS y de la Armada, el gobierno va a contestar que el casete no demuestra nada y pasará lo que ya sucedió el año pasado. Lo que hay es que averiguar más, buscar documentos, cheques, cosas que complementen esta cinta. Ahora, si ustedes se consiguen esta grabación por otro lado yo no puedo evitar que la publiquen, pero yo no se la voy a dar.

Tras el discurso de Jaime, Lesmes se rindió. Se despidieron y el jefe de redacción corrió al quinto piso, donde

Edgar Téllez conversaba con Vargas en la oficina de la dirección. Perturbado, Lesmes les contó lo que acababa de escuchar y lo que Jaime le había dicho.

—Me da piedra que le pasen a uno la comida por las narices, pero no lo dejen ni tocarla —se quejó.

—Calma —dijo Vargas—, lo que es evidente es que alguien más tiene la grabación porque si no, Jaime no habría hecho la referencia a que la podíamos conseguir por otro lado. Ustedes deberían reconstruir todo lo que sabemos sobre quién grabó los narcocasetes que salieron el año pasado y unir eso con lo que dijo Jaime. Tratemos de tocar a todas las puertas tras las cuales pueda estar esa cinta, a ver si alguien la suelta.

En medio de la discusión, Lesmes recibió un nuevo mensaje de Medina, quien lo citaba para las 12 y media del día en el restaurante La Piazzeta .

—Se me está agotando la paciencia —arrancó el ex tesorero de la campaña, cuando se encontró con el periodista—. Samper y Botero siguen jugando conmigo. Yo quiero que ustedes me ayuden a buscar un contacto con la DEA porque estoy dispuesto a contarles todo a los gringos.

—Ojalá nosotros tuviéramos algún contacto con la DEA —le contestó—. Le garantizo que no estaríamos tan varados de información.

—Los Pastrana me andan buscando, parece que ellos conocen a la persona a quien yo le dí a guardar el video y los documentos en el exterior y por eso se enteraron.

Obviamente yo no le voy a soltar eso a los Pastrana, no les haría ese favor por nada del mundo.

Lesmes aprovechó para insistir en que pensara en darle la exclusiva a *Semana* y Medina le dijo que estaba casi decidido a hacerlo.

—Creo que tendría que darle la noticia a un medio gringo y a uno europeo —le explicó Medina—. ¿Usted estaría dispuesto a ir a París por la información?

—Yo por esa información me voy hasta el fin del mundo.

Antes de salir del restaurante, Medina le dijo a Lesmes que esperara un nuevo mensaje para el viernes, en el que le daría las instrucciones necesarias para concretar el viaje.

—¡Qué demonios! —agregó—. Yo creo que lo mejor es que yo suelte ya esta vaina.

Jueves 23 de marzo

Poco después de las tres de la tarde, una mujer se comunicó telefónicamente con la oficina del director de *Semana*. La secretaria de Vargas le dijo a éste que la señora pedía hablar con el director porque quería ofrecer una información que a *Semana* le interesaba. El director tomó enseguida la llamada.

—Señor Vargas —dijo—, yo tengo una información que ustedes andan buscando sobre Cali y las cosas que pasaron el año pasado. Estoy en el Hotel Tequendama y quisiera saber cómo hacemos para que usted reciba esta información.

—¿Quién es usted? —preguntó Vargas.

—Yo soy Mercedes, Mercedes Guáqueta, pero eso no es lo que importa, porque al fin y al cabo puede que yo no me llame así y usted no tiene cómo averiguarlo. Sólo le digo que yo sé bien que desde hace días ustedes andan detrás de una información muy delicada, y lo estoy llamando para ofrecérsela.

—Pues yo le podría mandar a dos personas de mi total y entera confianza —le propuso Vargas tanteando el terreno.

—Me parece bien —le contestó la mujer sin dudar un instante—, pues yo entiendo que usted es una persona que podría ser reconocida fácilmente y no nos conviene despertar sospechas. Eso sí, garantíceme que me envía gente de primera, gente que no se va a torcer, gente de entera confianza.

—Cuente con eso pero, ¿a dónde se los mando?

—Dígales que se vengan para el Tequendama y que pregunten por Mercedes en la habitación 1302.

Una hora después, y tras sortear un tráfico espantoso, Lesmes y Téllez hicieron su ingreso al lobby del hotel. Otros dos periodistas de *Semana*, Hernando Álvarez y Fernando Gómez, los siguieron por instrucciones de Vargas.

—Acompáñenlos —les dijo Vargas—, aunque sea de lejitos, porque todo esto puede ser una trampa.

Hacia las seis de la tarde, Vargas recibió una llamada desde el celular de Lesmes.

—Oiga, hay que mover a la gente que está abajo. Ellos ya se dieron cuenta y no quieren que sigan ahí.

—Pero Jorge, ¿ustedes están bien? —dijo el director.

—Sí, tranquilo, pero mueva rápido a esa gente o nos tiramos todo.

Vargas quedó en ascuas, pero de inmediato llamó a Álvarez a su celular y le pidió que él y Gómez regresaran a la revista. Mientras tanto en la habitación 1302 del Tequendama, Mercedes, una mujer menuda, morena y de cabello negro, de unos 40 años, vestida de modo elegante pero sobrio y acompañada de sus dos pequeñas hijas y de una joven de unos 18 años, les pidió que se sentaran en una de las camas de la habitación "porque la conversación va a ser larga".

—Yo tengo la misión de entregarles una información —les explicó mientras encendía un cigarrillo, después de enviar a las dos pequeñas y a la joven a una habitación contigua y de pedir abundante comida para ellas.

—Sólo queremos agua —respondieron Lesmes y Téllez cuando ella les preguntó si deseaban tomar o comer algo.

—La información que yo les voy a entregar no les va a costar un solo peso —agregó ella—, pero eso sí, hay un compromiso: que una vez la reciban, deben publicarla toda. Si no lo hacen, tenemos cómo ubicarlos y hacerles pagar con su vida ese error. Ya les demostramos que los veníamos siguiendo y que ustedes no estaban solos, y ya sabemos también que se cumplió la orden de despachar a quienes los venían acompañando. Entiéndanme, son cuestiones de seguridad muy rigurosas.

Lesmes y Téllez seguían sentados en una de las camas, en absoluto silencio, en espera de que Mercedes, o como quiera que se llamara, les diera alguna luz sobre la información que ofrecía.

—Yo hago parte de un grupo selecto de personas al servicio del cartel de Cali —explicó mientras encendía un nuevo cigarrillo—. Este grupo maneja ciertos temas delicados que requieren una labor de relaciones públicas. No puedo tomar trago, ni salir de noche a bailar ni nada por el estilo. Debo reportarme cada dos horas a una central y ellos tienen a un grupo de contrainteligencia que verifica a cada rato en qué ando y cómo va mi misión. Todos los que hacemos parte de este grupo somos profesionales, manejamos negocios y cuentas bancarias de los hermanos Rodríguez Orejuela. Cada uno de nosotros tiene códigos de identificación y debemos carecer de cualquier antecedente penal o policial. Siempre que viajamos a realizar una misión, lo hacemos acompañados de nuestras familias pues eso evita sospechas. Una vez realizado el trabajo, viajamos unos días al exterior para despistar.

—Bueno, antes de que usted siga —le dijo Lesmes— es bueno que sepa que nosotros no podemos aceptar información con los condicionamientos que usted ha puesto. Siempre que recibimos información como la que usted ha dicho que tiene, nosotros tenemos que verificarla y aun así, la decisión de publicarla completa o por partes, dándole prioridad a lo que consideramos más importante, es enteramente nuestra y sobre eso no aceptamos condicionamientos.

—No se preocupen, lo que les vamos a entregar es tan contudente que no requiere mayor verificación. Pero si ustedes quieren hacerlo, tenemos todos los mecanismos para ayudarlos. Podemos hasta abrirles la Registraduría a la media noche. Si quieren verificar movimientos bancarios, podemos abrirles los archivos de los bancos necesarios. Si quieren comprobar voces de una grabación, tenemos equipo para ello. No se preocupen por esos detalles.

—Bueno, entonces vayamos al grano —dijo Téllez—. ¿De qué se trata?

—La información es mucha y es buena. Son todas las pruebas de cómo se financió la campaña de Samper. Eso va acompañado de cheques, soportes contables y un juego de casetes que prueba que Samper estaba enterado de todo y que incluso les mandó agradecer los aportes a los hermanos Rodríguez Orejuela. También están los datos de la plata que se les envió a los políticos regionales. Si ustedes aceptan, yo sólo tengo que hacer una llamada a Cali y de allá saldrá una avioneta con toda la documentación y los casetes.

Lesmes y Téllez no sabían qué tan seria era la oferta y comenzaron a plantearle decenas de preguntas que buscaban determinar qué tanto sabía Mercedes Guáqueta y qué tanto de eso correspondía a lo que *Semana* había averiguado sobre la financiación de la campaña. Una referencia de la señora a las cajas de dinero en efectivo, envueltas en papel regalo, las mismas de las que Medina le había hablado a Lesmes, les quitaron muchas de las dudas.

Debían ser las 7 y 30 cuando entró una llamada a la habitación. Mercedes tomó el teléfono y de pie y muy seria habló durante varios minutos.

—Acabo de colgar con el señor —les dijo mientras encendía otro cigarrillo—. Llamó para preguntar si ustedes estaban interesados en el tema.

Antes de dar una respuesta, Lesmes y Téllez llamaron a Vargas y le contaron en términos muy generales cuál era la situación. Vargas les aconsejó que pidieran un tiempo para revisar la información una vez que la revista la recibiera, con la garantía de que todo lo que fuera cierto e importante sería publicado. Agregó que le advirtieran a Mercedes que la revista revelaría que la información procedía de personas que se habían identificado como emisarios del cartel de Cali. Los dos periodistas le transmitieron el mensaje a Mercedes y ella llamó a Cali. La respuesta de su interlocutor fue positiva.

—Acaban de dar la orden para que despegue la avioneta —les dijo al colgar—. La información va a estar aquí esta noche, ustedes se van a poder llevar algunas pruebas para que hagan algunas verificaciones y mañana nos digan si están dispuestos a hacer el trato. De lo contrario, nos devuelven todo y se olvidan de que alguna vez me vieron. Nosotros entraremos entonces a buscar otro medio que pueda estar interesado.

A partir de ese momento, Mercedes se puso muy tensa. Comenzó a fumar con mayor intensidad hasta que empezó a encender un cigarrillo con la colilla del anterior.

—Todo esto lo vamos a hacer porque Samper nos puso conejo —explicó.

Lesmes y Téllez le preguntaron en qué consistía el conejo. La respuesta de la señora se parecía mucho a la historia de Medina: a cambio del dinero para la campaña, Samper había ofrecido abrirles las puertas a un sometimiento de los Rodríguez Orejuela y otros jefes del cartel a la Justicia, que les permitiera obtener un tratamiento favorable y penas cortas que pudieran ser pagadas con el sistema de casa por cárcel.

Ella siguió contestando preguntas y recibiendo llamadas de Cali con nuevos datos sobre la avioneta. Todo indicaba que había problemas de mal tiempo. Pero luego fue evidente que el clima nada tenía que ver con la demora. Los noticieros de televisión QAP y CM& abrieron sus espacios con informes de última hora sobre operativos del Bloque de Búsqueda en Cali y Bogotá, que habían permitido detectar y congelar varias cuentas bancarias e identificar a algunos testaferros que serían detenidos en cualquier momento.

—Creo que entre las cuentas intervenidas hay un par que yo manejaba —les contó ella muy nerviosa.

Hacia las 11 de la noche hubo una nueva serie de llamadas desde Cali.

—Bueno, las cosas han cambiado un poco con todo esto —explicó la señora—. Váyanse y ténganme una respuesta mañana en la mañana. Si les interesa, mañana mismo tienen toda la información. Si no, nos lo dicen y nos olvidamos de todo.

Los periodistas se despidieron y salieron rumbo al apartamento de Vargas. Allí, poco antes de la medianoche, el director de la revista escuchó el relato sin perder detalle. Decidió convocar al asesor editorial Ricardo Ávila, quien trabajaba a esa hora en el cierre de la sección de Economía, y a los editores Mauricio Sáenz y María Clara Mendoza, para escuchar otras opiniones.

VIERNES 24 DE MARZO

Hacia la una y treinta de la madrugada, la plana mayor de *Semana* se encontraba en el apartamento de Vargas. Tras escuchar a Lesmes y Téllez, evaluaron los riesgos y la validez, desde el punto de vista de la ética periodística, de recibir información del cartel de Cali.

—Yo creo que eso es válido en la medida en que *Semana* va a aclarar de dónde viene la información —opinó Mauricio Sáenz.

—La clave está en que la información sea buena, finalmente divulgar información cierta y significativa es el oficio de los periodistas —agregó María Clara Mendoza.

—Yo estoy de acuerdo —dijo Ávila—. Lo definitivo es que no se trate de una trampa, de información falsa para desprestigiar a *Semana*. Esos tipos son capaces de todo.

Tras una discusión de más de 40 minutos, concluyeron que lo mejor sería recibir la información, verificar todo lo que requiriera confirmación y publicar de eso todo lo que fuera trascendental y significativo.

—Nosotros sabemos muchas cosas y es la hora de lanzarnos si en verdad tenemos la historia confirmada —dijo Vargas—. Hay que advertirles además que, antes de publicar, buscaremos reacciones de todos los involucrados.

A las 2 y 10 de la mañana, Vargas timbró en el apartamento de su vecino y amigo Sergio Regueros, quien había sido su asesor en el Ministerio de Comunicaciones.

—Necesito hacer una llamada al exterior, pero no confío en el teléfono de mi casa —le dijo Vargas tratando de explicarle por qué lo despertaba a esas horas.

Vargas quería conversar con Felipe López, el presidente de la revista que se encontraba en Nueva York, para contarle lo que estaba pasando y consultarle la decisión que pensaban tomar. López escuchó atentamente el relato y dio el visto bueno.

—No podemos darnos el lujo de conocer una información trascendental, que ésta resulte correcta y no publicarla —dijo López—. Al fin y al cabo somos periodistas. Además, me parece bien que se les advierta que vamos a identificar la fuente como emisarios del cartel de Cali.

Vargas regresó a su apartamento, un piso arriba del de su comprensivo vecino, quien tuvo la delicadeza de no hacer preguntas indiscretas.

—Vía libre —les dijo a sus compañeros de *Semana*.

Pocos minutos después, todos se fueron a sus respectivas casas a tratar de dormir.

Lesmes y Téllez sólo lo hicieron durante cuatro horas. A las 8 de la mañana llegaron a la revista, a esperar noticias de Mercedes. Media hora después entró un mensaje al bíper de Lesmes, para que la llamara al hotel.

—Yo creo que hacia las diez les llega la gente con toda la información allá a *Semana* —le dijo la señora después de que el periodista hiciera un resumen de las condiciones que la revista había decidido poner.

A las 10 hubo un nuevo mensaje. Lesmes y Mercedes volvieron a hablar. Según ella, las cosas seguían complicadas con los operativos de la víspera.

Hacia las tres de la tarde y mientras él y Téllez seguían esperando noticias de Mercedes, Lesmes recibió una visita del conductor de Medina, de quien el jefe de redacción se había olvidado casi por completo en esas horas. El hombre le entregó un sobre blanco cerrado. Lesmes recordó la conversación del miércoles con el ex tesorero de la campaña y pensó que estaba a punto de recibir las instrucciones para viajar a Europa en busca de la información que Medina había enviado al exterior.

Con las manos temblorosas, el jefe de redacción abrió el sobre. Había una pequeña nota escrita a máquina: "Jorge: Lo siento mucho. Todo quedó en manos de Ernesto. No me busque más porque salí del país[17]".

---

[17] Jorge Lesmes guarda esa nota en un lugar privilegiado de sus archivos del proceso 8.000.

—Y Santiago, ¿dónde está? —preguntó Lesmes.

—Hace una hora abordó un avión para el exterior —le respondió el conductor.

Lesmes no tuvo tiempo de lamentarse. Un nuevo mensaje de Mercedes lo obligó a volver, en compañía de Téllez, al Hotel Tequendama. De nuevo hubo llamadas de Cali, nuevas preguntas de los dos periodistas sobre el contenido de la información y nada en concreto sobre la llegada de los documentos.

A las 9 de la noche Mercedes recibió una nueva llamada y, tras colgar el teléfono les dijo que la cosa iba a quedar para el fin de semana.

—Me dicen que no hay garantías de seguridad para movilizar la documentación a Bogotá —explicó.

Los periodistas se despidieron y quedaron a la espera de un nuevo mensaje al bíper.

—Esta semana hemos estado muy cerca —comentó Lesmes mientras regresaban a la revista—. Por todos lados asoma el escándalo, pero nada que conseguimos atraparlo.

LUNES 27 DE MARZO

Durante el fin de semana, Lesmes y Téllez sólo recibieron un mensaje de Mercedes, en el que aseguraba que todo seguía en marcha, pero aclaraba que había problemas "logísticos". El lunes en la mañana, los dos periodistas se reunieron con Vargas en la dirección de la revista antes de iniciar el consejo de redacción.

—Yo creo que se arrepintieron de darnos la información —dijo Vargas.

Lesmes replicó que esa mañana había vuelto a recibir un mensaje de Mercedes y que ella sostenía que los documentos terminarían por llegar esa semana.

—Sí, pero no hay que descartar que haya recibido una contraorden, o al menos que la decisión de entrega haya quedado congelada por las condiciones que pusimos —agregó Vargas.

Hacia la una de la tarde, al bíper de Lesmes llegó un nuevo mensaje. Según Mercedes, la cosa era cuestión de minutos. Vargas, quien había salido de la revista en dirección a su casa para almorzar, fue llamado a su celular por el jefe de redacción y decidió regresar. Pero a las 4 las señales positivas del mediodía se desvanecieron.

—Acabo de llamar al Tequendama para ver qué pasó con la información —le contó Lesmes a Vargas—, y me dijeron que no había nadie en la habitación 1302 y que ese cuarto llevaba varios días desocupado. Se desaparecieron y en el hotel no quedó ni registro.

Sin embargo, al final de la tarde Mercedes volvió a aparecer. Gracias a un mensaje de bíper y a una llamada, Lesmes y Téllez se desplazaron hacia las 8 de la noche a un apartamento en el Parque Central Bavaria, a pocas calles del Tequendama. Cuando llegaron, Mercedes estaba con sus dos hijas y la misma mujer que la había acompañado en la habitación del hotel. Atribuyó la mudanza a cuestiones de seguridad que seguían dificultando la llegada de los documentos.

—Ya llegó un primer envío —les dijo mientras abría una caja fuerte en la alcoba principal del apartamento—. Pero lo grueso todavía está pendiente.

Lesmes y Téllez pudieron ver largos listados, unos a mano y otros impresos de un computador, con los nombres de personas que habían recibido millonarias sumas de dinero. En la primera columna estaban los nombres; en la segunda, los números de los cheques; en la tercera, el valor del giro o consignación, y en la cuarta la cuenta donde había sido depositado. Alcanzaron a ver otras listas con apellidos que recordaban los de algunos parlamentarios liberales y un monto y una justificación del pago sobre el lado derecho de cada página. Otro paquete de folios era similar al primero —nombres, números de cheque, valor y cuenta receptora— e incluía sumas que iban de 10 a 50 millones de pesos.

—Esos nombres son de testaferros que se prestaron para sacar plata del Banco de Colombia y hacerla llegar a la campaña Samper Presidente —explicó Mercedes.

Los dos periodistas estaban muy impresionados por lo que habían alcanzado a ver y creyeron que el día de la entrega había llegado. Pero ella los decepcionó minutos después: cerró la caja fuerte, les dijo que se olvidaran de lo que vieron y que no hicieran comentario alguno hasta tanto llegaran los paquetes que hacían falta y ella recibiera la "orden definitiva" de entregarles todo. Cuando abandonaron el apartamento hacia las 10 de la noche, estaban convencidos de que Mercedes ya tenía en su poder la documentación completa y que por alguna razón que desconocían, los jefes de la mujer se habían arrepentido de entregarla, o cuando menos habían congelado la decisión final.

MARTES 28 DE MARZO

Hacia las 12 y 30 del día, Vargas ingresó al Palacio de Nariño por la puerta de la carrera octava. En la casa privada lo esperaba el presidente Ernesto Samper, para un almuerzo frente a frente. Era la primera vez que el jefe del Estado y el director de *Semana* conversaban a solas en muchos meses. La charla transcurrió de manera cordial, pero por momentos el Presidente se mostró inquieto.

Sin pensarlo dos veces y sin haberlo consultado con López, Lesmes ni Téllez, Vargas abordó con Samper el tema de la testigo *María*. Ese martes en la mañana la revista había concluido algunas labores de verificación de la información sobre la misteriosa señora que Lesmes había entrevistado en Miami. Tal como ella lo había sostenido, entre el 7 y el 8 de septiembre de 1989 Samper había estado en Cali y su agenda parecía congruente con una cita hacia las ocho de la noche del jueves 7. Todo lo dicho por *María* sobre Fernando Espinosa parecía cierto: el propio director de *Semana* verificó con funcionarios del ministerio de Hacienda y de la Aduana Nacional de fines de los años ochentas, que Espinosa fue nombrado en la bodega de Cali por recomendación de Samper, y que fue asesinado el 15 de diciembre de 1989.

Vargas le resumió al presidente el relato de *María* —que el mandatario había conocido ya, de modo parcial, por las publicaciones del *Miami Herald* y del *Dallas Morning News* — y le informó de las verificaciones que la revista había podido hacer. El director de *Semana* le sugirió a Samper que aceptara dar unas declaraciones sobre el tema.

—Mire Presidente —le dijo Vargas—, yo creo que lo mejor es que este asunto salga a la luz pública en Colombia de una vez por todas. En Washington hay rumores muy fuertes de que el senador Jesse Helms va a presentar a *María* en el comité de relaciones exteriores. ¿Usted no cree que sería mejor que nosotros publicáramos ese testimonio con los comentarios y aclaraciones de su gobierno, antes de que ese asunto nos rebote desde los Estados Unidos?

—Pero Mauricio —explicó Samper— es que yo no me puedo defender de una calumnia como ésa. Es como si alguien sale y dice que yo soy marica. Hay acusaciones frente a las cuales, por infundadas que sean, uno no tiene defensa. Yo lo que tengo es que confiar en que los colombianos saben que yo no recibiría plata de los nar- cotraficantes... y menos en unos maletines. Yo estaba aún golpeado por el atentado y el postoperatorio. Dos meses antes había estado entre la vida y la muerte, y esa señora aparece ahora diciendo que yo cargué dos maletines con 400 millones de pesos.

—Ella dice que una parte estaba en dólares —aclaró Vargas— y eso aliviaría la carga porque serían muchos menos billetes, pero le reconozco que resulta bastante absurdo que usted cargara unos maletines llenos de dinero en efectivo... Por eso mismo, ¿no cree que debería salirle al paso al testimonio de *María* explicando puntos como éste?

—De verdad, prefiero no hacerlo —definió Samper.

Vargas indagó entonces sobre Fernando Espinosa y el Presidente miró hacia el techo tratando de hacer memoria.

—Tal vez sí me acuerdo de un Fernando Espinosa, creo que era amigo de algunos samperistas en el Valle o algo así —dijo.

—Y luego lo mataron —anotó Vargas.

—Sí, eso me han dicho.

Samper y el director de *Semana* se despidieron amablemente pasadas las dos de la tarde. En la puerta del ascensor Vargas le anunció que posiblemente el lunes siguiente la revista circularía con la historia de *María* y le insistió en que se decidiera a darle algunas declaraciones antes del cierre de la edición el viernes en la noche.

—Voy a pensarlo —dijo Samper cuando Vargas ya estaba dentro del ascensor.

MIÉRCOLES 29 DE MARZO

Poco antes de la una de la tarde, Vargas, Lesmes y Téllez llegaron a la sede del Club de la Policía, en la calle 39, una cuadra abajo del Parque Nacional, para almorzar con el general Rosso José Serrano. El director de la Policía había conversado casi semanalmente con Lesmes y Téllez desde su posesión cuatro meses antes y ni siquiera su hablar prudente había podido ocultar que se sentía incómodo con ciertos mensajes del alto gobierno frente a sus acciones en contra del cartel de Cali.

—Yo creo que si sabemos llevar la conversación, el general se nos destapa —dijo Lesmes esa mañana.

Hacia la 1 y 15, Serrano condujo a los tres periodistas al fondo de uno de los salones del segundo piso del club, que ocupa una vieja casona de Teusaquillo, arbitrariamente remodelada y horrorosamente decorada. Los cuatro llevaban un whisky en la mano y atravesaron el salón vacío hacia la ventana que daba a la calle 39. Antes de que los periodistas tomaran asiento, el general levantó el mantel de la mesa y se arrodilló para revisar las patas y el reverso del mesón. Sacudió las cortinas que adornaban la ventana y recorrió con los ojos la lámpara y el cielo raso del recinto. Luego, se limpió las manos un tanto empolvadas por la forma como había pasado la palma de la derecha bajo el mesón.

—Siempre es bueno estar seguros de que no nos van a oír —dijo finalmente al sentarse, ante la mirada atónita de sus tres invitados.

La charla resultó un poco menos emocionante que el episodio de James Bond con el cual había arrancado. Serrano aceptó que los mensajes del gobierno no eran claros en cuanto a la lucha contra el cartel, pero aseguró que nadie le había hecho insinuación alguna en el sentido de que detuviera los operativos en Cali.

—Ellos saben que si me dicen eso se meten en líos —explicó—. Yo voy a seguir con mi trabajo, pues no me puedo detener a estudiar las implicaciones políticas de cada allanamiento. Ése no es mi problema. Lo que yo estoy obligado a hacer es a desbaratar al cartel.

—Pero díganos una cosa aquí en privado, general —preguntó Vargas—. ¿Usted cree que hubo plata de los narcos en la campaña de Samper?

—No, yo bobo sí no soy —aclaró con una sonrisa—. Ahí están las evidencias...

—¿Y cree que Samper sabía? —preguntó Téllez.

—¿Ustedes qué creen? —contestó con otra pregunta.

—Hay gente que trabajó en la campaña, que asegura que Samper estaba perfectamente al tanto —dijo Lesmes.

—¿Y ustedes qué tanto han averiguado? —indagó el general.

—Pues ahí vamos. Sabemos mucho pero hay muy poca confirmación —explicó Vargas—. Tenemos versiones muy completas de fuentes que tuvieron que ver con todo lo que pasó, pero nadie acepta hablar públicamente, y aparte de esas declaraciones no tenemos pruebas, documentos, nada...

—Pero qué más prueba que los casetes —aventuró Serrano—. Lo que yo creo es que el país no quiere ahondar en esas historias, quiere que el asunto quede atrás. En lo que a mí respecta, ése no es mi tema: yo ando es detrás de los capos y los voy a coger.

—¿Y será que el gobierno sí lo deja?

—Hay dos cosas —respondió—. La primera, que muchos ahí creen que no los voy a poder capturar. Y la segunda, que a mí nunca me han dicho que me frene, así que yo echo pa'lante.

—Usted tiene razón en una cosa —dijo Lesmes—. Botero y el Presidente están convencidos de que es imposible coger a los Rodríguez. El Ministro se la pasa hablando de lo sofisticada que es la seguridad de esos tipos...

—Y lo es —anotó el general—, pero la estamos penetrando y vamos a dar más de una sorpresa. Fíjense que ya cogimos a Jorge Rodríguez.

El almuerzo se prolongó hasta las tres y media. Antes de despedirse, Serrano le transmitió a los periodistas una preocupación.

—Miren muchachos —les dijo con tono de padre que aconseja a sus hijos—. Tengan mucho cuidado. Hay mucha gente que los tiene entre ojos. Saben que ustedes están detrás de la historia y que han avanzado mucho. Aquí hay gente peligrosa, capaz de muchas cosas. Ojo con los teléfonos. A ustedes los están oyendo...

Al final de la tarde, un asesor civil del general le contó a Téllez que la confianza de Serrano en las posibilidades de éxito de su persecución a los cabecillas del cartel se basaba en que desde hacía varias semanas había decidido compartimentar a las demás fuerzas y al propio ministro de Defensa, lo que quería decir que ni en las reuniones de más de 30 personas en el despacho de

Botero, ni en las citas secretas de los tres oficiales de inteligencia con él en el bar Chispas del Hotel Tequendama, estaban discutiendo lo que en verdad se hacía.

VIERNES 31 DE MARZO

El jefe de gabinete del senador Jesse Helms, Dan Fisk, y una de sus asistentes, de nombre Elizabeth, le confirmaron en la mañana a la revista que *María* sería presentada la semana siguiente ante el comité de relaciones exteriores del Senado en Washington. Esto implicaba que había una coyuntura periodística para publicar la historia de la testigo. Felipe López estuvo de acuerdo en que si *María* iba a hablarle al Senado de los Estados Unidos y *Semana* podía anticipar lo que ella iba a contar, había plena justificación informativa para publicar su testimonio. Lesmes y Téllez quedaron encargados de editar los apartes centrales de la larga entrevista que el jefe de redacción había sostenido con la mujer. Y Vargas y López se concentraron en elaborar un artículo de análisis.

SÁBADO 1º DE ABRIL

Después de largas discusiones sobre la forma de presentar la historia de *María*, la revista estaba a punto de cerrar su edición en la mañana del sábado. Lesmes y Téllez habían defendido la idea originalmente aceptada de publicar el testimonio como una entrevista, con un segundo artículo de análisis que hacía un estudio crítico sobre lo verificable, lo no verificable y lo increíble de la declaración. Después de varias ideas y borradores, finalmente hubo una decisión sobre la carátula: dado que la oficina de Helms confirmó que *María* sería presentada en pocos días ante el Congreso y que era ése el elemento de coyuntura para la publicación, hubo acuerdo para titular la historia "El show de Helms", con lo cual, aparte de anticipar lo que iba a suceder en el Senado estadounidense, la revista tomaba distancia frente a un testimonio que en todo caso iba a resultar muy discutible.

En la mañana, Vargas hizo una llamada a Samper, quien se encontraba de descanso en Cartagena en la Casa de Huéspedes, para tratar de convencerlo de dar una declaración. El director de *Semana* le comunicó además que estaba un poco molesto porque Fernando Botero y Mónica de Greiff llamaron a Felipe López para tratar de trancar la publicación.

—Mire Mauricio, claro que yo preferiría que no publicaran nada de esa historia llena de calumnias de una señora que ni siquiera tiene un nombre conocido y verificable —respondió Samper—. Pero hagan lo que quieran. Yo no me puedo desgastar en eso.

En horas de la tarde, Vargas volvió a comunicarse con López. Ambos compartían una preocupación: si presentaban la historia en dos artículos, uno con el testimonio en forma de entrevista y otro de análisis sobre el testimonio, se corría el riesgo de que los lectores sólo leyeran la entrevista y pensaran que *Semana* avalaba el testimonio sin mayor análisis crítico. Entonces acordaron detener la orden de impresión y rediseñar la forma de presentación de la historia relatada por María. Lesmes y Téllez estuvieron de acuerdo. La entrevista fue sustituida por un relato detallado y con comillas en algunos apartes, de lo contado por la testigo de la DEA. Este esquema permitía poner en duda lo que lo ameritara, y dar por confirmado lo que estuviera confirmado, de tal modo que cuando el lector llegara al segundo artículo, el de análisis, ya tuviera algunos elementos de juicio para valorar el testimonio. En pocas horas fueron hechos los arreglos y finalmente la revista entró en imprenta.

LUNES 3 DE ABRIL

Vargas llegó temprano ese lunes, pues era consciente de que la edición con el tema de *María* en carátula despertaría encendidas polémicas. La radio ya se ocupaba del asunto y era previsible un comunicado de la Presidencia de la República. El director de *Semana* revisaba los resúmenes de noticias de la radio matinal preparados por el departamento de archivo, cuando su secretaria le comunicó que un extraño personaje andaba dando vueltas por la revista y preguntando quién escribió el artículo de *María* y de qué manera la revista había obtenido ese testimonio. El hombre había entrado al edificio con la excusa de hacer un reclamo en el departamento de suscripciones y terminó por colarse al piso cuarto, el de la redacción.

Allí lo encontró Vargas, mientras hacía preguntas a las secretarias que lo miraban con aire desconfiado, instruidas como estaban de no brindar información interna de la redacción a extraños. El director lo invitó a tomarse un café a su oficina del quinto piso.

—Cuénteme, y ¿usted quién es? —le preguntó.

—Yo soy Omar Garzón —contestó el hombre y le mostró su documento de identificación de la Casa de Nariño—. Yo trabajo con la oficina de comunicaciones, usted sabe, esa oficina que se creó en Palacio para darle seguridad al Presidente, al gobierno.

—Sí claro, la oficina de comunicaciones —mintió Vargas.

—Se llama de comunicaciones, pero en realidad es de seguridad, son misiones muy delicadas —explicó el hombre con pasmosa ingenuidad.

—¿Y en qué lo podemos ayudar? —indagó el director con amabilidad.

—Pues mi capitán Rodríguez[18] me mandó para que averiguara todo sobre la edición que salió hoy, quién había escrito los artículos, cómo habían conseguido los datos. Yo no sé mucho de periodismo, pero si usted me ayuda...

Media hora después y tras despedir al visitante sin darle mayor información, Vargas se comunicó con el

---

[18] El superior de Garzón era en efecto el capitán Jorge Andrés Rodríguez, quien tal como lo pudo verificar *Semana* horas después, también laboraba en la mal llamada oficina de comunicaciones de la Presidencia.

consejero presidencial Juan Fernando Cristo y presentó una protesta formal por lo sucedido.

—Dejen de espiarnos, hombre —le dijo Vargas en tono airado—. Esto es intolerable, a más de ridículo. Usted viera al pobre hombre, quién sabe qué órdenes traía. Lo que están haciendo es jugar con candela. Además, me dicen de la imprenta que el sábado por la noche se presentaron un par de agentes de seguridad preguntando sobre la revista.

Hubo excusas del coronel Antonio Sánchez, jefe de seguridad de la Casa de Nariño, y un comunicado de la Presidencia, que pretendía explicar que todo había sido un malentendido y que habría una investigación interna.

—Ahora no vayan a botar al pobre hombre y a trasladar a su superior inmediato, el tal capitán Rodríguez —le dijo Vargas a Cristo en una segunda conversación esa tarde—. Lo que hay que ver es quién les dio tan absurda orden.

Al final del día, Vargas se enteró de que lo primero era exactamente lo que habían hecho: trasladar a los dos funcionarios. En el gobierno, sólo el director del DAS, Ramiro Bejarano, se preocupó realmente por el tema y esa misma noche le expresó su inquietud al Presidente sobre las labores que desarrollaba la mentada oficina de comunicaciones.

—Hace rato que ando inquieto por esa oficina —le dijo Bejarano a Vargas—. Ahí hay unos tipos a quienes les han dado mucho poder y no saben usarlo. Eso es peligroso y dañino para el gobierno y para el propio Presidente. Me le voy a meter al asunto a ver si tranco más locuras.

Hacia las 8 de la noche, Lesmes y Téllez aparecieron en la oficina del director de *Semana*. Se les veía especialmente nerviosos y agotados. Habían almorzado con Mercedes en un restaurante.

—Estábamos con ella y de pronto, desde la barra, le dijeron que había una llamada para ella —contó Lesmes—. Cuando regresó a la mesa nos dijo que acababa de hablar con *Don Miguel* y que la entrega de los documentos estaba autorizada.

Según la mujer, sólo había un problema: ellos debían viajar a Cartagena para una cita en el Hotel Hilton de esa ciudad a las 11 de la mañana del martes, donde recibirían los papeles que ya habían visto y otros más.

—Por razones de seguridad, no todo puede estar reunido en el mismo sitio, y por eso los casetes que les prometí están en una cajilla de seguridad —dijo Mercedes mientras le entregaba a Lesmes una llave—. Cuando tengan en sus manos lo de Cartagena y regresen a Bogotá, yo les daré una última instrucción para que ubiquen la cajilla y retiren de ella las cintas.

Lesmes y Téllez volarían a Cartagena en el primer avión al día siguiente.

MARTES 4 DE ABRIL

Esa mañana, *Semana* verificó en la oficina del senador Helms que la presentación de *María* había sido pospuesta hasta nueva orden. Era previsible entonces que algunos críticos de la revista cuestionaran la publicación de la historia no por su contenido, sino por el hecho de que Helms se había echado para atrás de su show.

Desde Cartagena Lesmes y Téllez se comunicaron para decir que habían recibido una nueva llamada de Mercedes y que los documentos estarían en sus manos a las 5 de la tarde. El día pasó y a las 4 y 45, Lesmes llamó a Vargas y le contó que había un nuevo aplazamiento para el día siguiente.

—No me gusta —dijo el director—, pero si ya esperamos lo más, esperemos lo menos.

Miércoles 5 de abril

A las 8 de la mañana, Mercedes interrumpió el desayuno de los dos periodistas con una llamada desde Bogotá.

—Voy para allá con todos los papeles —les dijo—. Hace un rato compré los pasajes en el Centro 93 y ya estoy en Eldorado. Pasadas las 11 los busco en el hotel.

Téllez, aburrido de tanta tomadera de pelo, le exigió a Mercedes una prueba de que iba a volar a Cartagena. Ella le dio el número de la agencia de viajes donde acababa de comprar los pasajes. Minutos después llamó a la agencia y confirmó que a nombre de Mercedes Guáqueta y de otras tres personas habían sido expedidos cuatro tiquetes para esa ciudad.

Este dato los llenó de confianza. Pero el día transcurrió sin ninguna noticia de Mercedes.

Jueves 6 de abril

Lesmes y Téllez esperaron todo el día por una llamada de Mercedes que nunca se produjo, y volaron de regreso a Bogotá esa misma tarde[19].

Lunes 10 de abril

En plan de vacaciones, Vargas llegó ese día a Washington en compañía de su esposa y de su hija de siete meses. Era una oportunidad para tomar dos semanas de descanso en la capital estadounidense, donde se encontraría con el equipo de colaboradores del secretario general de la OEA, César Gaviria, sus compañeros de trabajo de la anterior administración.

Ese lunes en la noche Gaviria regresó de Lima, donde había sido testigo de las elecciones peruanas. Hacia las ocho de la noche se reunió con Vargas, en compañía de Miguel Silva, su jefe de gabinete en la Organización; Gabriel Silva, ex embajador en Washington y quien actuaba como asesor de Gaviria y el embajador colombiano ante la OEA, Fabio Villegas, quien por aquellos días le había informado al canciller Rodrigo Pardo que pensaba dejar el

---

[19] Nunca volvieron a saber de ella, pero semanas después, cuando aparecieron los documentos del maletín de Miguel Rodríguez Orejuela —ver siguiente capítulo—, reconocieron muchos de los listados que ella les había dejado ver.

cargo en pocas semanas para hacer un año sabático en Harvard.

Gaviria saludó a Vargas y quiso ir al grano, curioso como estaba por la situación en Colombia. El director de *Semana* hizo un largo resumen sobre la forma como el escándalo había estado asomando su cabeza por distintas vías, sin llegar nunca a estallar.

—Eso está ahí y yo diría que tarde o temprano va a reventar —comentó.

Le preguntaron por Medina, pues hasta Washington habían llegado los rumores de que estaba decidido a hablar.

—Nuestra última información —dijo Vargas— es que por ahora no va a decir nada, pero yo no sé qué pase si la Fiscalía lo cita a declarar o a indagatoria. En todo caso, Medina está muy asustado. Si él cuenta todo, va a enredar al presidente, pero sobre todo a Botero. Y quién sabe si Botero se quede callado. La verdad es que Samper está en una situación muy difícil. Su estabilidad depende de la hombría de Medina y de la lealtad de Botero, y a veces pienso que hay más de lo primero que de lo segundo.

Entre el cielo y el infierno

Esa mañana en Washington, donde seguía de vacaciones, Vargas se reunió con el ex Ministro Fernando Carrillo para almorzar en un elegante club a orillas del río Potomac. Carrillo, quien llevaba un par de años trabajando con el Banco Interamericano de Desarrollo, se mantenía muy bien informado sobre el seguimiento que diferentes círculos políticos y gubernamentales de la capital estadounidense hacían de la situación colombiana. En medio de la conversación, el director de *Semana* quiso saber qué había pasado con la presentación ante el Senado de la testigo *María*.

—Lo que a mí me dijeron algunas fuentes en el departamento de Estado —dijo Carrillo—, es que la gente de Bob Dole y Newt Gingricht, los líderes de las mayorías republicanas en el Senado y la Cámara, trancaron a Jesse

Helms, pues en la semana en que iba a presentar a *María* se cumplían los 100 días de la famosa Agenda por América que fue la base de la reconquista republicana del Capitolio. Ellos tenían una serie de celebraciones para examinar los proyectos de esa Agenda que estaban empujando en el Congreso y no querían que nada les aguara la fiesta. Además, están negociando con Clinton y hay una especie de tregua, y la presentación de *María* habría significado un golpe para el gobierno por haber certificado por interés nacional a Colombia, en vez de haberla descertificado. Pueden no ser las únicas razones, pero lo que tengo claro es que de por medio hubo una negociación política tras la que Helms tuvo que ceder.

—¿Y hay posibilidades de que más adelante *María* sea presentada en el Congreso? —preguntó Vargas.

—Tarde o temprano, Helms va a llamar a *María* a declarar —contestó Carrillo—. De eso puede estar seguro[1].

Mientras tanto, en Bogotá la Fiscalía parecía decidida a avanzar en el proceso 8.000. Así se lo transmitieron Lesmes y Téllez a Vargas en una conversación telefónica al final del día. Esa misma noche, el ex senador y ex embajador Eduardo Mestre Sarmiento, varias veces miembro de la Dirección Liberal, fue detenido por

---

[1] Fue bastante más tarde, el 29 de julio de 1996, después de que Colombia fuera descertificada en marzo de ese año, cuando finalmente Helms llevó a *María* al Comité de Relaciones Exteriores del Senado. La presentación resultó más bien lánguida, pues la testigo apareció tras un biombo que le restó seriedad al acto.

miembros del CTI[2] de la Fiscalía, en su apartamento del norte de Bogotá.

Los investigadores de la Fiscalía habían seguido la pista de algunos de los cheques relacionados en los documentos incautados tras la serie de allanamientos realizados en julio de 1994, durante los cuales fue detenido el contador de Miguel Rodríguez, el chileno Guillermo Pallomari. En la declaración de éste a la Fiscalía Regional de Cali en ese mismo mes, Mestre resultó seriamente comprometido, pero el proceso se demoró varios meses en arrancar pues el expediente permaneció arrumado en un rincón de la Regional de Cali por cerca de ocho semanas, hasta cuando el director nacional de Fiscalías, Armando Sarmiento, lo recuperó con sus propias manos en momentos en que iba camino de la basura.

A mediados de septiembre de 1994, tras la recuperación del expediente, fue conformada una comisión de fiscales sin rostro para seguir las pistas a la documentación traída de Cali. Mestre resultó ser el primer afectado. Las colillas de dos cheques de una cuenta en el Bancó de Colombia de una empresa de fachada del cartel relacionaban pagos mensuales por cinco millones de pesos cada uno al dirigente político. Otras colillas similares —una de ellas por diez millones de pesos— comprometían al periodista Alberto Giraldo, contra quien fue dictada una orden de captura la misma noche de la detención de Mestre. Las pesquisas de la Fiscalía habían permitido

---

[2] Cuerpo Técnico de Investigaciones que cumple funciones de Policía Judical en la Fiscalía.

detectar que efectivamente esos dineros ingresaron a cuentas de Mestre y de Giraldo. Pero mientras Mestre fue localizado en su apartamento de la capital, Giraldo logró evadir el cerco del CTI.

—Esto se está poniendo muy caliente —les dijo a Lesmes y a Téllez una fuente de la Fiscalía poco antes de la medianoche.

VIERNES 21 DE ABRIL

La Fiscalía tenía guardada una segunda sorpresa. Hacia las 11 de la mañana, Valdivieso leyó un comunicado de escasos seis párrafos. El primero de ellos notificaba sobre la apertura formal de una investigación penal contra Mestre y Giraldo, cuya captura había sido ordenada la víspera para efectos de indagatoria, como sucede con todos los procesos por narcotráfico y delitos conexos que están en manos de la justicia sin rostro.

Pero había más involucrados. Según el comunicado de la Fiscalía, ocho congresistas y un ex parlamentario eran objeto de indagaciones preliminares por cuenta de los documentos encontrados a Pallomari. El Fiscal anunció que iba a enviar esos casos a la Corte Suprema de Justicia, por tratarse de personas cobijadas por el fuero constitucional. Se trataba de los senadores Yolima Espinosa[3], Alberto Santofimio, Armando Holguín, María

---

[3] La aparición de Yolima Espinosa, congresista del Valle a quien se le habían conocido numerosas actitudes valerosas en

Izquierdo y José Guerra, y de los representantes Rodrigo Garavito, Ana de Pechtalt y Alvaro Benedetti. También era investigado el ex representante Jaime Lara, quien en la época de los hechos había sido miembro de la Cámara. El mayor impacto lo producía el caso del contralor David Turbay, cuya investigación el Fiscal también pedía a la Corte.

En la mayoría de estos diez casos, la Fiscalía había descubierto que una empresa de fachada del cartel había pagado favores a esos personajes, entre ellos su alojamiento en el Hotel Intercontinental de Cali. En otros, como el de Jaime Lara, había elementos mucho más complicados.

Por otra parte, la Fiscalía anunció que llamaba a declarar al ex tesorero de la campaña, Santiago Medina, para que explicara la aparición de su nombre en algunos de los documentos de Pallomari. La investigación penal le pisaba por primera vez la cola a la campaña electoral del Presidente de la República.

MIÉRCOLES 26 DE ABRIL

Felipe López llamó esa tarde a Vargas a Boston, donde el director de *Semana* pasaba los últimos días de sus vacaciones, para contarle algunos detalles de un almuerzo

---

contra del narcotráfico, causó cierta sorpresa. Meses depués, fue la primera en ser plenamente exonerada por la Corte.

que acababa de sostener con el presidente Samper en Palacio. Según López, era evidente que las decisiones del Fiscal habían puesto muy nervioso al primer mandatario. El tono de reclamo hacia *Semana*, su director y el grupo de periodistas que investigaban la financiación de la campaña, predominaron en las expresiones del Presidente durante el almuerzo. López le contestó que él asumía la entera responsabilidad por todo lo publicado en la revista.

—Lo que ha salido en *Semana* ha sido cotejado y confirmado y no ha habido en su publicación ningún sesgo antigobiernista —le dijo.

—Es que a veces a mí no me preocupa tanto lo que ustedes publican, como lo que dicen en los almuerzos y cocteles —le respondió Samper—. La revista tiene tanta audiencia que cualquier cosa que ustedes digan en privado es como si fuera pública.

Este último reclamo tenía nombre propio: iba dirigido específicamente a López, quien por aquellos días decía a cualquiera que deseara escucharlo que estaba convencido de que más de 5.000 millones de pesos del cartel de Cali habían entrado a la campaña. El presidente de *Semana* aseguraba además que eso no podía haber sucedido a espaldas del equipo directivo de la misma o como una decisión autónoma de Santiago Medina. Y esto último era lo que más molestaba a Samper.

—Usted debe entender además, Presidente —le dijo finalmente López—, que si la revista llega a consolidar información clara y concluyente sobre lo que pasó en la campaña, va a ser muy difícil no publicarla.

MIÉRCOLES 3 DE MAYO

Poco antes del mediodía, Lesmes subió al quinto piso de la sede de la revista y le dijo a Vargas, quien había regresado dos días antes a su trabajo, que tenía cita a la una de la tarde en el Gun Club para almorzar con el ministro Fernando Botero. El titular de Defensa lo había buscado la víspera para felicitarlo por el nacimiento de su hijo pocos días antes. Los dos periodistas suponían, sin embargo, que ésa no era más que una excusa de Botero para hablar con el jefe de redacción de *Semana* sobre sus contactos con Medina en las últimas semanas.

—Usted sabe que Botero está al tanto —le dijo Lesmes a Vargas—, pues el ministerio nos ha hecho seguimientos y conoce nuestros movimientos. La semana pasada, Antonio, el hombre que nos explicó los narco-casetes en junio del año pasado y que hacía mucho rato que no aparecía, me lo contó con detalle. Me dijo además que en Palacio se estaban planteando seriamente cuál era la forma de "sacarnos del juego". No sé qué demonios quieran decir con "sacarnos del juego", pero pienso hablarle del asunto a Botero con franqueza.

El jefe de redacción llegó al Gun Club, en el sector de La Cabrera al norte de Bogotá, al punto de la una de la tarde. Botero tardó unos 10 minutos. Se encontraron en un reservado del segundo piso. La tensión del encuentro se hizo evidente desde el primer minuto. Botero se había convertido en una buena fuente de Lesmes en los tiempos del escándalo de la cárcel de La Catedral, tras la fuga de Pablo Escobar en julio de 1992. El Ministro era entonces senador y hacía parte de la comisión parlamentaria que investigaba los hechos. Lesmes, a su vez, tenía a su cargo los artículos sobre ese tema en *Semana*. La relación se había consolidado durante la campaña samperista, con la que Lesmes simpatizaba. Pero ahora, con el escándalo de la financiación de la elección presidencial por el cartel de Cali, en cuyo foco se encontraba Botero, era obvio que el Ministro estaba no sólo preocupado sino francamente molesto por la forma como Lesmes y el equipo de periodistas de *Semana* investigaban el caso. El jefe de redacción quiso cortar de un tajo cualquier reclamo y prefirió ir al grano.

—Vamos a hablar claramente —le dijo al Ministro—. Yo sé que usted ha ordenado que me vigilen desde la primera vez que hablé con Medina. Y quiero que sepa que no sólo le estamos preguntando a él sino a muchas personas sobre lo que pasó en la campaña, porque nuestro oficio es averiguar qué ocurrió y quién estaba involucrado, sean cuales sean las consecuencias.

—Jorge, usted sabe que yo respeto mucho el trabajo de ustedes en *Semana* —le respondió el Ministro—. Considero a Felipe López uno de mis mejores y más viejos amigos. A usted lo aprecio mucho. Cómo se le ocurre entonces que voy a ordenar que los vigilen. Crea en mi palabra: eso nunca lo haría.

—Lo que pasa Ministro es que hay muchas cosas en juego —dijo Lesmes— y usted sabe bien de qué estoy hablando. En el ministerio y en Palacio han decidido que Mauricio, Edgar y yo queremos armar una novela a partir de los narcocasetes. Y es verdad que el tema lo hemos investigado y lo vamos a seguir investigando pase lo que pase. Pero es que en el gobierno están diciendo sobre nosotros cosas muy delicadas, dicen que nos deberían "sacar del juego".

—Jorge, tiene mi palabra de que nada de eso va a ocurrir —intervino Botero—. Dígale a Felipe, a Mauricio y a Edgar que esas son fantasías, que a nadie le va a pasar nada. Es que nos quieren inventar una cosa que jamás ocurrió. Cómo van a creer ustedes que Ernesto y yo recibimos plata del cartel de Cali para la campaña. Lo que pasa es que Medina está resentido porque no lo nombraron en la embajada y se está inventando una película de ficción...

—Pues sepa que Medina no es la única persona que cuenta esa película. Muchas fuentes nos han confirmado que la financiación se produjo y que ustedes estaban al tanto. Hemos sabido de platas de un tal Jesús Sarria, *Chucho* Sarria, y de su esposa Elizabeth Montoya. Yo he tratado de que Medina me haga claridad, pero él está muy nervioso y me pidió que dejáramos de vernos porque el gobierno se había comprometido a solucionarle sus problemas.

—Eso es falso —se indignó el Ministro—. Medina está loco. Todo lo que diga es una gran mentira. Por favor, Medina los va a meter en un grave problema y la credibilidad de la revista puede quedar por el suelo.

—Por el seguimiento que nos ha hecho —aseguró Lesmes— usted ya sabe que Medina ha pensado en contarlo todo. Pero lo último que me envió fue un papelito, una pequeña nota antes de viajar al exterior, en la que me dijo que el asunto estaba en manos del Presidente.

—Así es Medina, Jorge. No le crea nada. Yo he oído por ahí que a ustedes les contó una novela absurda...

—¿Ve que sí es verdad que nos andan siguiendo? —intervino Lesmes—. A mí me gusta hablar claramente. Por qué más bien no le digo yo cosas que hemos averiguado y usted me dice si son verdad o mentira.

Botero asintió con la cabeza, mientras alzaba las cejas con aire de gran inquietud.

—¿Es verdad que usted envió a Medina en tres oportunidades a Cali para que se entrevistara con los Rodríguez Orejuela y consiguiera plata para la campaña, pues en la segunda vuelta estaban totalmente quebrados y ya los grupos económicos no daban más? ¿Es verdad que la plata fue enviada a la casa de Medina en cajas de cartón envueltas en papel regalo, que allí la contaban y que la trasladaban al sótano del edificio donde estaban las oficinas de la campaña para que la recibieran los jefes y tesoreros regionales? ¿Es cierto que usted y Serpa sabían y decían cómo repartir la plata y que Samper dio el visto bueno para toda la operación? ¿Es verdad que la víspera de las elecciones, cuando ya los casetes rodaban por ahí, Miguel Rodríguez llamó a la casa de Medina y le habló de las cintas muy preocupado? ¿Es cierto que ustedes se comprometieron con los Rodríguez a no perseguir durante el primer semestre del gobierno al cartel y a facilitar, con la ayuda del fiscal De Greiff, una entrega que les diera una salida jurídica aceptable para ellos? ¿Es verdad que hay un papelito con esas condiciones que los Rodríguez conocen como "el boterito"?[4] ¿Es verdad que incluso sobró alguna platica y se la repartieron algunas de las directivas de la campaña como bonificación?

Botero permaneció en silencio durante toda la intervención de Lesmes. Se frotaba las manos nerviosamente sin saber hacia dónde dirigir la mirada y no fue capaz de probar bocado del pollo al limón que el mesero le había servido. Una vez el jefe de redacción terminó su lista de preguntas, el Ministro continuó en silencio. Lesmes trató entonces de probar el plato suyo, que no había tocado, pero la comida estaba helada.

—Le juro por mis hijos que todo eso es mentira —dijo finalmente Botero en tono descompuesto—. Usted sabe que yo no necesito de un solo peso para mi carrera política. Usted sabe que mi futuro es ser Presidente de Colombia y que para eso fui educado en las mejores universidades del mundo. Usted sabe que mi familia tiene los recursos suficientes para financiar todas las campañas

---

[4] Un congresista deslenguado le había contado semanas antes a Vargas que los Rodríguez Orejuela aseguraban tener el "Botero más caro" y, según el parlamentario, no era precisamente un cuadro del mundialmente famoso pintor y escultor Fernando Botero, sino un trozo de papel supuestamente escrito a mano por su hijo, el ministro de Defensa. Botero hijo se los habría enviado con Medina en tiempos de la campaña, a manera de relación de la forma como iban a ser distribuidos los aportes que ellos hicieran. El documento, que nunca ha aparecido en las investigaciones, también era conocido en la chismografía de aquellos días como "el boterito".

que yo quiera. ¿Cómo se le ocurre entonces que voy a recibir plata de los Rodríguez Orejuela y echar así mi vida a la basura? Medina y todos los que les han dicho esa mano de barbaridades están locos de remate, están delirando. ¿Usted cree que si eso fuera cierto yo habría aceptado el ministerio de Defensa?

—Pero es que desde el ministerio de Defensa —lo interrumpió Lesmes— usted puede controlar los operativos...

—No se trata de no perseguirlos, sino de hacerlo de manera que nos evitemos una narcoguerra —argumentó Botero—. Pero por favor, volvamos al corazón de este asunto: le juro por mis hijos, por mi mamá, por mi papá, que esa historia es falsa...

El Ministro se puso de pie. Tenía los ojos bañados en lágrimas y los labios temblorosos. Repetía una y otra vez que todo era mentira.

—Yo diseñé una campaña para que no entrara esa clase de plata, había un fiscal ético[5], había unos controles. Eso no puede haber ocurrido...

---

5 El exministro antioqueño Jorge Valencia Jaramillo ejerció como fiscal ético de la campaña samperista durante varios meses. Su labor, según el código de ética de la campaña, era entre otras evitar, solicitando de oficio información a las directivas de la organización Samper Presidente, sobre el dinero de origen ilícito que ingresara a la tesorería. Los resultados de su gestión quedaron al descubierto cuando se confirmó que más de cinco mil millones de pesos del cartel de Cali habían ayudado a financiar la campaña.

Caminaba por el reservado, se pasaba la mano por la cabeza y volvía a hablar.

—Por favor, si van a publicar algo, hablemos antes. Esto le puede hacer mucho daño al país. Tengan cuidado. Todo es mentira...

Pasadas las tres y media, Lesmes y Botero se despidieron en la puerta del Gun Club. Rodeado por escoltas, el Ministro se subió a su carro blindado. Se disponía a cerrar la puerta, cuando volvió a asomar la cabeza para decir una última frase.

—Le prometo que todo esto se va a aclarar, yo soy una persona honesta.

Lesmes regresó a la revista con la satisfacción de haber hablado claramente, pero frustrado desde el punto de vista periodístico. Se encerró en su oficina y trató de ordenar en una libreta de hojas amarillas todo lo que la revista había averiguado, todo lo que Medina decía y todo lo que Botero desmentía, con el fin de tratar de sacar algo en claro. No lo logró. Pero no pudo evitar pensar que Botero no había resultado convincente[6].

A pesar de ese fracaso, varios meses después fue nombrado por el Presidente como miembro de la Comisión Nacional de Televisión.

[6] A principios de 1996 y después de haber decidido colaborar con la Fiscalía, Fernando Botero les confesó a Lesmes y a Téllez, que el día del almuerzo con el jefe de redacción había sido uno de los peores de su vida. Según él, a partir de ese momento había comprendido que todo iba a salir mal. En las siguientes semanas, perdió más de diez kilos de peso.

Hacia las seis de la tarde, Vargas se disponía a partir para su casa cuando su secretaria le informó que el representante a la Cámara Rodrigo Garavito, uno de los congresistas que estaban siendo investigados por la Corte a solicitud del Fiscal, deseaba verlo. Vargas se había enterado esa mañana de que el alto gobierno estaba bastante molesto con el dirigente liberal de Caldas, pues desde la revelación de la historia de las camisetas en *Cambio 16* y especialmente después del envío de su caso y los de otros líderes políticos a la Corte Suprema, Garavito había insinuado por varios medios de comunicación que las investigaciones no debían apuntar hacia los congresistas liberales, sino hacia la propia campaña de Samper.

—Al fin y al cabo las camisetas no decían "Garavito a la Cámara"; decían "Samper Presidente" —explicaba el representante a todo aquel que le preguntaba.

Vargas recibió a Garavito y le puso el tema.

—Sé que lo están queriendo poquito en el gobierno —le dijo—. Dicen que están hasta la coronilla de sus insinuaciones por el caso de las camisetas. En fin, están muy bravos…

—Como dicen en mi tierra —le contestó Garavito—, está brava mi vecina porque se robó mi gallina.

Y de inmediato, el representante procedió a contarle a Vargas buena parte de lo que él sabía sobre la financiación de la campaña del Presidente.

—Ustedes van a terminar por averiguarlo —explicó— y el gobierno debía andar pendiente de eso en vez de ponerse bravo con quienes le decimos algunas verdades.

Lo cierto es que la plata entró, yo no sé si 5.000 millones, de pronto hasta más.

—Y, ¿Botero y Samper sabían? —preguntó Vargas.

—Pues usted qué cree… —respondió Garavito—.

—Oiga, Rodrigo —se la jugó Vargas—, ¿qué tal si usted me dice todo eso en una entrevista?

—Ay hombre, no sea tan ingenuo. Eso no se lo va a decir nadie, aunque si el gobierno se sigue portando tan mal con la gente, quién sabe…

JUEVES 4 DE MAYO

Muy temprano, Edgar Téllez llamó a Vargas a su casa.

—El Consejo de Estado va a tomar hoy una decisión muy delicada —le dijo—. Va a anular la determinación de la Corte Suprema de junio del año pasado, que implicó el retiro de Gustavo de Greiff por haber llegado al límite de edad de 65 años, que se aplica a todos los funcionarios judiciales. Eso abre las puertas para que demanden la elección de Valdivieso.

Al final del día, cuando la radio confirmó la noticia, los periodistas volvieron a conversar. Óscar Montes, que seguía cubriendo los altos tribunales, también participó de la charla.

—Alguna gente del Consejo de Estado dice que hubo muchas presiones para que la decisión saliera como salió —contó Montes—. Y todo indica que esas presiones van a seguir para que más adelante tumben la elección de Valdivieso.

—Me imagino que los abogados de los carteles están presionando duro, y de pronto algunos congresistas —dijo Vargas.

—Pero ésas no son las presiones más fuertes —aseguró Montes.

—¿Cuáles son entonces? —preguntó Vargas.

—Pues las que vienen del propio gobierno —contestó Montes.

—Pero eso no puede ser —intervino Vargas—. El ministro de Justicia me dijo hace pocos días que la mayor preocupación que ellos tenían era que el Consejo de Estado fuera a tumbar a Valdivieso, porque después de la certificación condicionada de Washington, la caída de quien está mostrándose duro con los narcos y con sus aliados sería muy mal vista internacionalmente.

—Sí, pero es que Néstor Humberto Martínez no es la voz que más canta en el gobierno —replicó Téllez—. Él no participó en la campaña y no tiene ni idea de todo lo que puede pasar si se destapa lo de la financiación.

—¿Y de dónde se supone que vienen las presiones? —preguntó Vargas.

—Pues según mis fuentes, del propio Palacio —respondió Montes.

—Tratemos de averiguar detalles, pero veo bastante difícil que podamos confirmar algo —concluyó el director[7].

VIERNES 5 DE MAYO

Lesmes y Téllez llegaron hacia las 11 de la mañana a la Casa de Nariño para una entrevista con el presidente Samper, que debía ser carátula de la revista esa semana. El texto ya había sido trabajado durante tres días con la colaboración del consejero Juan Fernando Cristo, pero hacía falta una sesión de repreguntas y fotografías, que era el objeto de la cita.

El asesor editorial Ricardo Ávila los acompañó, pues Mauricio Vargas había sido enterado esa madrugada de la trágica muerte de su amigo de toda la vida, Jaime Vásquez, ex periodista de *Semana,* ex asesor de Rafael Pardo en el ministerio de Defensa y quien por esos días se desempeñaba como consejero del vicepresidente De la Calle.

Cuando Lesmes, Téllez y Ávila llegaron, el Presidente se lamentó de que Vargas no hubiera ido.

---

[7] Meses después, en septiembre de 1995, un consejero de Estado le contó a Vargas, en medio de absoluta reserva, que un antiguo miembro del alto tribunal le había dicho que el propio Presidente de la República lo abordó en una reunión en Palacio para insinuarle que, por la estabilidad del país, era mejor que el Fiscal no continuara en su cargo. *Semana* intentó infructuosamente conseguir una declaración del ex consejero sobre el asunto.

—Ahora van a decir que yo lo veté —dijo—. Pero yo entiendo el momento difícil que está pasando Mauricio. Voy a llamarlo para darle el pésame.

Samper no hizo mayores revelaciones en el curso de la entrevista. Se limitó a declararse "a la ofensiva" en todos los frentes, incluido el de la persecución a los narcotraficantes. Aseguró que si el Consejo de Estado llegaba a declarar nula la elección del Fiscal, él enviaría una nueva terna encabezada por Valdivieso. Y afirmó que detrás de los cuestionamientos a la financiación de la campaña, lo que había era una cruzada de "odios políticos" traducidos en ataques personales.

MIÉRCOLES 10 DE MAYO

Luis Fernando Murcillo Posada, sindicado de ser uno de los testaferros del cartel de Cali y uno de los involucrados en el proceso 8.000, se entregó a las autoridades.[8]

VIERNES 12 DE MAYO

Al final de la tarde y mientras la edición se cerraba con un artículo de Nación centrado en la exótica propuesta del

---

[8] Murcillo fue llamado a juicio por la Fiscalía en marzo de 1996. acusado de testaferrato.

Presidente, hecha dos días antes, en el sentido de cambiar la Constitución para implantar un Congreso unicameral, Téllez llegó con un dato para la sección Confidencial. Ernesto Amézquita había sido designado como abogado de Santiago Medina. Era uno de los penalistas a quien más se había visto actuar en los pasillos del Congreso en el segundo semestre de 1993, cuando fue debatida la ley de modificaciones al Código de Procedimiento Penal que tan generosas resultaron con los narcotraficantes. Desde principios de la administración Samper, Amézquita actuaba en un comité que asesoraba al ministerio de Gobierno y mantenía una excelente relación con Horacio Serpa.

—Por lo que me contó un abogado amigo de Amézquita —dijo Téllez—, todo indica que Botero ya no se siente capaz de manejar a Medina. Según eso, Serpa se ha hecho cargo y lo va a controlar por intermedio de Amézquita. Yo lo conozco y voy a tratar de tomar contacto con él.

Viernes 19 de mayo

Téllez consiguió en esos días, por intermedio de un abogado que estaba siguiendo el caso de Eduardo Mestre, copia de la indagatoria rendida por el ex senador tras su detención. En ella, el dirigente liberal trataba de justificar sus ingresos con una larga lista de contratos de asesoría con compañías internacionales. Mestre sostuvo ante los fiscales sin rostro que los dos cheques de una empresa de fachada del cartel no correspondían a mensualidad alguna, sino al pago de unos cuadros y tapices que él había importado y que le vendió al representante legal de la empresa de fachada. No cabía duda de que el tema merecía ser destacado en la sección Nación, pues de la forma como el ex senador se defendiera dependía buena parte del desarrollo del proceso 8.000.

Jueves 25 de mayo

Alberto Giraldo[9] se entregó ese día a las autoridades, tal como lo venía anunciando su abogado. Lesmes se encargó de escribir un artículo al respecto, mientras Téllez recibía varios desmentidos de las compañías internacionales a las que Mestre había aludido para justificar sus ingresos en su indagatoria, cuyo resumen *Semana* había publicado en la edición que estaba circulando. Los mensajes de dichas empresas y otras inconsistencias de la indagatoria del dirigente liberal sirvieron para un artículo de la siguiente edición. La defensa de Mestre parecía derrumbarse como un castillo de naipes[10].

---

[9] El periodista Alberto Giraldo López fue llamado a juicio por la Fiscalía a principios de 1996, por el delito de enriquecimiento ilícito.

[10] Eduardo Mestre fue llamado a juicio a comienzos de 1996, acusado del delito de enriquecimiento ilícito.

LUNES 5 DE JUNIO

En el consejo de redacción, Montes contó que sus fuentes en la Corte Suprema le acababan de confirmar que el Procurador General de la Nación, Orlando Vásquez Velásquez[11], también iba a ser objeto de una investigación preliminar a solicitud de la Fiscalía, pues en los papeles del 8.000 habían aparecido elementos que lo involucraban con favores de empresas del cartel.

MARTES 6 DE JUNIO

Patricia de Mestre, la esposa del ex senador y ex embajador detenido en la casa-cárcel de la Modelo desde el 20 de abril, llegó hacia las 11 de la mañana a la revista y pidió hablar con el director. Vargas había mantenido buenas relaciones con Mestre desde mediados de los años ochentas, entre otras cosas porque, aparte de ser un hombre amable e inteligente, era quizás una de las mejores fuentes de información política del país. El periodista había conocido a Patricia de Mestre cuatro años antes, cuando él se desempeñaba como consejero del presidente Gaviria y Mestre era embajador ante las Naciones Unidas

---

[11] El procurador Vásquez fue suspendido por la Corte Suprema en dos ocasiones y detenido por la Fiscalía en abril de 1996. Un tecnicismo jurídico anuló parte de su proceso y lo dejó en libertad, pero en octubre del mismo año fue destituido por la Corte y detenido de nuevo por la Fiscalía que lo acusó de enriquecimiento ilícito.

en Ginebra. En octubre de 1991, Vargas viajó a esta ciudad suiza para asistir a la conferencia mundial de telecomunicaciones, y fue recibido como huésped en la residencia de los Mestre.

Cuando la esposa del ex embajador entró a su oficina, Vargas no pudo evitar recordar que la última vez que la había visto ella estaba preparándole su desayuno en la cocina de la casa de la embajada en Ginebra, minutos antes de que el entonces consejero presidencial saliera para el aeropuerto. Se sintió ingrato, pensando que Mestre no había salido muy bien librado de las últimas publicaciones de la revista y trató de expresárselo a su visitante, pidiéndole que comprendiera que el periodismo era así. Pero no pudo. Ella lo saludó con un frío y seco "buenos días, señor Vargas", le entregó una carta que su esposo esperaba fuera publicada en la revista con sus puntos de vista sobre las investigaciones que la Fiscalía adelantaba en su contra y se fue sin aceptar siquiera un café.

Una hora más tarde, quien entró al despacho del director de *Semana* fue el embajador de los Estados Unidos, Myles Frechette, quien después de varios meses de insistencia por parte de Vargas, había por fin aceptado almorzar con los periodistas de *Semana*. Frechette llegó con una de sus asesoras en materia de prensa, y Vargas lo recibió en compañía de Ricardo Ávila, Lesmes y Mauricio Sáenz, editor de la revista y encargado de la información internacional. Aunque la condición del encuentro era que la conversación sería *off the record*, es decir, que nada de lo que dijera el embajador podía ser publicado en su nombre, la idea era aprovecharlo para que los periodistas pudieran hacerse a una idea de lo que el gobierno de Bill Clinton estaba pensando sobre la situación colombiana.

Para ello, Vargas había acordado con sus compañeros no asustar en la primera parte del almuerzo al embajador con preguntas muy directas sobre el tema de lo que Washington sabía sobre la financiación de la campaña presidencial. Se trataba de darle confianza e intentar que se fuera soltando antes de hacerle cualquier pregunta específica sobre el tema. La estrategia funcionó de maravilla. Al principio, sólo se habló de la política antidrogas de Clinton y de las relaciones entre los dos gobiernos. Ávila propuso el tema del intercambio comercial, a sabiendas de que era una de las especialidades del diplomático, y Frechette se extendió hablando de ello. Finalmente, cuando el embajador ya reía a carcajadas con algunos apuntes de Ávila y de Lesmes, Vargas disparó la primera pregunta.

—Muchas fuentes aseguran que ustedes tienen pruebas de que la campaña de Samper fue financiada por el cartel de Cali —le dijo—. ¿Por qué no las divulgan y así sabemos todos de qué se trata y cuál es la realidad? ¿No será que se las están guardando y así pueden chantajear a Samper?

—No se trata de pruebas judiciales —aclaró el embajador en tono tranquilo—. Son informes de inteligencia muy completos, pero judicialmente no son definitivos. Si un funcionario de mi gobierno tuviera una prueba judicial y no la diera a conocer a las autoridades, a la Fiscalía en Washington, se expondría a una pena de 10 a 15 años por obstrucción a la Justicia.

—¿Y podrían judicializar esos informes de inteligencia? —preguntó Sáenz.

—Si se reuniera más información, quizás —contestó Frechette.

—Pero usted personalmente, ¿qué cree que pasó? —preguntó Ávila.

—Hombre, yo creo que no me equivoco si les digo que al igual que ustedes y que todo el mundo que ha analizado el asunto, estamos convencidos de que el cartel financió buena parte de la campaña del Presidente...

—¿Y usted cree que Samper o al menos Botero estaban al tanto?

—Todos suponemos que Botero y Samper sabían, pero les repito que mi gobierno no tiene pruebas judiciales definitivas de ello. Son análisis de inteligencia.

A partir de ese instante, Frechette trató de darle un giro a la charla y de poner el énfasis en lo que él llamaba "los resultados".

—A nosotros más que lo que pasó en la campaña, lo que nos interesa es que aumente la cooperación y que las autoridades colombianas avancen en la lucha contra los carteles, detengan a sus jefes, los condenen a penas significativas y frenen el flujo de cocaína y otras drogas a los Estados Unidos —concluyó el embajador.

Miércoles 7 de junio

Al final de la tarde, Edgar Téllez se reunió con dos altos oficiales del Ejército, viejas fuentes suyas, que iban a viajar semanas después al exterior en misión oficial por cerca de un año. Eran personajes experimentados en cuestiones de inteligencia y habían colaborado con las labores del Bloque de Búsqueda tanto en Medellín como en Cali.

Uno de los oficiales le confió que durante un allanamiento a oficinas de Julián Murcillo Posada, acusado de ser uno de los principales colaboradores y testaferros de los hermanos Rodríguez Orejuela, el Bloque había incautado un libro dedicado por Ernesto Samper a Tulio Enrique Murcillo, hermano de Julián y señalado también como pieza clave del cartel. Era un ejemplar de *Querido Ernesto,* del periodista Fernando Garavito, editado durante la campaña. El oficial le ofreció a Téllez conseguir una copia de la página de la dedicatoria manuscrita por el entonces candidato.

—Hay grandes cantidades de información recopilada por la gente del Bloque y muy comprometedora para el gobierno, pero me temo que muchos de esos documentos se van a quedar por el camino y nunca van a llegar a manos de la Fiscalía —explicó el oficial.

VIERNES 9 DE JUNIO

Pasadas las cuatro de la tarde, y mientras en la redacción de *Semana* los periodistas discutían diferentes alternativas para la carátula sin que ninguno de los temas los convenciera, Lesmes recibió una llamada del jefe de prensa de la Policía, Carlos Perdomo.

—Estén alertas —le dijo—, puede haber una noticia grande en camino.

Lesmes y Téllez se volcaron sobre los teléfonos con la idea de averiguar en fuentes de la Policía, el Ejército y el DAS de qué se trataba. Pero el hermetismo era la norma esa tarde. Diez minutos después de su primera llamada, fue el propio Perdomo quien confirmó la noticia.

—El general Serrano viene en un avión desde Cali, con Gilberto Rodríguez detenido.

Lesmes ordenó de inmediato el envío de un fotógrafo al aeropuerto militar de Catam, a donde llegaría el avión. Téllez, por su parte, se desplazó a la dirección de la Policía, para tratar de establecer todos los detalles del operativo.

Debió esperar varias horas, mientras Serrano, el Ministro Botero, el director del DAS, Ramiro Bejarano y el subdirector de la Policía, el general Luis Enrique Montenegro, brindaban una insólita rueda de prensa bañados en confeti en el vestíbulo principal del edificio de la Policía.

Finalmente, poco después de las 8 de la noche, Téllez pudo sentarse con Serrano a reconstruir lo sucedido. La felicidad del general estaba reflejada en su rostro. Acababa de llegar de la Casa de Nariño, donde había brindado con champaña con el Presidente, la primera dama y algunos colaboradores del alto gobierno.

—Usted sabe Edgar que nadie creía que fuéramos a ser capaces —le dijo—. Sobre todo en el gobierno, donde el escepticismo era total. Cuando llamé al Presidente desde el carro en que yo mismo trasladé a Rodríguez del sitio de la captura a la base de la FAC en Cali, se sorprendió. Le dije que si se acordaba de lo que le había prometido ayer en la mañana, mientras jugábamos tenis. Él no lo recordaba y entonces, sin más rodeos, le informé de la captura. Me felicitó y dijo que me esperaba en Palacio, para que le diera detalles.

—¿Y es que usted le había prometido ayer coger a Gilberto Rodríguez? —preguntó Téllez.

—No exactamente. Pero como el Presidente estaba muy preocupado por la situación con el gobierno de Estados Unidos, yo, que sabía desde hacía varios días lo cerca que estábamos de dar ese golpe, le aseguré que en pocas horas lo iba a sorprender con una buena noticia en el campo de las capturas.

Pero la narración verdaderamente sustanciosa corrió por cuenta del oficial de inteligencia que había comandado el operativo, y que Serrano le presentó a Téllez mientras conversaban. Se trataba de un coronel que llevaba más de seis semanas tras la pista de Rodríguez. El oficial se encerró con el periodista en una salita contigua a la dirección de la Policía, y mientras los demás reporteros seguían entrevistando al general, le contó los detalles del mayor golpe dado por las autoridades colombianas a los carteles de la droga desde la muerte de Pablo Escobar.

—Todo empezó cuando identificamos al *Flaco* —narró el coronel—. Él era el encargado de manejar una especie de conmutador móvil por medio del cual Rodríguez se comunicaba con sus principales colaboradores, sin importar qué tan lejos estuviera él de esa centralita telefónica. ¿Se acuerda de los narcocasetes? Pues los análisis de inteligencia de aquel entonces nos permitieron establecer que *El Flaco* era quien siempre contestaba las llamadas que Alberto Giraldo le hacía a Gilberto Rodríguez. Durante muchos meses tratamos de identificarlo, pero no tuvimos éxito. A finales de abril, la suerte nos cambió: un informante necesitado de plata nos contó que *El Flaco* era Alberto Madrid Mayor. Según la fuente, ya no operaba el conmutador, pues los Rodríguez habían archivado este equipo desde marzo por cuenta de nuestra persecución. Se había convertido en cambio en el mensajero personal de Gilberto Rodríguez.

Según el coronel, el informante le había dicho: "Si ustedes realmente quieren llegar a Gilberto, sigan al *Flaco*, tarde o temprano darán en el clavo". Madrid Mayor fue localizado a principios de mayo en una casa del barrio Ciudad Jardín, donde vivía con algunos familiares. Agentes encubiertos del Bloque se disfrazaron de albañiles, vendedores y empleados de la energía y mantuvieron vigilancia permanente sobre la casa. Un grupo de mujeres especialmente preparadas por el equipo de inteligencia del Bloque, jugaba basquetbol a diario en una cancha a pocos metros del lugar.

—La cosa era de paciencia —relató el coronel—. *El Flaco* aparecía y desaparecía de la casa, a veces durante varios días. Pero no era él quien nos interesaba, sino su jefe. El martes pasado, decidimos seguirlo cuando salió de la casa. Después de ocho horas de dar vueltas por toda la ciudad, el hombre llegó a una zona del barrio Santa Mónica, pero como teníamos que mantener la distancia para no despertar sospechas, no pudimos identificar con exactitud la vivienda a donde había ingresado.

Durante 48 horas y con gran discreción, fuimos cercando la zona. El miércoles vimos salir al *Flaco* de una casa a la que luego regresó. Una vez definida la casa, los analistas de inteligencia del Bloque se dieron cuenta de que días atrás, desde esa zona había salido una llamada telefónica realizada por Gilberto Rodríguez que había sido captada por los equipos de intercepción y telemetría. La conclusión parecía lógica: si Gilberto Rodríguez había hablado desde alguna casa del sector en esos días, y *El Flaco* salía y entraba de una residencia específica, en esa casa debía estar el jefe del cartel de Cali. Lo demás fue sencillo: entrar a la residencia y descubrir a Rodríguez no exactamente en una caleta, sino en un hueco en la pared, detrás de un pesado mueble[12].

La revista dedicó siete páginas a reconstruir esta historia y un par más a analizar las consecuencias del golpe, entre ellas el punto que se anotaba Samper a nivel nacional e internacional con esta captura. Este segundo artículo iba ilustrado con una fotografía de la oficina de prensa de Palacio, en la que aparecían el presidente Samper, la primera dama, el canciller Rodrigo Pardo, el vicepresidente De la Calle y un invitado casual, el vicepresidente español Narcís Serra, de visita en Colombia esa semana, mientras brindaban con champaña[13].

---

[12] Este mismo coronel fue clave en las capturas de las siguientes semanas, en especial en la de José Santacruz Londoño. Pero pocos días después de ésta, las amenazas contra él y su familia obligaron a la dirección de la Policía a sacarlo del país, a donde sólo ha podido regresar esporádicamente.

[13] Quince meses después de su captura, Gilberto Rodríguez Orejuela se encontraba a punto de acordar una sentencia anticipada

LUNES 12 DE JUNIO

El consejo de redacción de la revista dedicó buena parte de su sesión al espantoso atentado que había matado a 29 personas en la Plaza de la Paz en Medellín el sábado en la noche. Las especulaciones en el sentido de que podía tratarse de una acción terrorista de los carteles como respuesta a la ofensiva que finalmente el Bloque de Búsqueda había desatado, estaban a la orden del día.

—Veo cosas muy contradictorias —aseguró Téllez—, pues aunque hay un comunicado de las milicias de las FARC en Medellín, también hay llamadas telefónicas desde ayer a algunas emisoras para reivindicar el atentado como un acto contra el gobierno, al que acusan de corrupto. Parece que algunas de las llamadas se refieren a Samper y a Botero en términos espantosos.

Varias fuentes consultadas esa mañana en los servicios de inteligencia no descartaban que pudiera tratarse de una acción pagada por narcotraficantes disgustados con el gobierno, que habrían contratado a las milicias.

—Sería muy grave que detrás de esto estuvieran los narcos —dijo Vargas—. Eso confirmaría lo que ya en el pasado se ha dicho tantas veces: que el narcoterrorismo siempre ha sido, de una u otra manera, el resultado de

---

con la Fiscalía, para el proceso por enriquecimiento ilícito que le seguía esta entidad. Los investigadores encontraron que Rodríguez movió recursos por 105.000 millones de pesos, pero este solo reconoció 4.500 millones. Otros procesos por narcotráfico se encontraban pendientes de definición.

ponerle conejo a un cartel. Pero yo todavía creo que, fieles a su tradición de no hacer terrorismo, los Rodríguez más que responder con bombas a la captura de Gilberto, van a hacerlo con papeles, con pruebas sobre lo sucedido en la campaña.

Lunes 19 de junio

Henry Loaiza, más conocido como *El Alacrán*, se entregó ese lunes festivo ante el Ministro de Defensa y el director del DAS, Ramiro Bejarano, en la sede de la Brigada XIII en Bogotá[14].

Martes 20 de junio

Hacia las siete y media de la mañana, el matinal de noticias Viva FM, dirigido por Julio Sánchez Cristo, entrevistó al ex alcalde de Barranquilla, el cura Bernardo Hoyos, exótico personaje de la antipolítica colombiana que rompió la hegemonía clientelista en esa ciudad en la elec-

---

[14] Ese día Loaiza llegó a Bogotá después de viajar durante 30 horas desde el Valle del Cauca, en una tractomula con la que evadió tres retenes del Ejército. Al pasar por Girardot se desvió al veraneadero de El Peñón, para preguntar si Santiago Medina se encontraba allí, pero no lo halló. A fines de octubre de 1996, la Fiscalía se preparaba para calificar su investigación por los delitos de conformación ilegal de grupos paramilitares y secuestro.

ción de alcaldes de 1992. El sacerdote sorprendió a todo el mundo al revelar que, tras informar de sus gestiones al presidente Samper y al director del DAS, Ramiro Bejarano, se había reunido en esos días con Miguel Rodríguez Orejuela y Helmer Herrera, más conocido como Pacho Herrera, uno de los principales aliados de los Rodríguez en el cartel de Cali. Hoyos relató que había visto "gran cantidad de fotocopias de cheques" que, por un total de cerca de 15.000 millones de pesos sirvieron para financiar la campaña electoral de 1994. Según el cura, que dio declaraciones similares a otros medios en las horas siguientes, entre los beneficiarios de los giros "hay gente vinculada al gobierno". Cuando fue preguntado por los nombres de los beneficiarios de los cheques, el cura respondió que "me dio tanto asco que no quise ver nombres".

Hoyos aseguró que Rodríguez le dejó escuchar una grabación de una conversación entre él y otra persona que pedía plata para la campaña presidencial. "Más que estar pidiendo el dinero, estaba exigiéndolo", explicó el cura, quien agregó que en la cinta Rodríguez respondía que ya había enviado 5.000 millones, al parecer de pesos.

Esa tarde, la Fiscalía envió cinco nuevos expedientes de congresistas a la Corte Suprema por cuenta del proceso 8.000: Jorge Ramón Elías Náder, Tiberio Villarreal, Francisco José Jattin, Gustavo Espinosa y Álvaro Pava[15].

---

[15] Meses después, Álvaro Pava fue exonerado por la Corte Suprema de Justicia.

MIÉRCOLES 21 DE JUNIO

Hacia las 10 y 30 y después de confirmar que Lesmes había partido para Barranquilla en busca de una entrevista con el cura Hoyos, Vargas recibió la visita del representante Rodrigo Garavito. El dirigente liberal quería hablar del tema del padre y hacer algunas aclaraciones sobre el papel jugado en 1993 y 1994 por el entonces fiscal Gustavo de Greiff, quien había resultado ambiguamente mencionado en las declaraciones del sacerdote.

Además de esto, Garavito le explicó a Vargas que Miguel Rodríguez estaba muy molesto con Samper y con Botero por el *show* que habían montado con la captura de su hermano Gilberto y porque el gobierno ya no se atrevía a controlar los operativos del general Serrano y el Bloque de Búsqueda. Aseguró que lo que el cura había escuchado eran grabaciones entre Miguel Rodríguez y Alberto Giraldo, y quizás alguna con Santiago Medina, hablando en todas ellas sobre la plata para la campaña.

—Mire Mauricio —le explicó Garavito— todo esto empezó porque Botero y Samper estaban desesperados. Las encuestas mostraban a Andrés Pastrana ganador y ellos veían venir una catástrofe. Mestre le había dicho varias veces a Botero que las elecciones sólo se podían ganar con plata y que esa plata sólo la podía producir en las cantidades necesarias la gente de Cali. Entonces hablaron con Mestre y le dijeron que se encargara del asunto.

—¿Y todas esas historias de avionetas cargadas de plata son ciertas? —preguntó Vargas.

—Sí.

—Y qué pasa si dejamos de darle vueltas al tema y publicamos esta historia —tanteó Vargas.

—Que todo el mundo, incluido yo, salimos a desmentirlos —respondió—. Felipe y usted están locos si creen que esta historia se puede llegar a publicar.

Por la noche, Vargas recibió una llamada de Lesmes.

—Acabo de hablar con el cura —dijo el jefe de redacción desde Barranquilla—. Está como asustado, parece que lo llamaron de Cali a regañarlo. Me dijo que podíamos contarlo todo, pero que sólo era posible mencionarlo como fuente en algunos de los datos, y en ningún caso en lo referente a nombres.

—¿Y a quién quiere que le atribuyamos la historia, si las únicas fuentes posibles de la información son él, Miguel Rodríguez y Pacho Herrera? —preguntó Vargas.

—No tengo ni idea, pero lo que sí me quedó absolutamente en claro —agregó Lesmes— es que al cura le mostraron exactamente los mismos documentos que Edgar y yo vimos, lo que demuestra que Mercedes Guáqueta sí venía de parte de Miguel Rodríguez, pero que éste nunca se terminó de decidir a destapar el escándalo.

JUEVES 22 DE JUNIO

A las 8 de la noche, Lesmes llegó de Barranquilla. La información era buena, pero el cura había puesto gran cantidad de condiciones para su divulgación. Según lo que había visto Hoyos, se trataba de cheques y consignaciones para medio centenar de congresistas. En cuanto a la campaña del presidente Samper, Miguel Rodríguez le aseguró que él y sus socios y amigos reunieron alrededor de 10.000 millones de pesos, que sirvieron para distribuir entre las regiones, pero que también fueron usados para pagar en efectivo cuentas de proveedores y contratos de la campaña. En la grabación escuchada por el cura, Rodríguez y Giraldo mencionaban "al hijo del pintor" y al "señor de los cuadros", para referirse a Botero y a Medina como partícipes en el ingreso de los narcodineros.

—Jorge, yo no sé qué vamos a hacer con esto —dijo Vargas—. Si el cura no autoriza una entrevista con todos esos datos, o si no acepta que lo citemos como fuente, es imposible publicarlos.

Viernes 23 de junio

De nuevo la frustración. *Semana* conocía buena parte de la historia sobre la financiación de la campaña. Entre lo relatado por Medina a Lesmes, lo dicho por David Turbay y Alberto Giraldo a López y a Vargas y lo narrado por Rodrigo Garavito a este último, había con qué reconstruir los principales hechos. Lo del cura no era más que una confirmación no sólo de la historia, sino de la existencia de los documentos que Lesmes y Téllez vieron en la caja fuerte de Mercedes Guáqueta. Pero Garavito tenía razón:

cualquier cosa que se publicara sería desmentida por esas mismas fuentes y la revista no tendría cómo demostrar la veracidad de su relato.

Poco antes de la media noche, López, Vargas, Lesmes, Téllez, Ricardo Ávila y el redactor Hernando Álvarez se enfrascaron en una discusión sobre lo que era viable hacer con la información del cura. En un momento dado pensaron en arriesgarse a que el sacerdote los desmintiera, basados en el hecho de que ya Hoyos había dado algunas puntadas significativas en sus entrevistas de radio durante la semana.

Finalmente, triunfó la prudencia.

—Yo creo que jugarnos el prestigio de la revista por cuenta del cura es una insensatez —dijo Vargas—. La verdad es que Hoyos parece el instrumento de un chantaje del cartel al gobierno. Los narcos se han dedicado a mostrarle a mucha gente, incluidos nosotros, lo que tienen contra Samper, Botero y compañía, y la revista no le puede hacer el juego a semejante locura. A menos que tuviéramos los documentos y fuéramos los dueños de la información. Ahí la cosa ya no sería un chantaje, sino la divulgación de una historia consolidada, con todo y pruebas. Pero hacer esto sin un solo papel es simple y llanamente servir de idiotas útiles del chantaje.

Todos estuvieron de acuerdo y resolvieron reunirse a primera hora del día siguiente para cerrar la revista con un artículo central que criticaba duramente el juego de Hoyos, que, según diría *Semana* en esa edición, "tiró la piedra y escondió la mano". El título de la carátula, que quedó lista a medianoche del viernes, lo decía todo: "El boleteo del cura".

SÁBADO 24 DE JUNIO

Mientras los periodistas de la revista daban las últimas puntadas al informe sobre el padre Hoyos, Fernando Botero llamó a Lesmes por teléfono para decirle que Víctor Patiño Fómeque se acababa de entregar en el batallón de Policía Militar, en el sector de Puente Aranda, al occidente de la capital. Botero había sido testigo presencial de la diligencia1[16].

MARTES 27 DE JUNIO

El cura Hoyos se presentó a declarar esa mañana ante la Fiscalía. El resultado de la diligencia quedó sumido en el misterio. Ningún medio de comunicación logró establecer qué tanto dijo y qué tanto calló sobre lo que vio y oyó en su visita a Miguel Rodríguez.

MIÉRCOLES 28 DE JUNIO

Téllez se reunió hacia las 10 y 30 de la mañana con el abogado Ernesto Amézquita, quien días antes, por

---

[16] En abril de 1996, Patiño fue condenado a diez años de prisión por un juez sin rostro que lo halló responsable de narcotráfico. La Fiscalía apeló la sentencia y en un segundo fallo ésta fue elevada a doce años.

teléfono, le había prometido conversar privadamente sobre el proceso de defensa de Santiago Medina.

—Ustedes no lo saben —le dijo Amézquita— pero hay un gran número de personas, dirigentes políticos y empresarios amigos del Presidente que están dispuestos a jugarse el todo por el todo para que Samper salga bien librado de lo que está pasando. Ellos están siendo coordinados por Horacio Serpa, con quien yo me reúno de manera permanente para examinar cuál es el estado del proceso contra Medina y las posibilidades de que la Fiscalía lo enrede.

—Pero, ¿a usted le paga Medina? —le preguntó Téllez.

—No, hay unos honorarios por ahí pero eso no es lo importante —contestó el abogado—. La clave está en que si yo logro que Medina salga libre y limpio ante la Fiscalía, me gano una buena platica porque esa gente de la que le hablo me pagaría en ese caso una especie de bono, un premio. Medina ha sido muy claro: si a él lo embolata la Fiscalía, cuenta todo lo que pasó en la campaña y mi misión, según lo que he conversado con Serpa, es evitar que eso suceda.

Téllez estaba muy impresionado. Según lo planteado por Amézquita, el Ministro del Interior[17] parecía tener la tarea de evitar que Medina hablara.

---

[17] El cargo de Horacio Serpa, hasta ese momento ministro de Gobierno, acababa de cambiar de título tras la sanción de una ley que reestructuraba su cartera y la rebautizaba con el nombre de ministerio del Interior.

—Si eso es verdad, me parece gravísimo —comentó Vargas medio en broma—. En Estados Unidos, se llama obstrucción a la Justicia. Aquí en Colombia, encubrimiento. Y en ambos países se paga con cárcel.

A la 1 y 10 de la tarde, el ministro de Comunicaciones Armando Benedetti llegó a *Semana* para almorzar a solas con Vargas. Benedetti había sido un muy buen amigo de Germán Vargas, padre del director de la revista, en Barranquilla, la tierra de ambos, y mantenía con su hijo una relación ambivalente: compartían recuerdos de esa ciudad, pero con gran facilidad se descubrían ubicados en orillas opuestas en toda clase de temas, especialmente los políticos. Pero ese día, un par de whiskies y una botella de vino blanco garantizaron que primara la franqueza y que la conversación resultara especialmente interesante.

Vargas le aseguró al Ministro que aunque el escándalo por la financiación de la campaña seguía aflorando a cada instante, la captura de Gilberto Rodríguez le dio a Samper una gran legitimidad para resistir los golpes que pudieran venir.

—Sí, pero aun así el cartel conserva una inmensa capacidad de chantaje y perturbación —respondió Benedetti.

—Armando, ¿qué crees tú que pasó en la campaña? —le preguntó Vargas con el tuteo que distingue a quienes comparten las raíces barranquilleras.

—Pues que la plata entró —contestó el Ministro sin el menor asomo de duda—. Y entró mucha plata, no sé si toda la que dicen, pero muchísima.

—Y ¿por qué entró? —preguntó Vargas— ¿Quién lo permitió?

—Hubo muchas ligerezas —respondió Benedetti—. Te aclaro que yo estoy convencido de que el Presidente es inocente. Puede que él y Botero hayan sido ligeros en la escogencia de Medina, pero el Presidente es inocente. Lo que yo no sé muy bien es hasta dónde piensa ir el Fiscal en sus investigaciones. Yo siento que él está un poco celoso porque no tiene mayor protagonismo en las capturas y entregas.

—Yo no estoy de acuerdo —le contestó Vargas—. Creo que el Fiscal siente que su presión al gobierno ha sido útil para que se llegue a esas capturas y entregas. Y tiene razón.

—Pero ¿qué será lo que busca? —preguntó Benedetti.

—Pienso que él no tiene más remedio que ir hasta donde lo lleven las pruebas y los testimonios —contestó Vargas—. Eso depende mucho de Medina. Ahora, si me preguntas hasta dónde desearía ir, yo creo que él quisiera una explosión de efecto controlado.

—¿A qué te refieres?

—A que si por él fuera, lo ideal sería que el proceso sirviera para limpiar la política y castigar a una serie de personajes claramente comprometidos con el cartel, sin desestabilizar al gobierno —dijo Vargas.

—¿Y crees que llegaría a tocar a alguien del gobierno?

Era obvio que Benedetti hablaba de Botero.

—Te repito que todo eso depende de Medina.

JUEVES 29 DE JUNIO

A las siete de la noche y mientras Vargas y Lesmes hacían esfuerzos desesperados por conseguir una copia de la declaración del cura Hoyos ante la Fiscalía, Edgar Téllez apareció con una bomba entre las manos.

Un grupo de altos oficiales del Ejército, encabezados por el comandante de esa fuerza, el general Harold Bedoya Pizarro, había preparado un documento, fechado el 22 de junio, sin precedentes en la historia reciente del país. Se trataba de un memorando, cuya copia Téllez tenía ya en su poder, en el cual el alto mando del Ejército cuestionaba la intención del gobierno, y en especial del ministro Serpa y el comisionado de paz, Carlos Holmes Trujillo, de desmilitarizar el municipio de La Uribe, entre Meta y Huila, la zona de la cual el mismo Ejército había desalojado a punta de bala al secretariado de las FARC en diciembre de 1990, a comienzos de la administración de César Gaviria.

En los más recientes contactos con el gobierno de Samper encaminados a iniciar una negociación, las FARC habían puesto como condición el desalojo militar del extenso territorio de ese municipio, y el Presidente y su comisionado de paz parecían dispuestos a ceder en ese punto. En mayo Samper había dicho en un discurso en Bucaramanga que no veía problema en desalojar toda el área rural de La Uribe y concentrar, sólo con armamento defensivo, al Ejército en la cabecera.

El documento no se limitaba a plantear dudas de tipo constitucional, legal y estratégico sobre dicha desmilitarización. Lo más venenoso del memorando era que el comando del Ejército pedía que fuera el propio Presidente, en su calidad de comandante en jefe de las Fuerzas Armadas, quien precisara por escrito los alcances de la orden de desmilitarización, bajo el supuesto de que el Jefe del Estado "tiene competencia para adoptar este tipo de procedimientos, sin que se afecte ninguno de los bienes jurídicos de cuya defensa está encargada la Fuerza Pública"[18].

—¿Quién le entregó esa bomba? —preguntó Vargas.

—Un abogado que conocí hace años como asesor del ministerio de Defensa, y que ayudó con otros colegas suyos a los generales en el análisis y redacción de los aspectos jurídicos del memorando —respondió Téllez—. Bedoya le entregó el memo hace 8 días al comandante de las Fuerzas Militares y éste se lo pasó al ministro Botero, quien lo tiene engavetado como si fuera una verdadera papa caliente. Los cuatro comandantes de división del país fueron testigos de la entrega y firmaron un documento adjunto sobre la misma.

—Mañana no lo quiero ver aquí —le dijo Vargas—. Consiga todas las opiniones posibles de altos oficiales. También tenemos que buscar la reacción de Botero, pero eso no va a ser fácil, pues está de vacaciones en la villa de su padre en Pietra Santa, en Italia.

---

[18] *Semana*, julio 4 de 1995, sección Nación.

VIERNES 30 DE JUNIO

Hacia las ocho de la noche, Téllez llegó a *Semana* tras culminar su ronda de consultas. En la oficina de Vargas estaban Felipe López y el ex ministro y periodista Alberto Casas Santamaría, uno de los consejeros de la revista a quien el director y el presidente de la revista más acuden y más atienden. Casas leyó el memorando de Bedoya sin que Vargas ni Téllez le advirtieran previamente de qué se trataba.

—Este es el documento más duro y delicado redactado por un mando militar desde la caída del general Rojas —dijo—. Esto puede costarle la cabeza a Bedoya...

—Yo no creo —interrumpió Vargas—. El gobierno está debilitado por las expectativas de que estalle el escándalo de la financiación y yo creo que los militares saben mucho del tema y hasta de pronto tienen documentos que no le han pasado a la Fiscalía. El hecho es que se sienten capaces de medirle el aceite a Samper con ese memo.

—Bueno —asintió Casas—. Sea como sea, es una chiva muy grande. Y si lo que ustedes dicen sobre el conocimiento que los militares tienen de lo que pasó en la campaña es verdad, entonces quien debe estar temblando no es Bedoya sino el Presidente.

LUNES 3 DE JULIO

Samper evidenció ese día festivo su molestia por la divulgación del memorando en *Semana,* tema al que la revista le había dado carátula bajo el título "Ruido de sables". En un discurso en la base naval en Cartagena, resumió sus opiniones sobre el asunto con lo que llamó "tres sencillas palabras: aquí mando yo". Según le contó su consejero Juan Fernando Cristo a Vargas, la víspera el Presidente le había ordenado a Botero que regresara de Italia para hacerle frente al lío que estaba formado.

—Yo creo que va a sacar a Bedoya antes de 48 horas —agregó Cristo—. No hay derecho a lo que el tipo está haciendo; está jugando al golpe militar.

Martes 4 de julio

Después de 48 horas de tensiones y rumores derivados de la publicación del memorando en *Semana*, y mientras las apuestas estaban casi todas en favor de la salida del comandante del Ejército, hacia las seis de la tarde concluyó una cumbre de generales en el Palacio de Nariño, con asistencia del Presidente y de Botero. Samper se había calmado. Era obvio que había percibido una gran solidaridad con Bedoya en la alta oficialidad y había comprendido que el palo no estaba para cucharas. Bedoya se quedaba, era la conclusión de la reunión, según lo divulgado por los reporteros radiales desde Palacio. Y la desmilitarización de La Uribe pasaba a ser estudiada por el alto gobierno con gran cuidado, junto con todos y cada uno de los puntos tocados en el memorando del Ejército.

—La crisis ha sido superada y me atrevo a decir que nunca existió —dijo Botero a los medios en una improvisada rueda de prensa.

A pesar de su ambigüedad, la frase —y el hecho de que no se anunciaran cambios en la cúpula— permitía concluir que Bedoya salía bien librado del trance y que los militares habían desafiado al Presidente y ganado la partida[19].

El director de la Policía, el general Serrano, también terminó la jornada como ganador. Sus hombres capturaron a las 7 y 55 de la noche, en el restaurante Carbón de Palo, al norte de Bogotá, a José Santacruz Londoño, después de un sofisticado operativo de seguimiento dirigido por el mismo coronel que había logrado un mes antes la captura de Gilberto Rodríguez.

MIÉRCOLES 5 DE JULIO

Después de conversar esa noche con un oficial retirado de la Policía, que cumplía por aquellos días labores de asesoría al Bloque de Búsqueda y que le estaba contando algunos detalles sobre la captura de Santacruz, Téllez se animó a narrarle la historia de Mercedes Guáqueta y la gran similitud entre lo que el cura Hoyos decía haber visto en manos de Miguel Rodríguez y lo que él y Lesmes habían visto en poder de esa señora.

---

[19] Las posibilidades de desmilitarizar incluso un pequeño sector de La Uribe desaparecieron del discurso gubernamental. Y con ello, la suerte del proceso de conversaciones con la gue-

Al precisar la dirección del apartamento en el conjunto residencial Parque Central Bavaria, donde los dos periodistas habían sostenido sus últimas reuniones con Mercedes Guáqueta, el oficial retirado le confió a Téllez que según informes de inteligencia parecía tratarse de una propiedad de Julián Murcillo Posada, sindicado de ser uno de los más importantes testaferros del cartel de Cali. El inmueble, dijo, fue allanado días antes en una serie de operativos del Bloque de Búsqueda en Bogotá.

Después de varios días de fracasos en su intento por retomar contacto con Santiago Medina, finalmente Lesmes logró esa noche reunirse con el ex tesorero de la campaña para tomar un trago.

—Estoy fresco como una lechuga —le dijo Medina, a pesar de que sus nervios por momentos lo delataban.

Según él, Botero y el Presidente le habían dicho que ellos ya habían "arreglado todo" con el Fiscal y que a él no le iba a pasar nada.

—Creo que me van a llamar a declarar —agregó— y que luego todo va a quedar resuelto. Esta pesadilla se va a terminar por fin.

—¿Y qué hizo con los documentos? —le preguntó Lesmes.

---

rrilla —al que, por lo demás, casi nadie le apostaba— quedó sellada. Pocas semanas después, el Alto Comisionado de Paz, Carlos Holmes Trujillo, renunció a su cargo y viajó a Washington como nuevo embajador ante la OEA.

—Se los entregué al Presidente. Él me dijo que si yo conservaba todo eso, mi seguridad podía peligrar.

Fue una conversación desordenada y confusa. Lesmes le preguntó qué había pasado finalmente con la plata que reclamaba Víctor Patiño y el ex tesorero le aseguró que el gobierno había arreglado con él devolverle cerca de 300 millones de pesos y que, con base en eso, el tipo había aceptado entregarse.

—El gobierno le hizo saber a Patiño y a todos los demás —dijo Medina— que se entregaran tranquilos, que finalmente el Fiscal se va a retirar en marzo del año entrante y que en la nueva terna el Presidente va a incluir personas del perfil de De Greiff, para que se abra camino una salida jurídica que les resuelva los problemas. Pero no me pregunte nada más, porque a mí ya se me olvidó todo lo que pasó en la campaña.

—Déjeme serle sincero —contestó Lesmes—, a usted lo van a fregar.

—Mire Jorge, yo ya sé que usted no viene aquí sino a asustarme a ver si le cuento lo que, le repito, ya se me olvidó.

Lesmes y Vargas estuvieron de acuerdo esa noche, al comentar la reunión, que alguien estaba diciendo mentiras. Les pareció extraño que el Fiscal estuviera negociando con el gobierno y creyeron en cambio que Samper y Botero estaban engañando a Medina con el cuento de que habían "arreglado todo" con Valdivieso.

JUEVES 6 DE JULIO

Vargas llegó a las tres de la tarde a la Fiscalía para cumplir una cita con Valdivieso. Apenas entró al despacho blindado frente al Parque Nacional, cerca al centro internacional de Bogotá, le contó los detalles de la conversación entre Medina y Lesmes.

—Todo eso es una mano de mentiras —contestó el Fiscal evidentemente molesto—. Tal vez lo que buscan al presentarme como un aliado que ya arregló todo con ellos es desalentar a quienes quieran contarle algo a la Fiscalía.

Vargas le preguntó entonces por dos asuntos. El primero, la declaración del cura Hoyos. Y el segundo, la existencia de un libro dedicado por Samper en tiempos de la campaña a Tulio Enrique Murcillo, que habría sido encontrado en un allanamiento a oficinas de su hermano Julián Murcillo. El Fiscal se negó a hablar de estos temas.

—¿Y usted cree que yo le voy a andar comentando las diligencias de la investigación más delicada en muchos años en este país? —le dijo con franqueza a Vargas—. Aunque muchos no lo crean y digan que estamos arreglando con el gobierno por debajo de la mesa, nosotros vamos a llegar hasta donde nos lleven las evidencias.

Ante la insistencia de Vargas por conocer al menos algún detalle de los avances de las averiguaciones, el Fiscal lo cortó de plano y le dijo que lo disculpara porque debía atender a otros visitantes.

Viernes 7 de julio

Por fortuna, había otras fuentes un poco más generosas que el Fiscal General. Lesmes y Téllez habían establecido contacto en esos días con una abogada a quien el jefe de investigación conocía desde sus tiempos de redactor judicial de *El Tiempo,* cuando ella trabajaba en un juzgado de instrucción. Desde hacía un par de años la abogada estaba dedicada a litigar, al frente de una pequeña pero próspera oficina independiente. La ventaja era que parecía tener excelente acceso a los secretos de las investigaciones de la Fiscalía sobre la financiación de la campaña, pues, según Téllez, era muy cercana a dos de los miembros de la comisión de fiscales sin rostro que investigaba el proceso 8.000 y a un par de abogados vinculados al mismo. Los dos periodistas se habían reunido con ella días atrás, pero sólo ese viernes la abogada produjo una primera demostración de su valor como fuente.

—Nos entregó una copia de la declaración del cura Hoyos —le contó Téllez a Vargas—. Al principio sólo quería que la leyéramos y tomáramos apuntes, pero Lesmes la convenció con un argumento entre serio y chistoso.

—¿Qué le dijo? —le preguntó el director a Lesmes.

—Que si no nos entregaba copia de la declaración, usted nos iba a botar de *Semana* y que para mí eso era muy grave porque mi esposa acababa de tener un bebé. A ella le dio risa, dijo que no la tomáramos por boba y accedió a entregar la copia.

La abogada les dijo al terminar la reunión que ella trataría de seguir obteniendo información, en la medida en que mantuviera su nivel de acceso a la comisión de fiscales y a los dos abogados. Pero por lo delicado de la tarea, definió algunas reglas de juego. La primera, bastante obvia, que su nombre nunca apareciera. La segunda, que algunas veces no podría darles la información solicitada aunque la conociera, porque no se podían perjudicar las investigaciones. Y la tercera, que como Lesmes y Téllez le habían dicho que sospechaban que desde hacía algunas semanas agentes de seguridad los seguían a todas partes, las reuniones tendrían que ser acordadas en lugares seguros y secretos. Ella propuso un bar del centro de la ciudad, cuyo dueño era de su entera confianza y podría asignarles una mesa al fondo del salón, detrás de un biombo.

—Cuando me necesiten, no me llamen ni a mi oficina ni a mi casa —les recomendó—. Pónganme un mensaje de bíper y yo les contesto por otra vía, desde cualquier teléfono distinto a los míos.

Parecía el principio de una fructífera relación. Pero una vez conseguida la declaración juramentada del cura ante los fiscales, las cosas no marcharon el viernes como Vargas, Lesmes y Téllez esperaban. El cura decía en su relato ante la Fiscalía que en el casete que lo había puesto a escuchar Miguel Rodríguez, éste y Giraldo hablaban del "hijo del pintor" y del "señor de los cuadros" como las personas a quienes Samper había confiado la tarea de hacer los contactos para la entrega de la plata del cartel con destino a la campaña. Le llevaron entonces el tema al presidente de la revista, Felipe López, con la propuesta de publicar la declaración de Hoyos y entrevistar a Botero y a Medina para que respondieran por las referencias a ellos que, según el cura, contenía el casete.

López llamó a Botero a Pietra Santa, en Italia, a donde el Ministro había regresado en plan de vacaciones tras un viaje relámpago a Bogotá para enfrentar la crisis derivada de la publicación por parte de *Semana* del memorando del general Bedoya. El presidente de la revista enteró al Ministro de lo que sus periodistas habían conseguido y le pidió una declaración al respecto.

—Felipe, por favor, no vayan a publicar eso —le dijo Botero—. Ya *Semana* me obligó a cortar mis vacaciones con lo del memo de Bedoya. No me hagan ese mal otra vez. Todo esto no es más que un chantaje, un montaje; el cartel está respondiendo así a la persecución. Ustedes le harían mucho daño a Colombia si lo sacan. Además, acabarían de un solo golpe con mi carrera, y les aseguro que todo sería por algo muy injusto. Ustedes mismos destaparon el chantaje del cura. No le hagan ahora el juego.

López discutió largamente con Botero. Le insistió en que era mejor "coger el toro por los cuernos", pues tarde o temprano la declaración saldría publicada en algún medio. El Ministro le respondió que su obligación era responder las aseveraciones de Hoyos exclusivamente ante la Fiscalía y que no podía por ello anticipar ningún concepto a *Semana* basado en la filtración de un documento reservado. Finalmente, Botero acudió a consideraciones de amistad para conmover a López. Éste le encontró algo de razón y optó por no publicar la declaración del cura. Vargas, Lesmes y Téllez se indignaron.

—El del chantaje es Botero —dijo Vargas—. La declaración de Hoyos es noticia aquí y en Cafarnaún. Una cosa era el cuento que el cura le echó a Lesmes en Barranquilla en relación con el cual no se dejaba citar, y otra muy distinta una declaración juramentada ante la Fiscalía. Es muy grave que él diga que Miguel Rodríguez le dejó oír un casete en el que él y Giraldo hablan de Botero en tiempos de la campaña como "el hijo del pintor" y de Medina como "el señor de los cuadros". Claro que el cartel los está chantajeando, y eso también habría que decirlo en el artículo; pero si los está chantajeando es porque tiene con qué hacerlo.

La discusión de la cúpula de *Semana* duró cerca de dos horas en la oficina de López. El presidente de la revista terminó reconociendo que Botero se la había ganado de mano y que había que aceptar esa derrota.

—Esto es un desastre —aseguró Vargas—. Nosotros como unos imbéciles jugando a que de pronto nos peguen un tiro por andar averiguando lo que pasó en la campaña, y cuando por fin tenemos un documento que nos permite avanzar aunque sea un poco, Botero le monta a usted un chantaje sentimental de amigo.

—Yo no sé, Felipe —intervino Téllez—. Si esto no se publica yo creo que hasta aquí llegamos nosotros con las averiguaciones. En lo que tiene que ver con el tema de la financiación de la campaña, yo no creo que valga la pena que sigamos metiéndonos nosotros tres en semejante lío para no publicar nada. Nos estamos quedando con el pecado y sin el género, y en una de ésas nos vamos a ganar un plomazo.

López se sentía realmente amargado. Estaba tan muerto de ganas de publicar la declaración del cura como Vargas, Lesmes y Téllez. Y sentía que Botero le había dado tres vueltas en la charla telefónica. Hizo dos llamadas más a Pietra Santa para convencer al Ministro de que cambiara de opinión.

—Esperen una semana —le rogó Botero—, para permitirme por lo menos que yo me pueda defender allá. Yo regreso el martes o miércoles, ustedes me dejan ver la declaración y yo les doy una opinión.

Vargas consideró que Botero estaba tratando de ganar tiempo y que no había razón alguna para no enviarle por fax copia de la declaración a Italia, y que en un par de horas, o incluso el sábado en la mañana, el Ministro emitiera sus opiniones. Pero todo fue en vano. López no cedió y el director, el jefe de redacción y el jefe de investigación creyeron que hasta ahí habían llegado sus averiguaciones sobre el 8.000.

—Ustedes no pueden dejar de investigar —les dijo López—. Ése es un trabajo muy avanzado. Nadie ha averiguado más, nadie sabe más, nadie tiene mejores fuentes que ustedes. No pueden ahora dejar todo botado.

—Podemos perfectamente —dijo Téllez—, porque no vale la pena investigar para luego de haber matado el tigre asustarse con el cuero. Sobre todo porque esto no es un juego; ya varias personas nos han advertido que alguien nos va a terminar jodiendo...

—Les garantizo —lo interrumpió López— que lo próximo que me traigan se publica sin una sola discusión, exactamente en los términos en que ustedes quieran.

—Vea Felipe, con todo respeto —le respondió Lesmes—: yo no le creo eso a usted ni porque me lo ponga por escrito.

Antes de comenzar a decir cosas de las que luego nadie pudiera devolverse, los tres periodistas se retiraron de la oficina de López y se concentraron en cerrar la edición, dedicada a los éxitos de la Policía en el desvertebramiento del cartel de Cali, a los que se sumaba en las últimas horas la detención de Julián Murcillo Posada[20], sindicado de ser el más importante testaferro de los Rodríguez Orejuela. Las tres páginas que iban a contener la declaración del cura y las reacciones de los implicados, fueron eliminadas y cedidas al informe de carátula sobre los golpes al cartel.

Sábado 8 de julio

Confirmando con ello el buen momento que vivían las autoridades en materia de capturas y entregas de cabecillas de los carteles de Cali y del norte del Valle, Phanor

---

[20] Julián Murcillo Posada fue llamado a juicio en marzo de 1996. La Fiscalía lo acusó de enriquecimiento ilícito y testaferrato. A fines de octubre, esperaba la resolución de algunos recursos interpuestos por él, de los cuales dependía el inicio de la audiencia.

Arizabaleta Arzayús[21], figura destacada de la organización de la capital vallecaucana, se entregó en las instalaciones del DAS en Bogotá.

LUNES 17 DE JULIO

Hacia las seis de la tarde, López entró a la oficina de Vargas para preguntarle si sabía algo de la declaración que Medina había rendido ese día ante la Fiscalía. Era la primera vez que el presidente y el director de *Semana* hablaban del proceso 8.000 desde la discusión del viernes 7 sobre la publicación de la declaración de Hoyos.

—No tengo idea de qué dijo —contestó Vargas—. Además, de qué nos sirve saberlo si igual no lo publicaríamos.

—Mire Mauricio, dejen ese cuento —respondió López—. Yo publico lo que me consigan, se los garantizo. ¿Ustedes creen que yo no estoy tan escandalizado con todo esto como ustedes? ¿No creen que yo me muero de ganas de averiguar qué demonios fue lo que pasó en la campaña, cuánta plata entró exactamente, quién sabía y quién dio la orden de aceptar esa plata?

---

[21] Phanor Arizabaleta Arzayús, de 54 años, es, según las autoridades, el quinto hombre en la estructura del cartel de Cali. Casado en dos ocasiones, tiene cinco hijos. La Fiscalía lo procesa por narcotráfico, enriquecimiento ilícito y secuestro extorsivo.

—Creo que está escandalizado, pero creo que le encantaría que fuera otro medio el que destapara todo —contestó Vargas.

—Pues a veces sí pienso que preferiría no arriesgar a *Semana* en todo eso, pero si toca publicar, lo hacemos.

—En todo caso no tengo ni idea de qué haya dicho Medina —respondió Vargas con frialdad.

—Cualquier cosa, me avisa —se despidió López.

MARTES 18 DE JULIO

Juan Gossaín, quien desde hacía algunas semanas había comenzado a divulgar en sus informes confidenciales de Radiosucesos RCN en las noticias de la mañana datos exclusivos sobre el 8.000, todos ellos acertados, soltó esa mañana una verdadera bomba: los fiscales sin rostro le habían mostrado al ex tesorero de la campaña un cheque por 40 millones de pesos de Comercializadora La Estrella, una de las empresas de fachada del cartel, girado a nombre suyo. La Fiscalía tenía pruebas de que el cheque había sido endosado y enviado por el entonces tesorero de Samper a los coordinadores de la campaña en Cali, quienes habían destinado esos recursos a gastos del día de las elecciones de la segunda vuelta. Era simple y llanamente la primera prueba clara de que dineros del cartel habían servido para financiar cuando menos una pequeña parte de los gastos de la elección del Presidente de la República. Aunque la cifra era insignificante frente al costo que había tenido la campaña, 40 millones eran 40 millones.

Viernes 21 de julio

Vargas llegó temprano a su oficina. Como el jueves había sido festivo, era evidente que las tareas del cierre de edición iban a ser pesadas. Hacia las 9 de la mañana, Lesmes y Téllez subieron al quinto piso a contarle que, según la abogada, Andrés Talero iba a declarar ante la Fiscalía en esos días. La fuente no conocía mayores detalles, pues el asunto se estaba manejando en medio de un enorme sigilo.

—La declaración debe servir de base a nuevas preguntas que le van a hacer a Medina —dijo Téllez.

—Si Talero le cuenta a la Fiscalía todo lo que le dijo a Ricardo Ávila hace algunos meses, sobre lo que Medina le había revelado de la financiación de la campaña, esto se va a poner muy caliente —anotó Vargas.

—En todo caso, muy verraco Talero jugársela así —anotó Lesmes—. Si lo hace, estaría desenredando y desvarando todo el proceso. Y de paso, jugándose la vida.

Los tres periodistas resolvieron activar sus antenas en espera de que se confirmara la declaración de Talero ante la Fiscalía[22].

----

[22] La información de la abogada contenía un pequeño error, pues Talero no estaba a punto de declarar, sino que ya lo había hecho la víspera. El ex cónsul en Miami relató ante los fiscales todo lo que Medina le había contado en octubre de 1994, sobre la forma como el cartel de Cali financió buena parte de los gastos de la campaña samperista. La declaración de Talero fue definitiva para destrabar el proceso investigativo.

—El problema es que, si llega a darse y la conseguimos, Felipe no se atrevería a sacar esa información —anotó Lesmes.

—No crean —dijo Vargas—. Esta semana yo lo he visto bastante arrepentido de lo que pasó con la declaración del cura Hoyos.

Hacia las 4 de la tarde, un oficial de inteligencia del Bloque de Búsqueda, ante quien Lesmes y Téllez se habían venido quejando porque a pesar de ser un viejo conocido suyo no les había suministrado información valiosa en los últimos meses, apareció con las manos cargadas con una joya informativa que le permitía a *Semana* no limitar el cubrimiento del narcoescándalo en ese número a los hechos ya conocidos por la opinión sobre el cheque de 40 millones a nombre de Santiago Medina, tema que en todo caso ocupaba cuatro páginas de la sección Nación.

En una reunión a puerta cerrada en la oficina de Lesmes, el oficial contó a los tres periodistas los detalles del fracasado intento por capturar a Miguel Rodríguez en un operativo en el edificio Colinas de Santa Rita, al occidente de Cali, el sábado anterior.

—Fue algo bastante absurdo —se lamentó el oficial—, pues Miguel Rodríguez estuvo casi medio día encaletado en la pared falsa de un baño y no pudimos atraparlo. Le metimos taladro a la pared, porque teníamos un informante que nos aseguraba que el hombre estaba ahí. Pero todo fue en vano. Volteamos patas arriba ese apartamento. El propio general Serrano y un par de agentes de la DEA[23] que le estaban dando respaldo técnico al operativo nos acompañaron casi toda la tarde y parte de la noche. Revisamos los planos, desmontamos una biblioteca, golpeamos cada baldosín del baño y de la cocina para tratar de ver si sonaba hueco. Hicimos todo lo que dicen los manuales y mucho más. Pero, después de diez horas, desistimos. Al día siguiente, cuando volvimos al lugar, descubrimos que en efecto había una caleta en la pared del baño. Encontramos en ella una muda de ropa de Miguel Rodríguez, un tanque de oxígeno que agotó mientras se mantenía escondido y una toalla ensangrentada, pues al parecer lo herimos con el taladro. Lo único que obtuvimos al final de todo fue un pesado maletín de cuero, que estaba escondido en el doble fondo de un viejo escritorio. Fue necesario traer un carpintero en plena noche para que desbaratara el mueble. El maletín tenía una relación de más de 2.000 pagos de Miguel Rodríguez a sus empleados, a su novia, la ex reina Marta Lucía Echeverri, a jugadores del equipo de fútbol América de Cali y a un número grande de nombres que parecen corresponder a congresistas.

El oficial traía consigo copia de una relación de cheques elaborada a mano y de un listado de computador que registraba más pagos. Lo más interesante, como era

---

[23] Meses después el general Serrano les contó a los autores que pensaba que la presencia de los dos agentes de la DEA había sido una verdadera suerte, pues de lo contrario esa agencia del gobierno estadounidense no habría vuelto a creer ni en el general ni en sus hombres de confianza. "Habrían pensado que nos torcimos y que Miguel Rodríguez nos compró", aseguró el director de la Policía.

obvio, era la lista de cheques asignados a apellidos que coincidían con los de una serie de dirigentes políticos sobre cuya vinculación con el cartel existía alguna sospecha. En el listado de computador, aparte del nombre del beneficiario, del número del cheque, de la cantidad y del destino de la consignación, aparecía una justificación del egreso. En unos casos decía solamente "Gastos", en otros "Mensualidad" y en otros "Navidad" o "Prima" o incluso "Prima de Navidad". Era escandaloso: el documento parecía indicar que aparte de haber ayudado a la financiación de sus campañas, Miguel Rodríguez giraba cifras periódicas a esos políticos.

El problema radicaba en que en la mayoría de los casos sólo estaba registrado el apellido y no el nombre y no resultaba fácil hacer señalamientos con esa limitación. La ventaja era que el oficial también tenía un listado de la agenda telefónica de Miguel Rodríguez, en la cual aparecían muchos de los nombres de la lista de pagos, copiados con las mismas iniciales y apellidos, como si la tarea de manejar el computador y la agenda telefónica hubiera sido desarrollada por la misma persona.

—Lo que tenemos que hacer —les dijo Vargas a Lesmes y a Téllez— es llamar a esos teléfonos y si el número corresponde al político que parece listado del mismo modo en la relación de cheques, entonces es válido publicar que las autoridades van a investigar si esas personas se beneficiaron con esos pagos.

—Y una vez que estemos seguros de que puede inferirse una relación —agregó Téllez—, llamémoslos directamente para que se defiendan.

A eso se dedicaron los periodistas de *Semana* la noche del viernes. Pero fue imposible terminar. El cierre de la edición quedó aplazado para el sábado.

—Oiga Mauricio —le dijeron Lesmes y Téllez antes de irse a sus casas pasada la medianoche—. Esos listados son idénticos a los que nos mostró Mercedes.

—Eso sólo querría decir una cosa —concluyó Vargas—: que el cartel había decidido poner sus cuentas en orden y que quería reventar el escándalo en marzo, cuando Mercedes nos buscó. Pero por alguna razón que desconocemos, se echó para atrás.

SÁBADO 22 DE JULIO

Pasadas las tres de la tarde, casi todos los dirigentes políticos del listado habían sido entrevistados. Entre otros estaban, la polémica senadora boyacense María Izquierdo, quien ya era objeto de una indagación preliminar en la Corte Suprema por cuenta del traslado de documentos hecho por Valdivieso al alto tribunal a fines de abril. Aparecía con dos cheques por cinco y tres millones de pesos. El senador Francisco José Jattin, quien tenía la mala suerte de contar con un apellido inconfundible, al frente del cual estaba anotado un cheque por 20 millones de pesos, y quien negó cualquier vínculo con los Rodríguez Orejuela. El senador José Ramón Elías Náder, quien también aparecía con un cheque de 20 millones de pesos, y quien le preguntó a Óscar Montes, el periodista de *Semana* que lo entrevistó, si alguien habría cobrado ese cheque a su nombre, porque "yo no fui"; el ex presidente de la cámara baja, Álvaro Benedetti, quien era el supuesto beneficiario de giros por 25 y 20 millones; otro senador, el ex constituyente vallecaucano Armando Holguín, quien aparecía como receptor de un cheque por un millón, y el ex representante Jaime Lara, cuyo apellido se encontraba en la lista al frente de cinco cheques, uno por 20 millones, otro por 10 y tres más por 5 millones cada uno.

Un séptimo nombre puso a dudar a los periodistas de *Semana*. Se trataba del representante por Nariño, Darío Martínez. Su apellido aparecía en la lista extraída de un archivo de computador con la referencia de Pasto, la capital de su departamento y su lugar de residencia. Y su identificación estaba, en esos mismos términos, en el listado de teléfonos de Miguel Rodríguez. El número telefónico correspondía a él. Sin embargo, Martínez había demostrado en sus actuaciones en la Comisión Primera de la Cámara que era uno de los más verticales legisladores en contra de los carteles. Los periodistas de la revista lo buscaron la noche del viernes y la mañana y toda la tarde del sábado. Una y otra vez, su esposa Miriam lo excusó, con distintas explicaciones, de pasar al teléfono.

—¿Qué hacemos? —preguntó Montes a Vargas—. No sé. Yo también tengo buenas referencias de Martínez.

El director de *Semana* decidió indagar con el oficial del Bloque, quien le aseguró que en el análisis de la documentación que ese grupo le estaba presentando a la Fiscalía, sus superiores habían incluido la solicitud de establecer si el cheque relacionado frente al apellido de Martínez, con la referencia a la ciudad de Pasto, había ido a parar al bolsillo del respetado representante.

—Yo creo que estamos obligados a incluirlo en el artículo —dijo Vargas—, pero hagamos un texto muy prudente sobre lo que investigan las autoridades y dejemos en claro que lo llamamos varias veces y no obtuvimos respuesta.

Lunes 24 de julio

Apenas llegó a su oficina, Vargas se encontró con una llamada del representante Martínez. El congresista nariñense estaba desconcertado.

—Esto tiene que ser una trampa de los Rodríguez —le dijo—. Ellos llevan mucho tiempo tratando de sobornarme, de amenazarme, en fin, de conseguir que yo apoye sus iniciativas. Y yo siempre me he opuesto a las normas que promueven sus amigos en la Cámara.

Vargas tuvo la sensación de que Martínez decía la verdad y de que no era el beneficiario del cheque que aparecía en el listado. Fue tal su pálpito, que ni siquiera le reclamó por no haber contestado las repetidas llamadas de la revista. Prometió averiguar en la Fiscalía, y esa misma tarde, tras un par de indagaciones, llamó a Martínez.

—Sólo puedo decirle que cometimos una injusticia descomunal —le dijo Vargas—. Yo no quiero que usted me envíe carta. Esta rectificación la va a hacer *Semana* por iniciativa propia. Y aun así, yo sé que nada de lo que hagamos va a resarcir el daño que le causamos.

Vargas reunió al final del lunes a todo el equipo. Repartió regaños y reclamos a todos los que habían tenido que ver con la verificación del caso de Martínez, pero asumió la mayor culpa, pues él había estado personalmente al frente de las labores el viernes en la noche y el sábado[24].

El caso del representante nariñense amargó profundamente al director y a los periodistas de *Semana*. Pero al caer la noche del lunes tuvieron un consuelo. Una fuente del Bloque de Búsqueda les contó que el viernes en la noche un alto oficial había intentado desaparecer, "por órdenes superiores", los documentos hallados en el maletín para no enviarlos a la Fiscalía. La publicación de *Semana* había evitado que se consumara semejante acto de obstrucción a la justicia.

—Cuando el oficial se enteró de que *Semana* estaba circulando con la información y de que ustedes tenían copias de los papeles —contó la fuente del Bloque de Búsqueda— se asustó de que el escándalo fuera a ser aun mayor si los documentos desaparecían. La preocupación de ese oficial fue tan grande, que se echó para atrás.

—¿Y quién es ese bárbaro? —le preguntó Vargas a la fuente del Bloque.

—Averígüenlo ustedes, porque yo ni loco se los voy a decir. Es un tipo muy peligroso con un viejo historial de corrupción.

---

[24] En la siguiente edición y con amplio despliegue, *Semana* rectificó la información sobre Martínez y adjuntó una constancia de la Fiscalía en el sentido de que el representante no era objeto de indagación alguna.

MIÉRCOLES 26 DE JULIO

A las dos de la tarde, Lesmes llegó a la casa de Santiago Medina, quien lo había llamado de urgencia 10 minutos antes.

—Yo no aguanto más, me quiero reventar, todo ha sido un engaño —le dijo.

—Si quiere hagamos ya una entrevista —le respondió Lesmes.

—No hombre, yo necesito primero hablar con el Fiscal. Ayúdeme a eso y se gana la chiva.

—¿Quiere una cita con el Fiscal ya? —preguntó Lesmes.

—Sí, hoy mismo.

—¿Y por qué no se la pide usted mismo o por medio de su abogado, Ernesto Amézquita?

—No sea bobo Jorge, ¿no ve que Amézquita trabaja es para Serpa y para el gobierno, no para mí?

Lesmes salió de la casa de Medina y recogió a Vargas en *Semana*. Juntos partieron hacia la Fiscalía, donde los esperaba Valdivieso para una cita urgente pedida por los periodistas, que soñaban con la posibilidad de lograr la chiva del año a cambio de conseguirle a Medina una cita con el Fiscal.

—Medina se quiere reventar ya —dijo Lesmes al entrar al despacho del Fiscal hacia la 4 de la tarde.

—¿Sí? —preguntó Valdivieso con aire ingenuo— ¿Y eso cómo sería?

—Pues él quiere contarlo todo, en una cita privada con usted...

—Con ese cuento de la cita privada me tiene desde hace meses, y al final no dice ni una palabra —respondió el Fiscal—. Pero bueno, sería interesante ver de qué se trata esta vez...[25]

La conversación fue interrumpida por una llamada al teléfono privado del despacho. Valdivieso pronunció unos cuántos monosílabos y colgó.

—La noticia se va a conocer en unos pocos minutos —dijo a los dos periodistas—. Medina acaba de ser detenido por el CTI.

Vargas y Lesmes no permanecieron mucho tiempo en la oficina. Era evidente que el Fiscal les había tomado el pelo, dándoles a entender que no estaba enterado de nada de lo que pasaba con el ex tesorero.

—Se nos fregó la entrevista con Medina —dijo Vargas cuando salieron a la calle.

---

[25] Medina y Valdivieso se habían reunido en tres oportunidades para explorar la viabilidad de un proceso de colaboración del ex tesorero con la Justicia. Según las notas personales de Medina, los encuentros se dieron en medio de un gran secreto el sábado 1o. de abril, en la oficina del Fiscal; el domingo 14 de mayo, en el apartamento de Valdivieso al norte de Bogotá y el martes 20 de junio, de nuevo en el despacho del Fiscal.

—¿Por qué? —preguntó Lesmes.

—Porque de ahora en adelante la Fiscalía no lo va a dejar hablar sino con los fiscales sin rostro.

De regreso a la revista, los periodistas tomaron la ruta de la carrera octava para atravesar el barrio La Cabrera. Hacia las cinco de la tarde pasaron frente a la casa de Medina. Había un verdadero trancón por un par de carros de la Fiscalía y una docena de vehículos de la radio y la televisión. La noticia ya estaba al aire en Caracol y RCN.

Esa misma noche, Lesmes se comunicó con la casa de Medina y conoció algunos detalles de lo sucedido en las últimas horas antes de su detención. El sábado anterior, mientras el ex tesorero se encontraba en su casa de descanso en El Peñón, buscó por teléfono a Botero, quien se preparaba para viajar a los Estados Unidos con el fin de asistir a la cumbre de ministros de Defensa del continente, en la turística población de Williamsburg, cerca a Washington. Allí, mientras en Colombia crecía la tensión, Botero iba a tocar el cielo con las manos al recibir una sonora ovación de los delegados de todo el continente y un elogio personal y público del vicepresidente estadounidense, Al Gore, por los golpes propinados por las autoridades colombianas al cartel de Cali.

En esa charla Medina le dijo a Botero que estaba muy asustado porque varias personas le aseguraban que la Fiscalía lo iba a detener. El ex tesorero le explicó al Ministro que al parecer Andrés Talero había declarado el 20 de julio ante los fiscales y contó muchas cosas que el propio Medina le confió meses antes. El Ministro trató de tranquilizarlo y le volvió a decir que el Presidente y él ya habían "arreglado todo con el Fiscal". Para asegurarse de que Medina le creyera, le envió a Girardot a un emisario, su amigo y colaborador, José Orlando Páez, quien le llevó los números telefónicos de los sitios donde se iba a encontrar durante su permanencia en los Estados Unidos.

Ese miércoles el nerviosismo de Medina iba en aumento, como lo había comprobado el propio Lesmes durante su conversación con el ex tesorero a las dos de la tarde. A las cuatro, Medina buscó al Ministro de Defensa en Washington, pero como sospechaba que las líneas telefónicas de su casa estaban intervenidas, se trasladó al apartamento de una amiga, cerca de su residencia. Cuando logró comunicarse con la capital estadounidense, le contestaron que Botero ya no se encontraba allí y que volvería a las siete de la noche.

Antes de colgar y mientras se despedía de su interlocutor, Medina vio desde la ventana del apartamento de su amiga que varios vehículos del CTI llegaban a su casa.

—¿Y ahora qué hacemos, Santiago? —le preguntó su socio y amigo Edgar Hernández.

—Pues nada —contestó Medina—. Lo mejor es que me entregue.

El ex tesorero de la campaña samperista regresó a su residencia y se presentó ante Hernán Jiménez, el director del CTI de la Fiscalía.

—Aquí estoy, a sus enteras órdenes —le dijo.

Cuando Medina era llevado al DAS en un carro de la Fiscalía, su abogado Ernesto Amézquita, quien lo acompañaba, recibió en su teléfono celular una llamada del ministro del Interior. Serpa pidió hablar con el ex tesorero de la campaña.

—Santiago, tranquilo que nosotros estamos con usted —le dijo—. El Presidente esta muy afanado y vamos a hacer lo que podamos para sacarlo de este problema.

—Yo ya no les creo nada —le contestó Medina a Serpa—. Y dígale al Presidente que mi lealtad termina cuando suba la primera escalera del edificio de la Fiscalía[26].

JUEVES 27 DE JULIO

A las 11 y 50 del día y en medio de la barahúnda informativa que se había desatado desde la detención de Medina, Luz Yolanda, la secretaria del director de *Semana*, le comunicó que lo llamaba el Presidente de la República.

—Señor Presidente, qué días éstos —saludó Vargas.

—Es muy duro, Mauricio, muy duro —dijo Samper—. Llamo para decirle que estoy muy decepcionado, que las revelaciones de éstos días me han impactado muchísimo. Todos los que alguna vez nos lo dijeron[27]

---

[26] Estos detalles sobre la detención de Medina, algunos de los cuales Lesmes conoció esa misma noche, fueron confirmados en octubre de 1996 por el ex tesorero de la campaña durante una conversación con Lesmes y Téllez.

[27] Cuando la campaña samperista designó como su tesorero a Santiago Medina a principios de 1994, varias personas, entre ellas

tenían razón: Medina es un mal tipo. Me lo advirtieron y a mí me tocó descubrirlo. Ese hombre resultó ser un infiltrado del cartel.

—Presidente, con todo respeto —le contestó Vargas—, ¿usted cree que este lío se limita a eso?

—Mire Mauricio, ahora sí que nos tenemos que unir —explicó el Presidente—, pues esos tipos del cartel están muy bravos por los golpes que les hemos dado y van a usar a Medina para enlodarnos. Ustedes no se pueden prestar para ese juego.

—Presidente —le dijo Vargas—, le recuerdo que quienes defendían antes a Medina eran ustedes, no nosotros.

—Sí, nos equivocamos. Yo terminé por descubrir que es un mal tipo. Usted sabe que mi defecto es creer en la gente y a veces me engañan.

El Presidente le anunció que hablaría esa noche por las cadenas nacionales de televisión para advertirle al país que no se extrañara de que, tras los golpes al cartel, se desatara una ola de acusaciones contra su gobierno. Samper y Vargas quedaron de volver a hablar antes del cierre de la edición de *Semana*, que, debido a los acontecimientos, no sería el viernes sino el sábado.

Por la tarde, Vargas se enteró de que el Presidente y sus colaboradores no iban a limitar su estrategia al discurso

---

altos funcionarios del gobierno de César Gaviria, recomendaron a Samper y a Botero que reconsideraran ese nombramiento.

de televisión. Una fuente del gabinete le contó que esa mañana, hacia las seis, Samper había llamado a Cartagena al premio Nobel de Literatura, Gabriel García Márquez, para pedirle que volara de inmediato a Bogotá[28]. El escritor llegó a Palacio a la hora del almuerzo. El Presidente, él, la primera dama Jacquin Strouss y el ministro de Comunicaciones Armando Benedetti, se sentaron a manteles. Samper fue al grano.

—Gabo —le dijo—, quiero pedirte el favor de que hables con el Fiscal, quien te respeta muchísimo. Cuéntale que yo he decidido poner mi caso en manos de la Comisión de Acusaciones de la Cámara para que se encargue de investigarme, pues esa labor no la puede hacer la Fiscalía.

Benedetti, quien había estado conversando en esas horas con el Presidente, entendía que de alguna manera Samper quería insinuarle al Fiscal que procediera con Botero, si lo creía necesario, pero que no se involucrara en su caso, pues ésa era una competencia de la Comisión de Acusaciones. El ministro de Comunicaciones defendía la idea de que los responsables de la campaña, Botero, Medina e incluso Horacio Serpa, debían asumir los costos del escándalo, algo que coincidía con lo que García Márquez había intentado sugerirle al primer mandatario semanas antes.

---

[28] En las semanas anteriores, el novelista y el Presidente habían abordado varias veces el tema del narcoescándalo. García Márquez intentó convencer al mandatario de que si la plata del cartel había entrado a la campaña, él debía sacrificar a los responsables de la misma para salvar a su gobierno. Samper nunca aceptó esa salida, pero valoró mucho las charlas con el escritor.

Esa coincidencia entre el Nobel y el ministro de Comunicaciones los llevó a unir esfuerzos para localizar ese jueves en la tarde al Fiscal. Pero no fue fácil. La fuente del gabinete que mantenía enterado a Vargas de esas gestiones le dijo hacia las siete de la noche que el escritor y el Ministro no habían logrado aún una cita con Valdivieso.

Minutos después, Samper apareció en la televisión y en cadena nacional aseguró que "de comprobarse cualquier filtración de dineros (del narcotráfico a la campaña), su ingreso se habría producido a mis espaldas". Tal como se lo había anunciado esa mañana al director de *Semana*, el Presidente le pidió a la Comisión de Acusaciones de la Cámara que lo investigara.

Pero el ministro Horacio Serpa no parecía sintonizado con su jefe: "La campaña fue absolutamente transparente, todo en ella se manejó transparentemente", dijo impávido ante las cámaras de televisión de los noticieros de la noche, después del discurso del primer mandatario.

VIERNES 28 DE JULIO

Temprano en la mañana Vargas consiguió que su fuente del gabinete le diera nuevos detalles de las gestiones de Benedetti y García Márquez. Se habían reunido la víspera, tarde, con Valdivieso en el restaurante Romano Gallico, en el norte de Bogotá. Serpa, quien en un principio no estaba involucrado en las gestiones, fue quien finalmente localizó a Valdivieso, su viejo amigo y aliado de brega política en Santander. Durante el encuentro, Serpa llevó la palabra y transmitió el mensaje de Samper, lo que llevó a García Márquez a ser testigo casi mudo de la reunión. El Fiscal respondió que la Constitución era clara en cuanto a que la investigación al Presidente debía abordarla la Comisión de Acusaciones y que si en desarrollo del proceso 8.000 surgían indicios o pruebas que pudieran comprometer al primer mandatario, él las enviaría a esa célula de la Cámara.

Para Valdivieso, el caso de Botero era diferente, pues no lo cobijaba el mismo fuero que al Presidente y su proceso seguiría en manos de la Fiscalía.

Benedetti, quien quería indagar con el Fiscal cómo vería él la eventual salida de Botero e incluso de Serpa del gobierno, no pudo hacerlo por la presencia del ministro del Interior. En cambio se limitó a hablar en términos generales de los responsables de la campaña como las personas que debían ponerle el pecho al problema y asumir las consecuencias políticas y jurídicas.

La fuente del gabinete le dijo a Vargas ese viernes que era obvio que Serpa había sido alertado el jueves sobre la tesis del ministro de Comunicaciones y que por eso se involucró personalmente en las gestiones para reunirse con Valdivieso.

—Eso explica —comentó Vargas a Lesmes y a Téllez horas después— que Serpa esté dando declaraciones a diferentes medios contra la Fiscalía y en especial contra Salamanca. Es evidente que quiere quemar cualquier posibilidad de terminar sacrificado en el marco de un acuerdo informal entre el gobierno y la Fiscalía.

Otras informaciones parecían indicar que Benedetti no era el único alto funcionario que defendía la tesis de sacrificar a los responsables de la campaña. Téllez habló ese viernes al mediodía con una fuente del DAS de Cali, testigo excepcional de una conversación telefónica entre el director de ese organismo, Ramiro Bejarano, y el presidente Samper la noche del miércoles tras la detención de Medina.

—Este hombre —le dijo Téllez a Vargas— me asegura que poco antes de las nueve de la noche del miércoles, Bejarano llegó a Cali en un viaje programado de tiempo atrás. Samper lo andaba buscando y, cuando por fin hablaron, parece que el Presidente estaba muy molesto porque ninguna agencia del gobierno le había advertido a tiempo sobre la detención de Medina.

—¿Y Bejarano qué le dijo al Presidente? —preguntó Vargas.

—Pues, según esta persona con la que hablé —contestó Téllez—, le dijo que saliera al ataque, que era hora de golpear a los que desde la campaña habían permitido que pasara lo que pasó, que había llegado el momento de deslindar responsabilidades y que asumieran las suyas quienes habían dirigido la campaña. En resumen, que había que sacrificarlos a pesar de que fueran los más cercanos colaboradores y amigos de Samper, pues su presencia en el gobierno les estaba haciendo daño al Presidente y al país.

Pero Samper no había llamado a Cali a Bejarano para pedirle consejos. Le solicitó que regresara a Bogotá para hablar con Medina, ya que el ex tesorero de la campaña había sido llevado por la Fiscalía a los calabozos del DAS, en la sede central de este organismo en el sector de Paloquemao, en el occidente de Bogotá.

Según Téllez, Bejarano cumplió con la tarea y hacia la media noche del miércoles, tras conseguir un avión de la FAC que lo trajera de urgencia a la capital, se reunió con Medina en el DAS. En la Fiscalía, algunas fuentes que hablaron con Lesmes creían que Bejarano había tratado de convencer a Medina de no enlodar a Botero ni al Presidente.

Vargas se comunicó con Bejarano para conocer su versión de los hechos. Según el director del DAS, fue Medina quien pidió hablar con él.

—Yo acepté —dijo Bejarano—, pues como no estaba incomunicado no vi problema en que habláramos dos o tres minutos. Él me preguntó si yo creía que lo iban a soltar pronto y yo le respondí que pensaba que a uno no lo llaman a indagatoria con captura para soltarlo a las 72 horas. Yo sentí que él estaba tratando de insinuarme algo. Le contesté que si él era culpable, pasara lo que pasara, iba a pagar una pena.

SÁBADO 29 DE JULIO

La víspera, las gestiones de Téllez y Lesmes por obtener una copia de la dedicatoria de Samper, en tiempos de su campaña, del libro *Querido Ernesto* a Tulio Enrique Murcillo, dieron resultado. "Para Tulio Enrique con el aprecio de E. Samper" decía el texto manuscrito del entonces candidato, cuya fotocopia habían conseguido los periodistas.

A la una de la tarde de ese sábado, el Presidente respondió una llamada de Vargas, quien lo había buscado desde temprano para cumplir con lo acordado el jueves en el sentido de hablar nuevamente antes del cierre de edición. Samper había partido el jueves en la noche para Lima, a los actos de posesión del segundo mandato de Alberto Fujimori, y regresó la víspera, casi a media noche. El director de la revista se atrevió de entrada a dar su opinión sobre las declaraciones de Serpa contra la Fiscalía.

—No me gustaron, Presidente —dijo—. En la campaña pasaron cosas muy graves y ni la Fiscalía ni Salamanca tienen la culpa de que eso estalle ahora.

—Le confieso que a mí tampoco me gustaron —respondió Samper—, porque ahora sí que estamos en el peor escenario, con el gobierno y la Fiscalía enfrentados, y los narcos felices.

Vargas le preguntó entonces por la dedicatoria del libro de Murcillo.

—No conozco a ese señor Morcilla o como se llame —dijo el primer mandatario—. Sólo puedo decir que hicimos algunas presentaciones de ese libro en compañía de Fernando Garavito y firmamos muchos ejemplares.

Samper le contó al director de *Semana* que por esa clase de problemas derivados de dedicatorias y cosas así había tenido que suspender el envío de fotos oficiales suyas con su firma a todo aquel que enviaba una carta a la Presidencia solicitando una.

—Usted sabe que eso se ha hecho tradicionalmente —explicó el Presidente—, pero como ya uno no sabe ni quién le escribe, tuvimos que suspender los envíos.

Vargas agradeció las respuestas y Samper le preguntó si iba a publicar lo de la dedicatoria. El director respondió que sí y Samper se quejó por unos segundos, pero luego se hizo evidente que tenía otras preocupaciones, relacionadas en particular con el caso de Fernando Botero y la posibilidad de que la Fiscalía lo llamara a indagatoria.

—¿Cómo analiza usted la situación de Botero? —preguntó Vargas.

—Ustedes en *Semana* lo conocen, al igual que yo, como un hombre honesto, limpio —contestó—. Yo no sé qué tanto sabía él del manejo de las finanzas de la campaña.

—¿Y usted cree que Botero se tenga que ir del ministerio?

—Sería muy grave —respondió Samper—, sería muy grave para él y para todos...

Hacia las ocho de la noche la revista cerró su edición. La carátula hablaba por sí sola: una foto de Medina al salir del edificio de la Fiscalía Regional tras rendir declaración y el titular "Medina tiene la palabra". Adentro, en un informe de diez páginas, *Semana* publicaba por primera vez una crónica —con su respectivo análisis— sobre lo que había pasado en la campaña. Por fin fue posible contar el grueso de la historia. La detención de Medina lo justificaba plenamente. Uno de los recuadros que acompañaban el artículo era la declaración del cura Hoyos, que Lesmes y Téllez habían conseguido tres semanas atrás.

Domingo 30 de julio

Hacia las 9 de la noche Lesmes llamó a Vargas a su casa. Había novedades y muy importantes.

—Medina ya se reventó —dijo el jefe de redacción—. Me acaba de confirmar la abogada amiga nuestra, la que nos dio la declaración del cura y nos contó lo de Talero, que el viernes rindió una declaración que duró casi todo el día. Primero cambió a Amézquita por un defensor que actuó de oficio para la diligencia. Creo que contó buena parte de lo que me había dicho a mí. Comprometió a Botero y a Samper, habló de Elizabeth de Sarria, de cuentas en el exterior y aseguró que el cartel había dado unos 5.000 millones de pesos para la campaña. Además, aportó recibos de todas esas operaciones y muchos documentos más. Si averiguo más detalles, le aviso.

—Lástima —respondió Vargas— que no supimos eso a tiempo. La revista ya está circulando y es tarde para cambiarla.

—Otra cosa —dijo Lesmes—. Me contaron que Botero está indignado con el Presidente por la frase de que las cosas pasaron a sus espaldas. Parece que también le dijeron que hay unos funcionarios sugiriéndole a Samper que lo queme a él e incluso a Serpa. Lo cierto es que cuando Botero supo que el Presidente iba a decir el jueves en su discurso la frase de las espaldas, llamó desde Washington a José Antonio Vargas[29] y le mandó a decir a Samper que si no la retiraban del texto, él asumiría que lo estaban culpando de lo sucedido en la campaña. Según me dijo uno de sus asesores, como no quitaron la frase, volvió a llamar el jueves en la noche a Palacio y ni el Presidente ni nadie le pasó al teléfono. A uno de los funcionarios del ministerio que lo acompañó a Estados Unidos, le comentó: "Me soltaron".

Lesmes contó además que Botero, quien tenía previsto permanecer varios días en Washington, había anticipado su regreso y desde la víspera estaba en Colombia.

—Ayer mismo —agregó— se fue a Palacio a presentar su renuncia, pero Samper no se la aceptó.

—Jorge, ¿usted no cree que Samper tenga miedo de soltar a Botero por lo que él pueda contar? —preguntó Vargas.

—No sé —contestó Lesmes—, pero la pregunta es válida…

—Lo digo porque hasta el viernes, por lo que sabemos de las gestiones de Benedetti y Gabo, el Presidente parecía dispuesto a dejarlo ir.

---

[29] En esos días José Antonio Vargas Lleras, un joven de escasos 30 años, nieto del ex presidente Carlos Lleras Restrepo, ocupaba el cargo de secretario privado de Samper. Meses después se convertiría en secretario general de la Presidencia.

Lunes 31 de julio

La marea del escándalo, que al final de la semana ya estaba bastante crecida, subió aún más ese lunes. A las 11 de la mañana, en el patio trasero del Palacio Echeverri, sede del ministerio del Interior, Horacio Serpa y Fernando Botero recibieron a los periodistas. Según lo que el gobierno había filtrado previamente a los reporteros, la idea de la rueda de prensa era responder a los señalamientos que Medina hizo en su indagatoria ante la Fiscalía.

Pero había un problema: los medios no sabían lo que dijo Medina. O al menos ninguno lo había publicado, a pesar de que estaban circulando muchos rumores sobre la confesión del ex tesorero. De modo que si los ministros querían hablar de eso, tendrían que revelar el contenido de la indagatoria.

Y lo hicieron.

Después de una emotiva intervención de 15 minutos de Serpa en la cual acusó a la Fiscalía de estar filtrando información a los medios sobre el contenido de diligencias judiciales sometidas a reserva, Botero tomó la palabra y empezó a contestar apartes de la indagatoria del ex tesorero de la campaña. Negó que las directivas de la misma le hubieran ordenado a Medina viajar a Cali para recibir aportes del cartel. Negó que Eduardo Mestre y Alberto Giraldo hubieran estado en España a principios de 1993 para definir con Samper, entonces embajador en Madrid, la contribución de los Rodríguez Orejuela. Negó igualmente que la campaña hubiera abierto una cuenta en el exterior para manejar aportes en dólares. Luego acusó a

Medina de estar chantajeando y mintiendo "con el único propósito de enlodar al gobierno, a sus funcionarios...".

La exposición de los dos ministros se desarrollaba sin mayores contratiempos hasta que empezó la ronda de interrogatorio de los periodistas. La primera en dispararles una pregunta con características de torpedo fue la reportera María del Rosario Arrázola, del noticiero QAP.

—Señor ministro del Interior —dijo la periodista—, ¿qué es lo más grave de todo esto: que se filtren informaciones o que se sepa definitivamente que hubo plata del narcotráfico en la campaña del presidente Samper?

Serpa sólo pudo responder una serie de generalidades sobre el debido proceso y la transparencia de las investigaciones. Entonces, Jorge Enrique Botero, reportero del noticiero matinal de televisión BDC, disparó una segunda carga.

—Señor ministro de Defensa —dijo—. Nos acaban de informar de la Fiscalía que una copia de la indagatoria del señor Medina fue sustraída de la Fiscalía el día sábado. Incluso, en este momento hay funcionarios de la Dijin tomando huellas. ¿Cómo se explica usted que si esa indagatoria no se filtró a los medios de comunicación, usted prácticamente nos haya hecho un relato pormenorizado de su contenido?

—El gobierno tuvo conocimiento de ese documento... —titubeó el ministro Botero y giró la cabeza para mirar a Serpa en busca de una respuesta.

—El gobierno conoció un anónimo... —dijo Serpa y también titubeó—. Porque vivimos en el país de los anónimos...[30]

Los ministros habían salido a defender al Presidente, a criticar a la Fiscalía y a responderle a Medina, y lo único que habían logrado era quedar como unos mentirosos.

—Parecían dos niñitos tratando de engañar a la mamá —comentó Óscar Montes al ver las imágenes de la rueda de prensa en los noticieros del mediodía en la sala de televisión de la revista.

—Pero yo creo que la cosa no es sólo un episodio de mentiras —le contestó Vargas—. Lo que es obvio es que ambos ministros querían desbaratar cualquier posibilidad de un arreglo entre la Fiscalía y el gobierno, que se basara en la entrega de sus cabezas.

En el gobierno todos parecían salidos de casillas. Según pudo averiguar Lesmes, el fin de semana los altos funcionarios habían desatado una serie de torpes operaciones destinadas a sabotear la confesión de Medina. Un asesor de Botero, que habló varias veces con el jefe de redacción entre el domingo y el lunes, se las contó, visiblemente preocupado por la forma como el Presidente, el ministro Serpa y su jefe estaban haciendo lo que el asesor llamaba "barbaridades".

---

[30] El anterior relato es transcripción literal de la grabación de la rueda de prensa, tal como la publicó el diario *El Tiempo* del martes primero de agosto de 1995.

—Tras su precipitado regreso de Washington, Botero estaba el sábado en la tarde en *El Tiempo* dando la entrevista que salió el domingo —contó el asesor— cuando lo llamó el Presidente desde Palacio para decirle que lo necesitaba de urgencia, pues habían confirmado que Medina "había cantado".

Según la fuente, mientras Botero iba camino a Palacio se comunicó desde el carro con el director del Instituto Penitenciario y Carcelario, Inpec, coronel Norberto Peláez, para decirle que por razones de seguridad era necesario trasladar a Víctor Patiño de la cárcel de Palmira, en el Valle, a la Modelo en Bogotá.

El asesor también contó que en la Casa de Nariño el Ministro se reunió con Samper y Serpa y se enteró de que éste conocía ya detalles de la indagatoria de Medina a través de un resumen preparado por la delegada de la Procuraduría durante la diligencia. El resumen, de nueve páginas, le fue exigido a ella por el procurador delegado para el Ministerio Público, José Hugo Valdés, quien a su vez se lo envió al procurador general Orlando Vásquez. Éste se encontraba en Girardot, a dos horas de Bogotá, convaleciente de una delicada operación y, según el asesor de Botero, fue quien le hizo llegar el documento al ministro Serpa[31].

Mientras Samper, Serpa y Botero conversaban en la Casa de Nariño, el director del Inpec estudiaba la orden

---

[31] Meses después y por estos hechos, la Fiscalía dictó medida de aseguramiento consistente en caución contra el procurador Valdés.

del ministro de Defensa con respecto a Patiño. El coronel Peláez tenía serias dudas, pues era la primera vez que recibía una instrucción de ese tipo de alguien diferente a su superior inmediato, el ministro de Justicia Néstor Humberto Martínez. Peláez tenía problemas para localizarlo y llamó a Botero para decirle que, debido a ello, no había cumplido la orden. Le explicó además que ese traslado requería una consulta al fiscal general Alfonso Valdivieso, a quien tampoco había podido encontrar.

El ministro de Defensa se exaltó y le dijo al director del Inpec que se trataba de "un asunto muy urgente y por razones de seguridad" y que actuara de inmediato porque era una orden presidencial. Peláez accedió, pero aclaró que el pabellón de alta seguridad de la Modelo estaba saturado de detenidos y que era más recomendable el pabellón de La Picota.

—¿Usted no entiende? —lo interrumpió Botero—. Le estoy diciendo que tiene que ser a la Modelo.

El asesor de Botero le contó a Lesmes que hacia las nueve de la noche del sábado todo había quedado listo para el traslado en un avión de la FAC. Según una fuente del Inpec consultada por Óscar Montes ese lunes en la tarde, cuando los hombres del instituto penitenciario llegaron a la celda de Patiño en la cárcel de Palmira, el detenido estaba preparado, con maleta y todo, para el viaje.

—Ya sé a qué vienen ustedes, a que vaya a Bogotá y calme a Santiago Medina— les dijo Patiño.

La misma fuente le aseguró a Montes que esa historia se había regado como pólvora horas después entre la gente del instituto, y que eso les permitió entender el verdadero objetivo del traslado, que no era otro que reunir a Patiño con Medina, quien desde el jueves había pasado de los calabozos del DAS a la Modelo.

Patiño llegó finalmente a Bogotá pasada la medianoche y, antes de la una de la madrugada, estaba en dicha cárcel. En un pasillo del pabellón de alta seguridad se reunió con Medina y, delante de algunos hombres del Inpec, le dijo que le traía un mensaje.

—Usted se tiene que tranquilizar, hombre —le sugirió—, y no puede perder la cordura.

La fuente del Inpec y el asesor de Botero coincidían en que Patiño tenía como misión convencer a Medina de retractarse de todo lo dicho el viernes a los fiscales sin rostro. Pero, según esos mismos funcionarios, la gestión fracasó.

Debido a ello, el domingo en la tarde Samper, Serpa, Botero, Benedetti, el secretario general de la Presidencia Juan Manuel Turbay y el consejero Cristo, se reunieron en la hacienda presidencial de Hatogrande para revisar el documento de la indagatoria de Medina y definir una estrategia de respuesta.

Samper fue el primero en tomar la palabra y sugirió que, como seguramente la indagatoria saldría en los medios en las siguientes horas, lo mejor era enfrentarla con un duro cuestionamiento a la Fiscalía por las filtraciones que se venían dando de tiempo atrás en el proceso. El Presidente propuso encargarse personalmente de llamar a los directores de los distintos medios de comunicación para descalificar a Medina como un persona "desequilibrada" que buscaba desestabilizar al gobierno, en momentos en que éste estaba golpeando duramente al cartel de Cali.

Serpa intervino para sugerir un ataque más directo contra Valdivieso y Salamanca, y hacerlos ver como responsables de las filtraciones y de la desestabilización derivada de éstas. Entonces surgió la idea de una rueda de prensa para las próximas horas, pero nada se pudo definir porque un incidente desbarató la reunión.

La primera dama, Jacquin Strouss, entró al salón principal de Hatogrande donde se celebraba la cumbre y, en evidente alusión a Botero, le dijo a Samper que "todo esto te pasa por confiar en gente a la que tú consideras leal, y que en cualquier momento te va a traicionar como ya te traicionó Medina". El Presidente y su esposa se retiraron del salón y pasaron a una sala contigua, desde donde se escuchó el ruido de una prolongada discusión que hizo imposible continuar la reunión.

El análisis se reinició el lunes en la mañana. Asistieron los mismos funcionarios que habían estado en Hatogrande la víspera. Pero había un ausente: el ministro Botero, quien sólo fue convocado a Palacio pasadas las 10 de la mañana, cuando terminó la reunión con la decisión de que Serpa y él dieran a las 11 la famosa rueda de prensa.

MARTES 1º DE AGOSTO

La tensión no cedía. Hacia la una de la tarde, Lesmes entró a la oficina de Vargas y le contó que el asesor de Botero, con quien venía hablando en esos días, le acababa de anunciar la renuncia de Botero.

—Sería muy macho —comentó el director de *Semana*—, pues si deja de ser Ministro pierde el fuero y queda en manos de los fiscales sin rostro, que lo podrían detener con sólo tomar la decisión de llamarlo a indagatoria[32].

A las 5 de la tarde, el Consejo Gremial, que reúne a las 15 organizaciones empresariales más importantes del país, emitió un comunicado que fue analizado por la radio esa tarde y por la televisión esa noche como un primer paso hacia un distanciamiento franco entre la empresa privada y el Presidente. El mensaje de los gremios pedía que se llegara a "la verdad por encima de todo".

MIÉRCOLES 2 DE AGOSTO

El primer comentario del día en la sala de redacción de la revista fue el editorial del ex designado Álvaro Gómez en

---

[32] En la legislación penal colombiana la justicia sin rostro, que se ocupa de los delitos de narcotráfico, terrorismo y conexos, está obligada a detener a cualquier persona que vincule formalmente al proceso, sin esperar que se surta el procedimiento de la indagatoria. Como ministro, Botero contaba con el fuero constitucional que lo colocaba en manos de los fiscales ante la Corte Suprema, que no pertenecen a la jurisdicción sin rostro y que no están obligados a detenerlo para indagatoria. Al renunciar, quedaba en manos de la comisión de fiscales sin rostro que investigaba el proceso 8.000 y debía ser detenido para la indagatoria.

el periódico *El Nuevo Siglo:* "Colombia vive un escandaloso Watergate. ¿Tendrá las mismas consecuencias de aquel histórico drama? Sería una lógica conclusión".

A las 11 de la mañana, Vargas recibió la visita de Juan Manuel Galán. El joven primogénito de Luis Carlos Galán, que se había convertido en figura nacional en los funerales de su padre el 20 de agosto de 1989, cuando lanzó a César Gaviria como candidato a la Presidencia, estaba en Colombia como todos los agostos para asistir a la conmemoración de un nuevo aniversario del magnicidio. Días antes le había pedido cita al director de *Semana* para comentarle las inquietudes de su madre, Gloria Pachón, embajadora en París desde hacía tres años.

—Mi mamá está bastante inclinada a renunciar —le contó a Vargas—. Usted sabe que ella conversó hace algunos meses con Medina y él le contó lo que sucedió en la campaña. Con el tiempo, esas cosas se han ido confirmando y mi mamá cree que tarde o temprano debe dejar la embajada. Es que Mauricio, no se le olvide que a mi papá no sólo lo mataron los carteles, sino también los políticos amigos de los narcos, que fueron quienes instigaron el crimen.

Vargas interrumpió la conversación con Juan Manuel Galán para que los dos pudieran escuchar por radio la rueda de prensa de Fernando Botero, en la cual el Ministro presentó públicamente su renuncia.

Pero la agitación de la jornada aún no terminaba. Hacia las 5 de la tarde, Lesmes y Téllez vieron cómo concluían seis meses de búsqueda de la grabación de la conversación telefónica del Presidente con Elizabeth

Montoya de Sarria. Tras la última charla de Lesmes con Jaime, el oficial de inteligencia que el 22 de marzo le había dejado escuchar sin entregárselo un casete con esa conversación, el jefe de redacción comenzó a atar cabos. Con ayuda de Téllez hizo numerosas averiguaciones sobre quién más podía tener una copia de esa cinta. Una de las fuentes consultadas les hizo ver que era muy posible que el seguimiento a los esposos Sarria lo hubiera hecho la Armada Nacional, debido a que la base de operaciones de esa pareja era la isla de San Andrés, donde la lucha antidrogas estaba en manos de esa fuerza. Lesmes recordó además en esos días que tras el estallido del escándalo de los narcocasetes un año antes, el oficial que le contó la historia de quién los había grabado le dijo que el grupo de inteligencia de la Armada también participó en las operaciones[33].

Con base en esos datos, a mediados de julio los dos periodistas resolvieron acudir a una vieja fuente de la Armada. Tras retomar contacto con ella, Téllez se enteró de que el oficial seguía trabajando en el grupo de inteligencia de la fuerza naval, algo que facilitaba mucho las cosas. Durante una charla a principios de julio, Téllez le contó la historia del casete del Presidente y la señora Montoya de Sarria, y le dijo que la revista conocía el papel jugado por la inteligencia de la Armada en las interceptaciones telefónicas de 1994.

El hombre, que se había hecho el desentendido en el curso de esas reuniones, apareció sorpresivamente en

---

[33] Véase "Unas cintas muy enredadas", relato del viernes 24 de junio.

Semana ese miércoles, tras la renuncia de Botero. El individuo sabía que al día siguiente saldría en *El Tiempo* el texto íntegro de la indagatoria de Santiago Medina. Él mismo poseía una copia y la había leído con atención.

—Desde cuando Téllez me habló de la señora de *Chucho* Sarria —contó el oficial en la oficina de Lesmes—, yo empecé a hacer memoria y revolví un poco las grabaciones que teníamos y que habíamos trasladado de nuestros archivos para un sitio más seguro después de que estalló el escándalo de los narcocasetes. Ahora que Medina la menciona en su declaración, es fácil entender que de lo que hablan en la grabación la señora y Samper es de plata, y de plata mala. Y que la segunda conversación de esa misma serie de grabaciones, la que sostienen Medina y la señora, confirma que la plata fue recibida por la campaña después de que Samper se reúne con algunos amigos de la señora de Sarria.

Ante la sorpresa de Lesmes y de Téllez, el oficial de la Armada, que aseguró estar indignado ante lo que se estaba descubriendo, sacó el casete y lo puso a andar en la grabadora de la oficina del jefe de redacción. La conversación era idéntica a la que Lesmes había escuchado el 22 de marzo e incluso el sonido era más nítido, aunque algunas palabras no eran del todo claras.

—Ahí les dejo esta cinta —concluyó el hombre—. Publíquenla por el bien de este país, y olvídense de mí. No me vuelvan a llamar ni a buscar jamás. No quiero saber nunca más de ustedes. Ya verán cómo publican eso y cómo dicen que lo consiguieron. Les pido por favor que me cuiden la espalda, que oculten al menos mi nombre.

Pero sobre todo, si de verdad me quieren proteger, nunca más en la vida traten de contactarme. Hagan como si yo me hubiera muerto[34].

Hacia las 8 y 30 de la noche y después de una larga discusión con Lesmes y Téllez sobre lo que había que hacer con la grabación de Samper y la señora Montoya de Sarria, el director de *Semana* salió de la revista. Minutos después recogió a su esposa para dirigirse a la Casa de Nariño, a donde habían sido convidados por el primer mandatario para despedir al vicepresidente Humberto de la Calle, quien partiría en pocos días rumbo a España, a ocupar su nuevo cargo como embajador.

Por el camino, Vargas y su señora comentaron que sería una velada muy tensa. Todo el mundo sabía que al día siguiente *El Tiempo* publicaría la indagatoria de Santiago Medina, en la que implicaba a Botero y a Samper en la narcofinanciación de la campaña.

—Y eso que no sabes lo peor —dijo Vargas—. Esta tarde por fin logramos conseguir el casete de Samper con Elizabeth Montoya.

—¿Se lo vas a contar al Presidente? —preguntó ella.

---

[34] Los deseos del oficial fueron respetados íntegramente. Nadie de *Semana* volvió nunca a buscarlo. Téllez y Lesmes saben que continúa su carrera en la Armada, pero se han abstenido de hacer mayores averiguaciones para respetar así el pedido del hombre que permitió que el casete de Ernesto Samper y Elizabeth Montoya saliera a la luz pública.

—No esta noche. Primero hay que hablar con Felipe, que anda en Londres. Luego, hacer un par de consultas para la verificación de las voces. Y entonces sí, tratar de convencer a Samper de que nos dé unas declaraciones sobre el tema.

A las nueve y media ingresaron al salón principal del apartamento privado de la Casa de Nariño. Vargas y su señora sintieron de inmediato la pesadez en el ambiente.

Samper, famoso por la inmensa capacidad que tiene de sonreír y comportarse como si nada pasara en medio de la peor crisis, los recibió con especial amabilidad. A los pocos minutos estaba bromeando: al ver que charlaban en círculo Cecilia, la esposa de Vargas —conocida como la Pulga, por su baja estatura—; Silvana, la esposa del ex ministro Arturo Saravia, también bastante menuda, y Yolanda, esposa del ministro de Salud Augusto Galán, tan pequeña como las otras dos, el Presidente encontró la forma de romper el hielo.

—Si quieren —dijo— les traigo unas muñecas para que jueguen. Éste sí es un kínder[35].

Los asistentes rieron por unos minutos y, para sus adentros, agradecieron el apunte del Presidente que permitía un respiro en medio del aire cargado de la reunión. Pero los delicados asuntos del momento no tardaron en aparecer. El propio Samper se encargó de

---

[35] Al iniciarse el gobierno de César Gaviria, en agosto de 1990, los medios de comunicación bautizaron al equipo de jóvenes asesores del Presidente como "el kínder de Gaviria".

traerlos a cuento, con un pequeño monólogo sobre lo que sentía en esos días.

—Este país es muy distinto de aquél en el que López hizo botar a *Klim* de *El Tiempo*[36] —opinó el Presidente, casi con nostalgia.

—Los medios están ahora más sueltos del poder presidencial —anotó Vargas—, pero eso es bueno, aunque a veces sea difícil para un gobierno.

—Sí, Mauricio —respondió Samper—, pero uno está muy solo. Ya no hay ex presidentes a quienes acudir en busca de consejo y apoyo, y los medios no se detienen ante nada. Publican lo que encuentran, pase lo que pase. Y lo más grave de todo es que para la gente el Presidente ya no es un líder, alguien a quien acatar y seguir. Ahora sé bien a qué se refiere Gabo con ese rollo de la soledad del poder.

Al calor de unos whiskies, se fueron conformando corrillos en distintos rincones del salón. En aquellos en los que el Presidente no se encontraba, el tema era uno solo: la publicación al día siguiente en *El Tiempo* de la indagatoria de Medina.

—Si usted fuera consejero de comunicaciones —le preguntó junto a la chimenea el canciller Rodrigo Pardo a Vargas—, ¿qué le recomendaría al Presidente?

---

[36] Cuando transcurrían los más difíciles momentos de la presidencia de Alfonso López Michelsen, en 1977, el columnista de *El Tiempo* Lucas Caballero Calderón, que firmaba bajo el seudónimo de *Klim*, y cuestionaba duramente al gobierno, debió

—No sé, el asunto es muy enredado —respondió el director de *Semana*—. Pero lo que sí tengo claro es que no pondría las cosas exclusivamente en manos de la Comisión de Acusaciones de la Cámara, pues ése es el peor escenario del mundo. Si resuelve acusarlo, la gente dirá que era tan culpable que ni siquiera la comisión, que siempre archiva sus investigaciones, pudo evitar que fuera procesado. Y si archiva el caso, la gente dirá que eso no vale porque la comisión siempre archiva todas sus investigaciones.

—Pero es que ésa es la instancia jurídica —contestó el canciller—. ¿Qué habría que hacer en cambio?

—El problema es justamente ése, que es la instancia jurídica, y éste, además, es un problema político —contestó Vargas—. Yo creo que ustedes deberían pensar en una comisión especial como la que investigó la fuga de Escobar, algo que permita un debate político, donde la oposición desfogue sus críticas, donde se examine la conducta de los distintos implicados desde el punto de vista de la responsabilidad política, y no sólo desde el punto de vista de la culpabilidad jurídica...

—Usted puede tener razón —interrumpió el canciller—, pero en el gobierno hay muchos que creen que el Presidente no tiene por qué inventarse una comisión

---

abandonar las páginas editoriales del diario de los Santos porque, según denuncias de la época, ese periódico recibió una fuerte presión del primer mandatario. *Klim* mudó entonces su popular columna a *El Espectador*, donde siguió escribiendo hasta su muerte, en julio de 1981.

especial para que lo friegue Enrique Gómez[37]. Sin embargo, hay que explorar el asunto.

—Sí, yo creo, porque si se quedan con la Comisión de Acusaciones no van a solucionar nada.

Cuando los invitados —unas 24 personas— pasaron al comedor, el Presidente volvió a hacer gala de su amabilidad y de su sentido del humor. Al levantar su copa de champaña para brindar por el vicepresidente De la Calle y su esposa Rosalba y desearles buena suerte en la embajada en España, habló de "esta semana tan facilita que nos ha tocado". Luego hizo varias referencias medio en serio, medio en broma, en el sentido de que desde esa embajada era posible montar una candidatura presidencial, como él mismo y Belisario Betancur lo habían hecho en su momento.

La verdad es que desde hacía meses el primer mandatario veía en De la Calle a un potencial conspirador en su contra no sólo por su condición de sucesor en caso de renuncia del Presidente, sino por no haber pertenecido nunca al círculo samperista y en cambio haber competido contra él por la candidatura liberal en la consulta popular de 1994. Y el hecho de que partiera para Madrid y desde allí pudiera organizar una candidatura presidencial, aliviaba esos temores: si las posibilidades de De la Calle

---

[37] El senador Enrique Gómez Hurtado, hermano del dirigente de la derecha conservadora Álvaro Gómez, se había convertido en aquellos días en una de las principales voces de la oposición y cuestionaba duramente la legitimidad del mandato del Presidente.

para la elección de 1998 aumentaban, debían decrecer —pensaban en el gobierno— las tentaciones de contribuir a la caída de Samper para reemplazarlo[38].

Cuando llegó el turno para De la Calle de responder el brindis, el vicepresidente se abstuvo de hacer referencias a sus opciones presidenciales. En cambio prefirió hablar en un tono más personal y expresar su "solidaridad con el Presidente y con Jacquin en estos momentos difíciles" y su confianza en que "todo saldrá bien".

Pocos minutos antes de la media noche y cuando ya los invitados se habían levantado de la mesa, los dos pequeños hijos del Presidente y de su esposa, Felipe y Miguel, bajaron en piyama por las escaleras de la casa privada. En pocos minutos, Samper estaría de cumpleaños. Bajo el marco de la puerta que lleva del salón principal hacia un pequeño estudio y la biblioteca, los asistentes a la comida rodearon a la familia presidencial para cantar el *Happy Birthday*.

La escena era conmovedora y hubiera podido ser alegre. Pero todos sabían que el primer regalo que el Presidente recibiría ese día sería la divulgación de la indagatoria de Medina en el principal diario del país.

---

[38] Semanas antes de esta cena, cuando De la Calle fue nombrado embajador, la Corte Constitucional abrió las puertas, en una polémica sentencia, a la posibilidad de que el Vicepresidente —que se suponía constitucionalmente inhabilitado para lanzar su candidatura a la Presidencia para el siguiente período— pudiera aspirar a ésta si renunciaba a tiempo a su cargo.

A Vargas y a su esposa se les erizó la piel cuando alcanzaron a ver que la vela que los hijos del primer mandatario habían encendido para que él la apagara al terminar el canto de cumpleaños, era un largo y grueso cirio.

JUEVES 3 DE AGOSTO

El Tiempo destacó en primera página y desplegó en varias de las interiores el texto completo de la indagatoria de Medina. El ex tesorero contó básicamente la misma historia que le había relatado a Lesmes meses atrás, pero detalló algunos aspectos significativos. Primero aseguró que el proveedor publicitario Mauricio Montejo había recibido alrededor de 200 millones de pesos en efectivo de Alberto Giraldo, como pago de papelería y afiches suministrados a la campaña. La importancia de este punto, que demostraba una de las modalidades de contribución del cartel, era que podía ser verificado por el propio Montejo.

Un segundo dato importante, que *El Tiempo* omitió en su publicación pero que Téllez confirmó al leer una copia íntegra de la diligencia esa misma mañana en la oficina de un abogado vinculado al proceso, tenía que ver con Elizabeth Montoya y su esposo Jesús Sarria, a quienes Medina identificaba como amigos personales de Samper. El ex tesorero aseguraba en la indagatoria que la señora de Sarria había recolectó importantes fondos destinados a la campaña y para confirmarlo aportaba algunos documentos. La razón por la cual *El Tiempo* se abstuvo de divulgar ese punto al reproducir la indagatoria, era que había posibilidades de que la señora de Sarria se presentara ante la Fiscalía para confirmar lo dicho por Medina. Sin embargo, ese mismo jueves las fuentes de la Fiscalía descartaron dicha opción y los demás medios de comunicación que divulgaron versiones de la indagatoria en las horas siguientes, dejaron de lado la precaución debidamente tomada por *El Tiempo*, e incluyeron en sus informes la mención hecha por Medina de Sarria y de su esposa.

Hacia las 11 de la mañana y en un ambiente en el que no se hablaba de nada distinto a la publicación del diario de los Santos, Vargas recibió una llamada de Andrés Talero. El hombre cuya declaración ante la Fiscalía el 20 de julio había destrabado el avance de las investigaciones, le contó desde Miami —donde seguía residiendo— que su apartamento en el norte de Bogotá había sido asaltado el sábado en la tarde por hombres armados que amenazaron al celador y derribaron la puerta.

—No se robaron nada —dijo Talero—, pero desbarataron el apartamento en busca de documentos. Yo creo que pensaron que ahí estaban guardadas copias de los papeles de Medina.

Pasada la una de la tarde, Vargas llamó a García Márquez a Cartagena y le pidió su opinión sobre la indagatoria del ex tesorero.

—Yo estoy muy impresionado —respondió el escritor—. Me he pasado la vida escribiendo novelas y cuentos basados en hechos ficticios, y artículos periodísticos basados en hechos reales, y con el tiempo he aprendido a distinguir entre quien está diciendo la verdad y quien está diciendo mentiras. Me resulta increíble pensar que alguien se invente una historia como la que ha contado Medina.

Lesmes y Téllez se pasaron el día confirmando nuevos datos sobre el casete recibido la víspera de manos del oficial de la Armada. Supieron que desde hacía meses los servicios de inteligencia habían establecido que la voz de la grabación entregada por él era efectivamente la de la señora de Sarria, así como las otras dos correspondían a Samper y a Medina. También tuvieron ocasión de consolidar nuevos datos sobre Sarria y sus antecedentes. Aparte del documento del DAS que Téllez consiguió a mediados de marzo, Lesmes recuperó la copia de un artículo aparecido en junio de 1993 en *El Tiempo*, en el que Sarria era relacionado con actividades de narcotráfico[39].

VIERNES 4 DE AGOSTO

Hacia las 8 y 30 de la mañana y con una cantidad descomunal de artículos por escribir, Vargas, Lesmes y Téllez se encontraron en *Semana* y repartieron tareas entre los distintos redactores.

A las 10 y 30 Vargas se comunicó con Felipe López en Londres y le contó todo lo relacionado con el casete. El presidente de la revista no hizo mayores comentarios sobre el tema y se limitó a pedir que lo dejaran escuchar la

---

[39] *El Tiempo*, 23 de junio de 1993, página judical.

cinta. Acordaron que Lesmes lo llamaría 5 minutos después desde su oficina, pues era allí donde estaba la grabadora.

López escuchó la cinta tres veces seguidas[40].

—Jorge —le dijo al terminar—, le tengo una mala noticia: eso no sale en *Semana*.

—No entiendo, ¿por qué? —respondió Lesmes sorprendido.

—Mire, ése es un caso rutinario de lagartería política —le respondió López—. La señora trata de acordar una cita y el Presidente le toma el pelo; y en cuanto al anillo, él trata de hacerse el desentendido. Respecto al tono de familiaridad de la charla, quiero decirle que así habla mi papá con sus seguidoras femeninas.

—Felipe —le respondió Lesmes—. A usted se le están olvidando dos cosas. La primera, que la cita de la que hablan es para entregar una plata, y la segunda, que la señora está casada con un presunto narcotraficante y sobre ella misma hay sospechas de que está metida en negocios de droga.

López reiteró su decisión de no publicar, y Lesmes prefirió terminar la charla y reunirse con Vargas y Téllez para comentarles lo sucedido. El director decidió entonces llamar él mismo a López y exponerle nuevos argumentos.

---

[40] Una completa descripción del contenido del casete fue hecha en "El escándalo asoma", relato del miércoles 22 de marzo de 1995.

—Felipe —le dijo—, olvídese del asunto del anillo que es casi anecdótico. Lo importante de la cinta, tanto en lo que tiene que ver con la charla de Samper y la señora de Sarria, como en la de ella con Medina, es que queda en evidencia que el candidato no era para nada ajeno a la recolección de plata, como él lo ha venido sosteniendo. Y además, lo más delicado es que en este caso se trata de plata muy sospechosa, teniendo en cuenta los antecedentes de los Sarria y la referencia a la Phillip Morris, que no es otra cosa que el cartel del contrabando de cigarrillos Marlboro, el mayor mecanismo de lavado de dólares del narcotráfico que hay en Colombia...

—A ver, seamos claros —interrumpió López—. Yo no tengo ninguna duda de que el gobierno se debe caer por haber recibido la campaña presidencial 5.000 millones de pesos del cartel de Cali. Eso me parece de por sí un escándalo suficientemente grave. Pero en cuanto al casete, yo no le veo las implicaciones que usted dice que tiene. Para mí, lo que se deduce de que Samper le haga el quite a la señora es todo lo contrario: que él no se metía en la recolección de la plata. Cada vez que ella le habla de plata, él evita el tema y le dice que para eso están Botero y Medina...

—Usted está equivocado —lo cortó Vargas—. A lo que Samper le tiene miedo en esa conversación no es a hablar de plata, sino a ir a la casa de ella. Él acepta que esos tipos raros que traen la plata vayan a su oficina, pero no quiere ir a visitar a la señora de Sarria para encontrarse con ellos. Eso indica lo peor de todo: que Samper sabe que no se trata de gente decente, pero luego les acepta la plata. Como quien dice que por tratarse de gente sospechosa, en vez de no recibirles plata, Samper toma distancia para que eso lo hagan Botero y Medina.

—Eso no es así —anotó López—. Lo que Samper está tratando de hacer es sacarle el quite a una vieja lagarta. Además me parece una intromisión indebida en la vida de la gente publicar conversaciones telefónicas privadas...

—Felipe —agregó Vargas—, una conversación telefónica deja de ser privada cuando puede servir de prueba de que un Presidente fue elegido con plata del narcotráfico, y de que él mismo era consciente de ello.

La conversación comenzó a girar en círculos y Vargas prefirió terminarla antes de iniciar un altercado. Pasadas las tres de la tarde, se reunió de nuevo con Lesmes y Téllez y les comunicó la decisión que estaba a punto de tomar.

—Quiero decirles que si no podemos publicar este casete yo renuncio a la dirección de la revista, pues no podría seguir en este cargo a sabiendas de que *Semana* cometió el enorme error de no divulgar una información fundamental en el mayor escándalo político y de corrupción en la historia de este país.

Lesmes y Téllez se apresuraron a decirle que ellos tenían claro que en caso de no salir publicada la historia de la cinta, harían exactamente lo mismo. Vargas llamó de nuevo a López hacia las 5 de la tarde y le preguntó si había posibilidades de que reconsiderara su posición. López le contestó que se trataba de una decisión definitiva.

—Pues si ésa es la decisión —dijo Vargas—, yo quiero comunicarle que la mía es renunciar a la dirección de la revista. Para mí, es una cuestión de principios y de ética periodística. Usted no se imagina lo que Lesmes y Téllez hicieron para conseguir esta información y el riesgo que está corriendo alguna gente que nos la dio a conocer. Me cuesta mucho trabajo entender que usted no valore el significado de algo tan escandaloso como esa conversación, ni la importancia que tiene para definir la responsabilidad del Presidente en lo que sucedió en la campaña.

—Le aseguro que entiendo su punto de vista y lo respeto —contestó López—. Pero por razones de principio no puedo cambiar mi posición. Me parece una falta de respeto, algo absolutamente indebido, divulgar conversaciones privadas.

Vargas prefirió no volver a argumentar sobre si se trataba o no de una charla privada. Le reiteró su decisión de renunciar y le explicó que con ello estaba tomando la determinación más dolorosa de su vida. López le contestó que para él era igualmente dolorosa.

Después de colgar, a la oficina de la dirección de *Semana* llegaron la columnista María Isabel Rueda y el ex ministro Alberto Casas Santamaría, a quienes Vargas había llamado una hora antes para pedirles consejo, como miembros que eran del comité editorial de la revista. En unos cuantos minutos los dos visitantes escucharon la cinta y fueron enterados de lo que estaba pasando y de la decisión que había tomado el director. Ambos estuvieron de acuerdo en que *Semana* debía publicar la grabación y hacer un análisis de las implicaciones que tenía en cuanto a la responsabilidad del Presidente en los hechos de la campaña.

Mientras Vargas compartía con ellos sus argumentos, Lesmes se comunicó con López. Téllez estaba tan indignado que prefirió abstenerse de participar en la charla.

—Me parece increíble —le dijo el jefe de redacción al presidente de *Semana*— que un tipo inteligente como usted, un periodista decidido y audaz que ha llevado a la revista a donde está, crea que éste es un asunto meramente privado, cuando es obvio que significa muchísimas cosas en cuanto a la responsabilidad del Presidente. Además, tenemos informes del DAS y de la Interpol sobre Sarria que son periodísticamente muy novedosos. Pero como veo que se trata de una decisión tomada, quiero comunicarle que Edgar y yo hemos decidido renunciar a nuestros cargos, pues no podríamos seguir en *Semana* en estas condiciones.

—Jorge —contestó López—, usted sabe lo grave que es para mí lo que me está diciendo. Pero así como respeto su postura, les pido que respeten y entiendan la mía.

El presidente de la revista llamó de nuevo a Vargas. Eran las 6 de la tarde.

—Éste puede ser el final de *Semana* —le dijo López.

—Eso no es cierto —le respondió Vargas—. Usted puede conseguir otro director, otro jefe de redacción y otro de investigación. Pero nosotros no podemos seguir en *Semana* si ya no creemos en el criterio de su dueño. A usted se le olvida una cosa: cuando decidió no publicar la declaración del cura Hoyos, le juró a Lesmes que cualquiera otra cosa que le trajéramos sobre este escándalo la publicaría. Me acuerdo que él le dijo que no le creía eso ni porque se la pusiera por escrito. Nunca pensé que esa frase fuera a tener un valor premonitorio.

López se quedó en silencio y Vargas le dijo que no se preocupara por la revista que debía circular el lunes siguiente.

—Nosotros cumplimos con lo que usted nos diga para cerrar esta edición —le dijo Vargas—, con los artículos y enfoques que usted quiera. Pero a partir del lunes nos va a resultar imposible seguir en *Semana*.

María Isabel Rueda y Alberto Casas llamaron entonces a López. La columnista y codirectora del noticiero QAP le habló claro a quien años atrás había sido su jefe[41].

—Usted está cometiendo un grave error —le dijo—. Periodísticamente no hay la menor duda de que eso se debe publicar, pues es revelador sobre la forma como Samper actuaba en la campaña.

—No estoy de acuerdo —contestó López—, no hay nada en esa cinta que comprometa a Samper.

La discusión se prolongó durante 5 minutos, con argumentos muy parecidos a los que habían sido expuestos

---

[41] María Isabel Rueda fue jefe de redacción de *Semana* entre 1982 y 1984, editora entre 1984 y 1985 y subdirectora entre 1986 y 1988. María Elvira Samper fue subdirectora entre 1983 y 1986 y directora periodística de 1987 a 1991. Las dos periodistas cumplieron un papel definitivo en la consolidación de la revista en esos años. Desde 1992 ambas dirigen el noticiero QAP.

en los diferentes debates de esa tarde. Pero la columnista agregó un elemento nuevo.

—Hay algo en esa cinta —le explicó—, en la manera de hablar Samper con una señora que obviamente esconde cosas raras, que demuestra qué clase de persona es él. No sé muy bien cómo describírselo, pero es muy impresionante.

Minutos después el turno fue para Casas.

—Yo sólo quiero decir —sostuvo el ex ministro— que le veo una validez periodística indiscutible al casete. Publicarlo o no es una decisión exclusivamente suya, pero no trate de defenderla con argumentos periodísticos.

Hablaron durante varios minutos y finalmente Casas le hizo ver que de cualquier manera, la grabación iba a salir a la luz pública.

—Tenga en claro que si no la publica otro medio lo va a hacer y se va a saber que *Semana* no la sacó...

—No me importa que se sepa que yo no publico ese tipo de cosas —lo interrumpió López.

—¡Ah caray! —respondió Casas—. Si la cosa es así, no hay nada que hacer.

Pasadas las 8 de la noche, la gerente de *Semana* Ángela Montoya, enterada de lo que estaba pasando, se comunicó con López a Londres, donde ya era de madrugada. Ella había escuchado el casete al final de la tarde y tenía su propia opinión.

—La conversación es gravísima para el Presidente —le dijo— y me impresiona que vayas a dejar ir a la cúpula de *Semana* por una decisión tan equivocada. Además te cuento que, sin que lo sepan ni Mauricio, ni Jorge, ni Edgar, por mi oficina han desfilado ya casi todos los periodistas para anunciarme su decisión de renunciar.

—Yo entiendo que el asunto es muy grave, que puede ser el fin de la revista, pero por encima de ello está mi convicción de que estoy actuando conforme con mis principios.

SÁBADO 5 DE AGOSTO

Muchos de los periodistas pasaron la noche del viernes y la madrugada del sábado en la sede de la revista. Había numerosos artículos por escribir, pero la principal razón por la cual nadie quería moverse de su puesto era la ilusión de que con la llegada del nuevo día, López cambiara de opinión.

Una esperanza había surgido tras una conversación el viernes, muy tarde en la noche, entre la ex directora de la revista y directora de QAP, María Elvira Samper, y López. Enterada de la situación, la periodista, famosa por su franqueza y su personalidad a la hora de expresar opiniones, le había hecho ver al presidente de *Semana* que la diferencia entre él y sus periodistas no era irreconciliable.

—Mire Felipe —le explicó—. Lo que a usted le molesta de revelar el casete son los elementos privados de la conversación, el cuento del regalo del anillo para la primera dama, el tono familiar de la charla... Y en gracia de discusión, yo podría aceptar que eso no se publicara. Pero lo que no se puede dejar de divulgar, y en lo que la gente de la revista tiene razón, es en lo que tiene que ver con la forma como Samper participaba en la consecusión de recursos, y como trataba de que las cosas sospechosas las manejaran Botero y Medina, como sin querer queriendo. Lo primero, lo del anillo, puede ser un episodio de indelicadeza que, si se quiere, es privado. Lo segundo, lo de la plata de esos personajes extraños reunida por una señora aún más rara, puede tener consecuencias penales en cuánto a quién sabía y quién nó sobre los narcodineros en la campaña. Como eso se refiere a lo que Samper podía saber sobre la financiación de la campaña con dineros oscuros, creo que es absolutamente pertinente publicarlo. Incluso, pienso que divulgarlo es su obligación como periodista.

Hacia las 8 y 30 de la mañana del sábado, López comentó esa charla con Vargas y le preguntó si sería absurdo sólo publicar los apartes de las dos conversaciones que tenían que ver con lo de la financiación, excluyendo lo del anillo, que era lo que podía ser interpretado como violación de la intimidad. Vargas le hizo ver que muy seguramente la radio y la televisión divulgarían la cinta en su integridad, y que *Semana* tendría que salir a explicar por qué no había publicado lo del anillo. López le pidió que lo dejara pensar un par de horas más.

Durante ese lapso, el presidente de la revista conversó con Botero y con Juan Fernando Cristo y, paradójicamente, fueron esas comunicaciones las que lo acabaron de convencer. Botero opinó que la cinta era "gravísima" y se mostró aterrado de que *Semana* la fuera a publicar. López pensó que si el saliente ministro de Defensa creía eso, era porque en efecto las grabaciones eran delicadas y significativas para el narcoescándalo. En cuanto a la charla con Cristo, el consejero para las comunicaciones le insinuó que podía tratarse de un montaje con voces falsas.

—Si las voces son falsas y todo es un montaje —repuso con algo de ironía López, quien ya sabía que la autenticidad de la cinta había sido verificada—, el gobierno se salva si publicamos el casete, pues queda demostrado que hay una conspiración.

El hecho es que después de hablar con Botero y Cristo, López llamó a Vargas y le informó que estaba decidido a publicar. El director de la revista respiró aliviado y en la sala de redacción todas las caras se transformaron. Acordaron que la carátula sería una foto del primer mandatario con el título: "¿Debe renunciar Ernesto Samper?". El artículo central contendría un análisis en el que el presidente de la revista venía trabajando desde el jueves, y que llevaría el mismo título de la portada. En las demás páginas de Nación iría una evaluación de la situación de Botero, la historia del nuevo casete y una explicación de quiénes eran Sarria y su esposa. Además, aparecería una nota detallada sobre el traslado de Víctor Patiño de Palmira a la Modelo, y un resumen de las diferentes acusaciones que Medina le hacía al Presidente, a Botero y a otros personajes en su indagatoria.

Todo eso estuvo listo poco antes de la medianoche, lo que permitía que la edición entrara en imprenta al amanecer. Los periodistas de *Semana* pudieron por fin irse a dormir tranquilos. El descanso del domingo y del lunes festivo, les daría la oportunidad de recobrar las fuerzas.

Domingo 6 de agosto

A las 6 y 20 de la mañana, una llamada telefónica de Lesmes despertó a Vargas en su apartamento.

—Acaban de capturar a Miguel Rodríguez en un operativo en un edificio en Cali.

—¿Está confirmada la noticia? —le preguntó el director.

—Me acaba de llamar un oficial del Bloque desde la base militar en Cali. En unos minutos el general Serrano va a embarcarse con Rodríguez en el avión de la dirección de la Policía, rumbo a Bogotá.

—Pues si la cosa es así —le contestó Vargas—, voy a dar la orden de parar la impresión de la revista. Cuadre las cosas con la gente del departamento de arte y los espero aquí en mi casa a las diez de la mañana. Hay que hacerle varios cambios al artículo de carátula, empezando por el título, pues con Miguel Rodríguez capturado nuestro planteamiento de la renuncia de Samper pierde bastante sentido. Así, el nuevo título de la carátula fue "Entre el cielo y el infierno".

Vargas llamó a López a Londres, lo enteró de las últimas novedades y acordaron los ajustes al texto.

Hacia el mediodía, Rodríguez fue presentado a los periodistas. Uno de ellos le preguntó si el cartel le había dado plata a la campaña de Samper.

—El Presidente es un hombre honesto —respondió Rodríguez en una frase que sorprendió más que la misma captura.

A las 3 de la tarde y después del más traumático cierre en la historia de la revista, ésta entró por fin a imprenta para circular el lunes en la mañana, día festivo.

MARTES 8 DE AGOSTO

Esa mañana los noticieros de radio informaron del nombramiento, tarde en la noche del lunes, del ex constituyente Juan Carlos Esguerra como nuevo ministro de Defensa. Era a todas luces un éxito para Samper, pues en medio de los vaivenes de la crisis había conseguido convencer a un jurista respetado de que aceptara reemplazar a Botero.

La Casa de Nariño divulgó esa noche un comunicado en relación con el casete de Samper y Elizabeth de Sarria, que *Semana* había publicado el lunes y todos los medios reprodujeron tras pedirle copia a la revista, con la ventaja para la radio y la televisión de que, a diferencia de lo que pasaba en *Semana*, el público podía escuchar la cinta y no sólo leer su transcripción[42]. En su declaración la Presi-

---

[42] *Semana* facilitó copias a todos los medios que así lo solicitaron. El casete originalmente entregado a la revista por

dencia reconocía que la primera cinta, la de Samper y la señora de Sarria era real, pero sostenía que de ella se podía deducir que el entonces candidato había rechazado el anillo.

—Esto es increíble —comentó Vargas con Téllez—. Si lo que Samper le dice a ella cuando le ofrece lo del anillo es "¡Ay! Tan divina".

En cuanto a la conversación de Medina con la señora de Sarria, el Palacio sostenía, sin presentar prueba alguna, que era un montaje.

—Les toca decir eso —observó Téllez—, porque en esa charla queda en claro que la plata entró.

Miércoles 9 de agosto

Esa mañana, uno de los más prestigiosos y polémicos penalistas del país, Antonio José Cancino, asumió formalmente como abogado del presidente Samper.

—Tengo pruebas inéditas —dijo en su primera charla con los periodistas— para demostrar ante la Comisión de Acusaciones de la Cámara que los cargos contra Samper son mentirosos.

---

el oficial de la Armada fue remitido a la Fiscalía General de la Nación.

Martes 15 de agosto

A las 11 de la mañana, Fernando Botero se presentó a la Dirección Regional de Fiscalías en el centro de Bogotá para ser indagado y detenido. Ya estaba resuelto que, por su condición de haber perseguido a peligrosos delincuentes durante su gestión, no sería trasladado a un centro penitenciario después de concluir su indagatoria. Sería instalado en un pequeño apartamento en la Escuela de Caballería, en el nororiente de la ciudad.

La tensión se podía sentir en todas partes. En *Semana* se vivió de modo particular. A las 5 y 50 de la tarde, una de las operadoras del conmutador de la revista pidió hablar con el director.

—Acabo de recibir un par de llamadas en que aseguran que a usted lo van a matar —le dijo a Vargas—. La cosa sonaba muy seria y no lo rebajaban de tal por cual. Era una voz de hombre, que hablaba pausadamente, sin mayor alteración.

El director la tranquilizó y le preguntó si había algo en las llamadas que le hubiera llamado la atención.

—Pues yo no sé doctor —dijo la joven—, pero yo creo que las hicieron de un celular. De tanto contestar todo el día uno se acostumbra a diferenciar las llamadas celulares de las que vienen de un teléfono normal.

Vargas pensó para sus adentros que si eso era cierto era posible detectar el origen de las llamadas, pues las compañías de telefonía celular llevan por norma un registro detallado de cada comunicación. Habló con

Lesmes y le pidió que algún oficial de inteligencia amigo corroborara con esas empresas de dónde habían salido las llamadas. Para ello, le pidió a la operadora telefónica que le diera a Lesmes la hora aproximada de las comunicaciones.

Esa noche los dos periodistas se dedicaron a seguir por televisión el debate que se desarrollaba en el Congreso sobre el proceso 8.000. El ministro Serpa, quien se reservó para el final, sostuvo que lo que sucedía era el resultado de una conspiración contra el gobierno de Samper, que contaba con adeptos en Colombia y en el exterior. Con su tono vehemente y su voz vibrante, hizo de su discurso el clímax de la sesión. "Que si el Presidente va a renunciar: ¡Mamola!".

Sangre en la arena

Miércoles 16 de agosto

Mientras el país se reponía con dificultad del impacto producido por la detención de Fernando Botero, Lesmes y Téllez se reunieron en horas de la noche con la abogada que los mantenía informados sobre los procesos en la Fiscalía. Con ella examinaron algunas de las tesis que los fiscales estaban manejando para sostener las decisiones judiciales adoptadas en contra de Medina y de Botero.

Para ambientar la conversación, la abogada les dijo a los dos periodistas que la norma sobre enriquecimiento ilícito de particulares, dictada bajo el estado de sitio por el gobierno de Virgilio Barco el día del asesinato de Luis Carlos Galán y convertida en legislación permanente en el segundo semestre de 1991, definía que "el que de manera directa o por interpuesta persona obtenga para sí o para otro incremento patrimonial no justificado, derivado, en una u otra forma, de actividades delictivas, incurrirá, por ese solo hecho, en prisión de cinco a diez años y multa equivalente al valor del incremento ilícito logrado"[1].

El problema era, según la abogada, que si se leía la norma de manera exegética, lo primero que tenían que demostrar los fiscales era que había habido un incremento patrimonial no justificado en cabeza de cada uno de los directivos de la campaña, y eso no era tan fácil, pues el dinero sí había entrado pero fue invertido en sufragar los costos de la elección.

Fue entonces cuando la Fiscalía encontró una base para sus decisiones en la tesis jurídica empleada por los jueces italianos que llevaron a cabo la operación "Manos Limpias". Ellos se enfrentaron a un obstáculo similar, pues en muchos casos los políticos italianos no utilizaron el dinero mal habido para incrementar su riqueza, sino para hacerse elegir y perpetuarse en sus cargos.

Antonio Di Pietro, uno de los más populares jueces de "Manos Limpias", dijo en una conferencia en Madrid en 1993 que al financiar su campaña con esos dineros el político obtenía "una utilidad compensatoria, dado que ocupa dentro del contexto del poder político-administrativo una posición que sólo puede conservar con una

---

[1] Al revisar el decreto de Barco, la Corte Suprema conceptuó que, debido a que era una norma de Estado de Sitio y éste había sido dictado como consecuencia de la ofensiva terrorista del narcotráfico, debía entenderse que las "actividades delictivas" de las cuales procedía el incremento tenían que estar relacionadas con el narcotráfico para que se configurara el delito de enriquecimiento ilícito de particulares.

amplia campaña" que no habría podido financiar sin esos dineros[2].

—Lo que quiere decir esto —dijo la abogada— es que aunque el político no use esos dineros para comprar propiedades, sino para financiar su campaña, se configura el enriquecimiento ilícito, pues una vez elegido obtiene una posición social y de poder, un sueldo y unos privilegios que de otra manera no habría conseguido. Además, si no hubiera tenido esos recursos se habría visto obligado a sacarlos de su bolsillo. Así, el político evita gastar sus propios fondos y mantiene un patrimonio estable, gracias a los recursos de origen ilícito.

La abogada, una penalista a quien le gustaban las teorías audaces y novedosas, reconocía, sin embargo, que a la Fiscalía no le iba a resultar fácil convencer a la Corte Suprema de aplicar esa tesis. Al fin y al cabo, dijo, ese alto tribunal es el que juzgará a los parlamentarios que resulten involucrados en el narcoescándalo.

Otro problema que salía al paso estaba relacionado con los argumentos que empezaban a exponer los abogados defensores de los implicados. Según ese planteamiento, antes de que la Justicia condenara a alguien por enriquecimiento ilícito era indipensable demostrar que el dinero que había recibido procedía del narcotráfico.

—Eso querría decir —explicó la abogada— que, en el caso de la campaña de Samper, para que esos dineros sean considerados ilícitos, los Rodríguez Orejuela ten-

---

[2] *Semana,* edición 694, p. 31.

drían que haber sido sentenciados con anterioridad. Y eso no ha pasado. Sin embargo, hay documentos de la época que demuestran que lo que quiso el gobierno de Barco al dictar la norma fue crear un delito autónomo, es decir, que para serlo no tuviera que estar conectado a una sentencia previa por narcotráfico en contra de quienes aportaron la plata. Alfonso Gómez Méndez, que era procurador general cuando salió la norma y quien se la propuso a Barco, tiene eso muy claro, pues de lo que se trataba era de condenar a los narcotraficantes por un delito más fácil de demostrar que el narcotráfico.

Mientras los dos periodistas conversaban con la abogada en el bar de siempre, los noticieros de televisión de la noche centraron sus informaciones en la declaratoria de conmoción interior por parte del gobierno. Samper, quien había gastado los últimos días convocando a presidentes de gremios económicos, sindicatos, directores de medios de comunicación, altos mandos militares y a sus propios ministros para plantearles una cruzada nacional contra la violencia, decidió decretar la conmoción para producir normas temporales con el propósito de enfrentar el origen de las alteraciones. Se trataba supuestamente de combatir a los carteles, a la guerrilla y a la delincuencia común, en especial a las bandas de secuestradores y los ladrones de carros. El país entero parecía estar de acuerdo en que las medidas eran necesarias, pero la mayoría de los analistas coincidía en que el origen de la conmoción del país no tenía que ver con esos delitos, con los que los colombianos convivían desde hacía años, sino con el escándalo de la narcofinanciación de la campaña y la detención de Medina y de Botero.

Había un elemento adicional: en esas normas era evidente el indiscutible giro a la derecha de un gobierno que apenas tres semanas atrás seguía hablando de tenderle una mano a la guerrilla para sentarse con sus dirigentes en la mesa del diálogo.

JUEVES 17 DE AGOSTO

Por la mañana, Jaime, el oficial de inteligencia gracias a quien Lesmes había escuchado por primera vez el casete de Elizabeth Montoya y a quien el jefe de redacción le había pedido que lo ayudara a averiguar de qué celular se habían producido las llamadas de amenaza del martes en la tarde, lo buscó para contarle sobre el avance de sus indagaciones. Según él, en los registros de una de las empresas celulares aparecían dos llamadas realizadas en la tarde del martes desde un número celular a las líneas del conmutador de la revista.

—Estoy cerca —le dijo el oficial—. Ahora sólo me falta averiguar quién es el titular de ese número celular.

En horas de la tarde, Óscar Montes llegó a la oficina de Mauricio Vargas y le contó que, tras la detención de Botero, la tensión en el Consejo de Estado iba en aumento. En las siguientes semanas el alto tribunal debía resolver una demanda que determinaría si el fiscal Valdivieso se quedaba en el cargo hasta marzo de 1996 para completar los cuatro años del interrumpido período de su antecesor,

Gustavo de Greiff[3] o, por el contrario, continuaba hasta agosto de 1998 y finalizaba su período de cuatro años. Los argumentos en pro y en contra abundaban, pero había surgido un ingrediente político que podía inclinar la decisión en favor del retiro del Fiscal: el gobierno, muchos congresistas y el propio procurador general, Orlando Vásquez —investigado preliminarmente por la Corte a instancias de la Fiscalía— veían que Valdivieso les estaba pisando los talones. Al fin y al cabo, si el Fiscal se retiraba en marzo Samper sería el encargado de proponer una nueva terna para reemplazarlo.

—Pues la Procuraduría, que tenía que conceptuar sobre la demanda, ya lo hizo —dijo Montes—. Y claro, se declaró a favor de la salida de Valdivieso en marzo próximo.

Por la noche, Andrés Pastrana apareció en la televisión y propuso que el presidente Samper tomara una licencia temporal hasta tanto la Cámara decidiera si lo acusaba ante el Senado o archivaba su proceso. El argumento del ex candidato conservador, y el de muchos otros que hablaban de lo mismo en privado, era que el primer mandatario iba a tener que dedicar muchas energías y tiempo a su defensa, y que necesariamente tendría que descuidar sus funciones.

Al regresar a su casa esa noche, Lesmes encontró que Jaime lo estaba esperando.

---

[3] Véase "Unas cintas muy enredadas", relato del jueves 30 de junio de 1994.

—Ya averigüé de quién es el celular desde donde se hicieron las amenazas —dijo—. Sorpréndase: es de un número asignado a la Presidencia de la República, o más exactamente a la oficina de comunicaciones, ese grupo de seguridad que mandó a un agente a la revista el día que ustedes sacaron el testimonio de *María*. Inicialmente, estaba registrado a nombre de una persona cualquiera, con un número de cédula cualquiera. Pero a nombre de esa misma persona, con ese mismo número de cédula, hay otros celulares asignados a esa oficina de Palacio.

—¿Y usted cómo sabe que se trata de gente de Palacio? —preguntó Lesmes.

—Muy sencillo —respondió Jaime—. Llamé a ese número y me contestó un oficial que yo conozco y trabaja con la oficina de comunicaciones.

Aunque era tarde, Lesmes llamó a Vargas y le contó el hallazgo de Jaime.

—Bueno —dijo Vargas—, en cierto modo me tranquiliza porque eso deja en claro que son puras ganas de asustar. Pero eso sí, voy a hacer el reclamo muy en serio.

Después de colgar, el director de *Semana* buscó por el conmutador de la Casa de Nariño al coronel Antonio Sánchez, secretario de seguridad del Presidente, pero no lo encontró.

—Dígale que necesito hablar con él con urgencia —le explicó al operador del conmutador—, pues hay un tema delicado que quiero comentarle.

VIERNES 18 DE AGOSTO

Los periodistas de *Semana* comenzaron a trabajar temprano en varios artículos sobre el narcoescándalo para la edición que debía cerrarse ese día. El artículo central era un análisis de la situación jurídica de Botero, que revelaba las teorías que la Fiscalía estaba estudiando para sostener los autos de detención, basada en el caso de "Manos Limpias" en Italia.

Un segundo artículo presentaba las últimas novedades del 8.000, entre otras, que el proveedor de suministros publicitarios Mauricio Montejo se iba a presentar el martes siguiente a la Fiscalía para dar su versión con respecto a lo dicho por Medina, en el sentido de que él había recibido cerca de 200 millones de pesos en efectivo de Alberto Giraldo para cancelar cuentas de la campaña samperista.

MARTES 22 DE AGOSTO

El coronel Sánchez, jefe de seguridad de la Presidencia respondió esa mañana la llamada que Vargas le había hecho el jueves. El director de *Semana* le contó todo lo que habían descubierto en el caso de las llamadas de amenaza.

—Eso es gravísimo, señor Vargas —le contestó el coronel con amabilidad—. Voy a averiguar qué fue lo que pasó. Es que aquí hay gente que a veces gente que se toma atribuciones que no le corresponden. Pero en todo caso, sepa que nadie del equipo de la Presidencia va a hacerle daño alguno ni a usted, ni a ninguno de sus periodistas, ni a nadie.

Vargas no supo más sobre el asunto, pero se lo comentó en esas horas a varios ministros, entre ellos a los titulares de Justicia, Néstor Humberto Martínez, y de Defensa, Juan Carlos Esguerra.

Hacia las 3 de la tarde la abogada violó una de sus normas de seguridad y llamó a Téllez a su celular.

—No tengo tiempo de que nos veamos, pero le tengo un dato importante —dijo—: el hombre que esta mañana fue a ver a ver a mis amigos ratificó todo lo que había dicho el primer detenido.

Eso quería decir que Mauricio Montejo les confirmó a los fiscales sin rostro que Giraldo le pagó cerca de 200 millones de pesos a nombre de la campaña. Esto, sumado a los 40 millones del cheque de una empresa de los Rodríguez para Medina, elevaba la cifra de aportes demostrados del cartel a la campaña a cerca de 240 millones, una cantidad que ya no podía ser considerada como un simple accidente.

A las 7 de la noche, más de 200 invitados concurrieron al salón principal del Gun Club, al norte de Bogotá, para presenciar en pantalla gigante el lanzamiento de la nueva imagen del Noticiero de las 7, dirigido por la periodista Cecilia Orozco.

El invitado principal era el Presidente de la República, quien llegó muy puntual en compañía de la primera dama. Pero tuvo que ver cómo el informativo dedicaba sus 10 primeros minutos a la declaración de Montejo. Mientras

Samper miraba hacia la pantalla con una sonrisa quebrada, en distintos rincones del coctel se formaban corrillos y por primera vez en toda la historia del narcoescándalo algunos comenzaban a apostar a que el Presidente se iba a caer. Pocos se atrevían a conversar con el primer mandatario, quien en un momento dado y por varios minutos se quedó solo con su esposa y su edecán. Nadie parecía querer acercárseles.

JUEVES 24 DE AGOSTO

A la una de la tarde, el canciller Rodrigo Pardo y Cecilia Orozco llegaron para un almuerzo en la oficina del director de *Semana*. Pardo tomó de inmediato un teléfono y la periodista y Vargas se pusieron a conversar.

—Acaba de renunciar Noemí —dijo Cecilia en voz baja, señalando al Canciller—. Venía con él en el carro cuando lo llamaron. Está desconcertado.

Minutos después la radio revelaba una durísima carta de la ex canciller y embajadora en Londres, Noemí Sanín, al presidente Samper, en la que sostenía que le resultaba imposible continuar en su cargo después de las últimas revelaciones sobre la financiación de la campaña.

No se trataba de una renuncia cualquiera. Noemí Sanín era en ese momento la figura política más popular del país, con más del 70 por ciento de aprobación en la mayoría de las encuestas. Su retiro del gobierno significaba para Samper que una de sus principales aliadas políticas lo abandonaba.

Por la noche Lesmes y Téllez regresaron al bar del centro para encontrarse con la abogada, quien les tenía varios datos. El primero estaba relacionado con la forma como, finalmente, después de tres jornadas de indagatorias, Fernando Botero había sucumbido ante los fiscales sin rostro.

—El primer día, el martes 15 —contó la abogada—, el hombre llegó arrogante, cargado de celulares y de bíperes e interrumpió una docena de veces la indagatoria para hablar por teléfono. Pero el tercer día ya estaba muy impresionado por las preguntas que le hacían y se dió cuenta de que su situación era muy enredada. En un momento crítico de la diligencia le dijo a su abogado que la cosa estaba muy preocupante y que no sabía cómo iba a terminar.

Al terminar la narración sobre la indagatoria de Botero, la abogada les contó que en ese preciso instante, minetras ellos conversaban, la primera dama estaba en la Casa de Nariño rindiendo declaración libre ante los fiscales sin rostro. Debía responder algunas preguntas sobre el manejo de la Fundación Amigos del Medio Ambiente que ella dirigió y en la cual manejo fondos de la campaña.

—En la Fiscalía hubo muchos líos con esta declaración —agregó—, pues los fiscales sin rostro querían que ella se presentara a la cabina[4], pero Samper llamó a

---

[4] La cabina es un estrecho recinto blindado y sin ventanas, ubicado en el piso décimo del edificio de la Fiscalía Regional en el centro de Bogotá. El sindicado o declarante se sienta al lado de

Valdivieso y le dijo que si ponían a su esposa en ésas, él tendría que intervenir ya no sólo como Presidente sino como marido. Finalmente encontraron una fórmula para concederle el beneficio de no ir a la cabina y dejarla rendir su versión en su propio despacho en el Palacio.

Pero según la abogada, ése no fue él único *impasse*. Esa mañana, uno de los fiscales sin rostro más apreciados de la comisión que investigaba el proceso 8.000, les reveló a sus compañeros y a sus superiores que se sentía obligado a renunciar al proceso debido a la posibilidad de que la primera dama fuera vinculada. Explicó que Jacquin Strouss de Samper era su prima hermana y que, según le habían contado, ella había llamado a algunos de sus familiares para que le pidieran a él que la ayudara. El tema fue estudiado por la comisión de fiscales y por la cúpula de la Fiscalía. Todos estuvieron de acuerdo en que el fiscal sin rostro debía continuar en la comisión, pues aparte de haber demostrado reiteradamente su independencia, no era el único que tomaba decisiones, ya que éstas eran colegiadas.

—Lo que nadie en la Fiscalía sabe es qué va a pasar —dijo la abogada— si la primera dama es formalmente vinculada al proceso.

El tercer dato que aportaba la abogada era que en una diligencia de declaración ante los fiscales sin rostro, uno

---

su abogado y frente a un vidrio negro que sólo tiene un parlante que distorsiona la voz de los fiscales que interrogan. Meses después la abogada les dijo a los periodistas de *Semana* que todos los acusados que pasaron por ahí por cuenta del 8.000 lloraron por lo menos una vez.

de los conductores de Santiago Medina confirmó el relato del ex tesorero de la campaña sobre las cajas llenas de dinero en efectivo que llegaron a su casa en los días previos a la elección presidencial.

VIERNES 25 DE AGOSTO

Al final de la tarde, todo estaba listo para el cierre de la edición con la ex canciller Sanín en la carátula y un análisis de las implicaciones de su renuncia. Aunque era evidente que había actuado por convicción, a la saliente embajadora las cosas no le estaban saliendo del todo bien. El severo tono de su carta molestó a muchos en un país donde con frecuencia la franqueza se confunde con la beligerancia. Desde distintos sectores la criticaban por su supuesto oportunismo, pues algunos veían que de la noche a la mañana había pasado de aliada de Samper a crítica feroz. Una encuesta de Gallup Colombia para *Semana*, hecha en esas últimas horas, revelaba que mientras el 34% de los encuestados consideraba correcta su renuncia el 42% la consideraba incorrecta.

Pero en todo caso, Samper estaba resultando golpeado por los desarrollos de la crisis. Arrancó el año con una imagen favorable de 76% y una desfavorable de apenas 12%. En abril perdió un poco de terreno, pero seguía muy fuerte: 64% de imagen favorable contra 20% desfavorable. En julio, horas antes de la detención de Medina, la imagen favorable era de 63% y la desfavorable de 25%. Cuatro semanas después y tras conocerse la renuncia de Noemí

Sanín, la imagen favorable iba en 51% y la desfavorable en 30%.

Hacia las 10 de la noche, Alberto Villamizar, dirigente galanista y cuñado de la embajadora en París Gloria Pachón, la viuda de Luis Carlos Galán, habló con Vargas y le contó que la renuncia de ella también se iba a producir.

—Entiendo —le dijo Alberto— que Gloria va a presentar su carta apenas se confirme la medida de aseguramiento[5] en contra de Botero, que parece va a ser el próximo lunes. Para ella, si la Fiscalía confirma esa decisión es porque tiene claro que la plata entró y que las directivas de la campaña lo sabían.

Según Villamizar, él y su esposa Maruja, hermana de Gloria, habían hablado con ella esa noche para aconsejarle que se retirara.

—Yo creo que ella lo tiene muy claro —contestó Vargas—, pues el día que Botero renunció al ministerio Juan Manuel estuvo aquí y me dijo que su mamá tenía la intención de retirarse de la embajada. Y en ese momento no se conocían tantas cosas graves como ahora sobre lo sucedido en la campaña.

---

[5] En el caso de los procesos por narcotráfico y delitos conexos en manos de los fiscales sin rostro, después de que el sindicado es detenido para indagatoria hay 10 días para resolver si sus explicaciones fueron satisfactorias o si debe continuar detenido, caso en el cual se le dicta una medida de aseguramiento consistente en detención, la que puede durar hasta el juicio.

Vargas le contó a Felipe López y éste decidió comunicarse con Villamizar. Le pidió que llamara a la embajadora y le preguntara si era un hecho que iba a renunciar la semana siguiente, o si se trataba sólo de una posibilidad. Minutos después Villamizar llamó a López y le confirmó que la renuncia de la viuda de Galán se produciría el lunes o martes, cuando se confirmara la medida de aseguramiento en contra de Botero.

López y Vargas decidieron cambiar la carátula e incluir a la embajadora en París, al lado de Noemí Sanín, con el título "Hora de decisiones" y una referencia en el subtítulo al hecho de que el Presidente se estaba tambaleando.

Sábado 26 de agosto

Mientras revisaban la edición de la revista a media mañana, López y Vargas recibieron la visita del consejero para las comunicaciones, Juan Fernando Cristo. Al enterarse el asesor de Samper de que la carátula de *Semana* no sólo incluía a Noemí Sanín como embajadora renunciante, sino también a Gloria Pachón, le dijo a Vargas que la viuda de Galán iba a renunciar "por diferencias con los dos miembros galanistas del gabinete", la ministra de Educación María Emma Mejía y el ministro de Salud, Augusto Galán, cuñado de aquélla.

—Eso no coincide con lo que nosotros sabemos —le replicó Vargas—. Nos han confirmado personas muy cercanas a ella que se va una vez se produzca la medida de aseguramiento en contra de Botero.

—Créame Mauricio —respondió Cristo—, es por María Emma y Augusto.

Delante del director de *Semana,* el consejero para las comunicaciones llamó a un periodista amigo en el diario *El Tiempo* y le expuso la misma tesis.

DOMINGO 27 DE AGOSTO

En uno de los párrafos de la noticia de primera página con que *El Tiempo* presentó ese día la renuncia de la embajadora, recogió el planteamiento de Cristo: "La decisión de la embajadora en París podría obedecer a un distanciamiento con el gobierno del presidente Samper, no tanto originado en el escándalo por la financiación de la campaña, sino por el manejo de la reciente crisis de gabinete"[6].

Ese mismo día, en el prestigioso diario norteamericano *The Washington Post,* el Presidente dijo en un reportaje que por ningún motivo abandonaría la Presidencia. "Dejaré el Palacio con la frente en alto al terminar mi mandato, o muerto", afirmó en una declaración que trascendió en Colombia.

---

[6] *El Tiempo*, agosto 27 de 1995, p. 1A.

LUNES 28 DE AGOSTO

El Tiempo se vio obligado a rectificar su información sobre Gloria Pachón, quien le envió una carta al director del periódico, Hernando Santos, en la que negaba haber renunciado aún. Vargas se comunicó muy temprano con Alberto Villamizar, para saber qué estaba pasando.

—Alberto —le dijo—, ¿al fin Gloria renuncia o no?

—Es que tuvo que reconsiderar su decisión por unos días, pues si lo hacía ya quedaba en el aire la perversa interpretación hecha por *El Tiempo* ayer y que, según lo que nos han dicho en el periódico, fue la explicación que Cristo les dio el sábado.

—Pues a nosotros en *Semana* nos trató de vender el mismo cuento —anotó Vargas—. Y déjeme decirle que delante de mí llamó a *El Tiempo* y les echó la misma historia.

Vargas le explicó que, en cualquier caso, la revista había recibido un golpe a su credibilidad como consecuencia de la carta de Gloria Pachón al periódico de los Santos.

—Yo lo sé —le contestó Villamizar—, pero eso se va a resolver en unas pocas semanas porque en todo caso ella va a renunciar y entonces todo el mundo va a decir que ustedes tenían razón. Además, ella quiere esperar porque está a punto de ganar una demanda contra una periodista francesa que publicó una historia falsa sobre un niño colombiano a quien supuestamente le habían sacado los ojos en un hospital para vendérselos a comerciantes de órganos. ¿Se acuerda de eso?

—Sí —repuso Vargas—. Pues habrá que esperar, pero lo que es esta semana nos van a dar palo.

En la noche, los noticieros de televisión anunciaron que la Fiscalía confirmó la medida de aseguramiento en contra de Botero. Pero aún así, estaba claro que la embajadora en París se iba a demorar algún tiempo en dejar su cargo.

JUEVES 31 DE AGOSTO

El jefe de la unidad investigativa de *El Tiempo*, Alejandro Santos Rubino, llegó esa mañana a la revista para conversar con Vargas, Lesmes y Téllez. Dejando a un lado las prevenciones que suelen presentarse entre periodistas que compiten por conseguir noticias, comentaron lo que el periódico y la revista, cada uno por su lado, habían logrado averiguar sobre los aportes de Elizabeth Montoya a la campaña samperista.

La unidad, que desde hacía varias semanas venía presentando trabajos investigativos de muy buena calidad sobre el narcoescándalo, había conseguido copias de varios cheques de gerencia, por un total de 60 millones de pesos, girados por la sucursal del Banco del Estado en San Andrés, a nombre de tres personas desconocidas. Los cheques terminaron consignados en cuentas de la campaña samperista. Alejandro Santos y sus compañeros llamaron al Hotel Marazul de San Andrés, propiedad de Elizabeth Montoya, y preguntaron por esas personas. Pudieron confirmar que se trataba de empleados del hotel. Este punto permitía demostrar que la famosa *Monita* Sarria no era sólo una "señora lagarta", como había querido presentarla el gobierno, sino una contribuyente significativa de la causa samperista.

Al igual que Lesmes y Téllez, Santos tenía copia de un memorando de Santiago Medina al director administrativo de la campaña, Juan Manuel Avella, en el que le pedía registrar un aporte de Inversiones E. Montoya y Cia. por 32 millones de pesos en efectivo. Santos presumía que se trataba de Elizabeth Montoya de Sarria, pero carecía de un documento que lo probara. Los dos periodistas de *Semana* sí lo tenían: un registro de la Cámara de Comercio de Cali de Inversiones E. Montoya, conseguido días antes por la revista, demostraba que Jesús Sarria, su esposa y sus hijos eran los dueños de la firma.

Era un elemento muy importante pues dejaba en claro que una compañía propiedad de Sarria, quien era investigado por narcotráfico, había hecho un millonario aporte en efectivo para la campaña. Las pruebas sobre el ingreso a ésta de narcodineros se seguían acumulando. Los periodistas de *Semana* y Alejandro Santos acordaron entonces publicar al mismo tiempo toda la historia, compartiendo lo que unos y otros habían averiguado. Decidieron que *El Tiempo* la divulgaría el domingo, el mismo día en que *Semana* saldría a circular con un artículo al respecto.

MARTES 5 DE SEPTIEMBRE

El abogado del Presidente, Antonio José Cancino, aseguró a los periodistas que durante la campaña samperista varias personas se habían enriquecido con dineros del narcotráfico que nunca ingresaron a las arcas de la organización política. Su estrategia era clara y en algunos sectores comenzaba a surtir efecto: ante la imposibilidad de negar que la plata del cartel entró a la campaña, Cancino estaba empeñado en demostrar, con hábiles argumentos, que los narcodineros no sirvieron para elegir a Samper, sino para enriquecer a sus principales colaboradores. El dedo señalaba por ahora a Medina, pero la declaración del abogado era también una advertencia para Fernando Botero, por si acaso se sentía tentado a seguir los pasos del ex tesorero.

VIERNES 8 DE SEPTIEMBRE

Una fuente de la Cancillería habló con Vargas y le dijo que había gran preocupación entre los funcionarios diplomáticos, debido a que durante la cumbre de mandatarios del Grupo de Rio en Quito esa semana, Samper había abierto las posibilidades de discutir con Nicaragua el tema del archipiélago de San Andrés[7]. Nunca en la historia contemporánea un mandatario colombiano lo había hecho.

---

[7] A pesar de que existen tratados vigentes que regulan la materia, el gobierno de Nicaragua lleva varias décadas reclamando soberanía sobre el archipiélago de San Andrés y Providencia, departamento colombiano que se encuentra frente a la costa atlántica nicaragüense.

Según la fuente, la explicación de que Samper hubiera aceptado que el asunto fuera discutido, tenía que ver con la necesidad del Presidente de conseguir una declaración de apoyo de sus colegas en medio de la crisis política que atravesaba su gobierno. Samper le había pedido para ello ayuda al mandatario mexicano Ernesto Zedillo, quien según la fuente, se encargó de coordinar la declaración de respaldo a Samper y, cuando ésta ya estaba casi lista, le pidió un favor al Presidente colombiano.

—Zedillo —le dijo a Vargas el funcionario de la Cancillería— le contó a Samper que se había comprometido con la presidenta de Nicaragua, Violeta Chamorro, a conseguir de él que abriera, aunque fuera tímidamente, la puerta de una discusión sobre las diferencias entre Managua y Bogotá. Parece ser que al Presidente no le pareció grave y por eso declaró a los periodistas que los cancilleres de los dos países establecerían una agenda de diálogo, dentro de la cual se discutirían todos los temas de la relación. Pero el canciller Pardo está furioso y tuvo que salir a aclarar que en ningún caso el tema de San Andrés va a estar en esa agenda.

Por fortuna, en medio de la tensión de la crisis política aún había espacio para el humor. Mientras los periodistas de *Semana* trabajaban en la sala de redacción en el cierre de la edición, se escuchó una gran carcajada que salía de la sala de televisión. En una entrevista con el director de CM&, Yamid Amat, el humorista Jaime Garzón dio su opinión sobre la situación del primer mandatario.

—Hay que rodear al Presidente —afirmó en tono muy serio—, hay que rodearlo porque de pronto se escapa…

Jueves 14 de septiembre

El ex director administrativo de la campaña, Juan Manuel Avella, fue detenido ese día por la Fiscalía, acusado de falsedad y enriquecimiento ilícito en favor de terceros. La comisión de fiscales encontró grandes contradicciones entre sus afirmaciones y las que hicieron Santiago Medina y Mauricio Montejo, quienes declararon que Avella envió a Montejo a donde Alberto Giraldo para que éste le pagara cerca de 200 millones de pesos en efectivo por cuentas que la campaña le debía. Para los fiscales resultaba difícil creer que Avella no hubiera estado al tanto del ingreso de los narcodineros si había discutido con Montejo el pago de Giraldo.

—En gracia de discusión —les dijo la abogada la víspera a Lesmes y Téllez en el bar del centro donde solían reunirse—, uno puede pensar que Avella no tenía idea de quién era Alberto Giraldo y que no hizo preguntas sobre por qué pagaba él cuentas de la campaña con dinero en efectivo. Pero después de que aparecieron los narcocasetes tuvo que haber comprendido lo que pasaba. ¿Por qué no lo denunció? En cambio de eso, firmó balances absolutamente chimbos de la campaña para presentar al Consejo Electoral, balances que sirvieron para esconder la plata en efectivo procedente del narcotráfico[8].

---

[8] Juan Manuel Avella fue llamado a juicio por la Fiscalía en septiembre de 1996, bajo los cargos de enriquecimiento ilícito y falsedad.

VIERNES 15 DE SEPTIEMBRE

Después de tres días de discusiones de Lesmes y de Téllez con los abogados de Medina, fue posible convencerlos de que entregaran a *Semana* el primer capítulo del libro que el ex tesorero de la campaña estaba escribiendo sobre el caso. La idea de hacer esa obra había surgido después de que Medina redactara un resumen detallado de su versión de lo sucedido, para anexarla al expediente de la Fiscalía. Según los abogados, la versión resultó tan afortunada, que una vez corregida Medina y ellos tomaron la decisión de que debía constituirse en el primer capítulo de un libro.

Después de conocer el texto del ex tesorero, Felipe López lo leyó con gran cuidado y consultó con algunos amigos y asesores de la revista. El sábado en la mañana decidió que el tema merecía ocupar la carátula.

LUNES 18 DE SEPTIEMBRE

El ex abogado de Medina, Ernesto Amézquita, se reunió ese lunes en la tarde con Edgar Téllez. Le contó que según rumores que él había escuchado entre algunos altos funcionarios del gobierno, estaban desesperados con las publicaciones de *Semana* y por ello decidieron trancar a la revista de algún modo.

—Lo que al parecer resolvieron —dijo Amézquita— es investigar tributariamente a *Semana*, y averiguar qué patrimonio tienen usted, Lesmes y Vargas, y cómo lo consiguieron.

—Pues lo que les va a dar es una gran depresión —respondió Téllez—, porque no se sabe cuál de los tres tiene menos plata. En cuanto a *Semana*, es un medio de comunicación y por eso mismo se cuida muchísimo. Pero, en fin, que investiguen y que pierdan el tiempo en eso no deja de ser divertido.

Esa noche, el noticiero CM& reveló que Guillermo Pallomari, el chileno que había actuado durante años como contador de Miguel Rodríguez Orejuela y cuya declaración en julio de 1994 ante la Fiscalía, mientras estuvo detenido por algunas horas, sirvió de base al proceso 8.000, se encontraba en Estados Unidos bajo protección de las autoridades de ese país.

MARTES 19 DE SEPTIEMBRE

A raíz de la noticia de CM&, que Valdivieso le confirmó a Vargas esa mañana, Lesmes y Téllez activaron sus contactos con las distintas fuentes para saber exactamente qué era lo que estaba pasando con Pallomari. Con la abogada que les informaba cómo iban las cosas en el proceso en la Fiscalía, acordaron una cita para el jueves en la noche.

JUEVES 21 DE SEPTIEMBRE

Como era costumbre, la reunión con la abogada se realizó a las 8 de la noche. La abogada estaba más nerviosa que en las ocasiones anteriores.

—Lo de Pallomari le va a dar un jalonazo inmenso a todo este proceso —les dijo.

Les contó que a fines de agosto dos de los fiscales de la comisión que investigaba el 8.000 habían viajado a Estados Unidos con el propósito de estudiar algunos expedientes que estaban bastante avanzados en ese país en contra de los cabecillas del cartel de Cali. Estos funcionarios judiciales no sólo estaban encargados de las investigaciones de la financiación de la campaña, sino que paralelamente llevaban los procesos por narcotráfico contra los Rodríguez Orejuela y otros capos.

Además, iban a aprovechar el viaje para tratar de establecer cuál era la verdad sobre los millonarios movimientos de dinero para la campaña que, según Santiago Medina, Botero manejó a través de dos cuentas suyas en bancos de Nueva York. Medina sugirió que en esos movimientos podía haber plata del cartel. Botero reconoció las transacciones pero negó enfáticamente que correspondieran a aportes del narcotráfico.

—Cuando los fiscales estaban en Miami —contó la abogada— se vieron obligados a realizar una tercera misión. Los agentes norteamericanos que los acompañaban les pidieron que se comunicaran con la Fiscalía en Bogotá y les advirtieran a sus superiores que iban a desaparecer por unos días. Les dijeron que permanecerían incomunicados incluso de sus familias, bajo la responsabilidad exclusiva de la agencia antidrogas DEA.

La abogada agregó en su relato que pocas horas después los agentes estadounidenses trasladaron a los fiscales a un cuartel de la DEA en el estado de Nebraska.

—Vamos a traer a una persona —les dijeron los funcionarios de la DEA— que puede serles muy útil. Pero como por ahora no hay autorización formal para que ustedes cumplan con ese sujeto una diligencia judicial, les está totalmente prohibido tomar apuntes o grabar. Tenemos tres días por delante y ustedes van a poder conversar con ese sujeto por cuatro horas cada uno de estos días, así que aprovechen bien el tiempo.

A los pocos minutos Guillermo Pallomari hizo su ingreso al salón donde estaban los fiscales. Según la abogada, en las tres sesiones de trabajo con el chileno les contó que a principios de los ochentas había sido contratado por los Rodríguez Orejuela para instalar la red de sistemas de Drogas La Rebaja. Su trabajo resultó tan bueno que Miguel Rodríguez decidió pedirle que diseñara un programa contable para manejar sus negocios. Con el paso del tiempo, Pallomari comenzó a vincularse a todos y cada uno de los negocios de los Rodríguez Orejuela. Pero como Miguel Rodríguez le exigía que controlara y dejara registradas todas sus transacciones, el chileno terminó por enterarse de la forma como el cartel mantenía a sueldo a buena parte de la Policía de Cali.

Pallomari les expicó también que desde mediados de los ochentas era testigo de la financiación de numerosos políticos del Valle y congresistas del resto del país. Así mismo, llevó completos registros sobre la financiación de la campaña liberal para el Congreso y la Presidencia de la República, en 1994. El chileno les aseguró, además, que la historia contada por la testigo *María* era cierta y que, en efecto, el cartel le había dado plata a Samper en septiembre de 1989.

—El problema que tiene todo esto —les dijo la abogada a Lesmes y a Téllez— es que por ahora no es más que una conversación informal. La Fiscalía y las autoridades norteamericanas tienen que ponerse de acuerdo para que Pallomari declare dentro de las investigaciones que aquí se están desarrollando, de tal manera que su testimonio pueda ser incorporado formalmente a los procesos. Y eso se va a demorar.

VIERNES 22 DE SEPTIEMBRE

Lesmes y Téllez se pasaron el día reconstruyendo los datos aportados por la abogada para el artículo central de la sección de Nación que llevó como título "Los secretos de Pallomari". Mientras tanto, al abogado Cancino y el consejero Cristo trataban de convencer a Felipe López y a periodistas de otros medios de que el chileno estaba muerto.

En su polémica sección Sube y Baja, la revista iba a presentar dos informaciones relacionadas de alguna manera con la crisis política derivada del narcoescándalo. El Sube era para la embajadora Gloria Pachón, quien acababa de obtener un triunfo en el proceso judicial que seguía por el caso del falso robo de los ojos a un niño colombiano. Eso podía significar que la renuncia de la diplomática estaba cerca, pues ganar ese caso era una de las metas que pretendía conseguir antes de su retiro. El Baja era para el representante a la Cámara y ex guerrillero Carlos Alonso Lucio. *El Tiempo* había divulgado esa semana un documento de inteligencia que resumía una visita del congresista a los hermanos Rodríguez Orejuela en la cárcel La Picota. Según el informe, Lucio les prometió a los capos iniciar un debate contra la Fiscalía y la justicia sin rostro, algo que efectivamente hizo pocos días después.

MARTES 26 DE SEPTIEMBRE

Mientras Ernesto Samper rendía en Palacio una versión libre ante el representante Heyne Sorge Mogollón, presidente de la Comisión de Acusaciones de la Cámara e investigador del primer mandatario en el proceso preliminar que se le seguía, el director de *Semana* llegó, a las 11 y 30 de la mañana a la embajada de los Estados Unidos para cumplir una cita con el embajador Myles Frechette.

Vargas quería averiguar qué alcance le daba el gobierno de Washington a las declaraciones preliminares de Pallomari y si finalmente iba a autorizar al chileno a declarar formalmente ante los fiscales colombianos.

Después de los primeros minutos de reunión con el embajador, se hizo evidente que quería hablar sobre la crisis política en general y no solo sobre Pallomari. El diplomático le dijo a Vargas que en Washington, tanto en la Casa Blanca como en los departamentos de Estado y Justicia, existía la convicción de que Samper recibió plata del cartel para la campaña del 94. Frechette agregó que la mayoría de los funcionarios que conocían el tema, pensaban además que en 1989, en la campaña para la consulta liberal, Samper también había recibido dineros de los narcotraficantes de Cali para que se opusiera a la extradición.

En cuanto al tema de Pallomari, el embajador explicó que aunque los asuntos que manejan la DEA y el departamento de Justicia eran reservados incluso para él, lo publicado por *Semana* en la última edición coincidía con los datos informales que el departamento de Estado tenía sobre el tema.

—Déjeme contarle una cosa, que me causa curiosidad, señor Vargas —dijo Frechette—. Los representantes de los principales grupos económicos han venido a verme en estos días para preguntarme qué deben hacer frente a la crisis política y si Estados Unidos quiere que Samper se caiga. Yo les he dicho que mi gobierno no desea intervenir, pero que es obvio que si la crisis colombiana se sigue complicando y no aparece una salida, vamos a tener que empezar a decir públicamente lo que pensamos. El tema también me lo han tocado algunos mandos militares y dirigentes políticos. A los militares les he dicho que cualquier salida debe ser constitucional, y a los políticos y a los empresarios que debe ser una salida institucional, es decir, que en ningún caso debe haber traumatismos pues nosotros apreciamos mucho la estabilidad y continuidad democráticas de Colombia.

Antes de concluir la reunión el embajador le contó al periodista que pocos días atrás le había hecho saber al Presidente que a Washington no le gustaban los ataques de algunos funcionarios del gobierno en contra del fiscal Valdivieso. Según Frechette, él le dijo a Samper que el gobierno de los Estados Unidos sabía que el propio mandatario colombiano estaba haciendo gestiones muy reservadas para que el Consejo de Estado diera por concluido el período del Fiscal en marzo de 1996, y que si eso sucedía las relaciones entre los dos países se iban a dañar de modo irremediable.

MIÉRCOLES 27 DE SEPTIEMBRE

Poco antes de las 7 y 30 de la mañana los noticieros de radio interrumpieron sus emisiones para dar una información de último minuto: el abogado del Presidente había resultado herido en un atentado en el centro de la ciudad. Dos de sus escoltas, Jaime Acevedo y Ancízar Gutiérrez, murieron. Por primera vez en 15 meses de escándalos y controversias el proceso 8.000 se teñía de sangre.

Pasado el mediodía las hipótesis sobre los autores del atentado eran bastante variadas: que se trataba de unos narcotraficantes que querían cobrarle a Samper el haberlos perseguido a pesar de sus contribuciones a la campaña; que era la guerrilla, aprovechando la confusión, para desestabilizar aún más al país; que eran los estadounidenses con el mismo propósito; que era el propio gobierno fingiendo un atentado para confirmar con ello la teoría del ministro del Interior, Horacio Serpa, de que había una conspiración en marcha.

Era normal que las anteriores especulaciones surgieran en conversaciones privadas entre periodistas, políticos, empresarios y analistas. Pero lo que causó revuelo esa tarde fue que el propio ministro Serpa se atreviera a lanzar una de esas teorías frente a las cámaras y los micrófonos de los medios. Ante una pregunta de un reportero sobre si pensaba que la agencia antidrogas DEA podía tener algo que ver con el atentado, Serpa respondió: "Pues si usted lo dice, a mí me suena bastante". El reportero trató de precisarlo y el Ministro contestó: "A mí, ante la pregunta que me hace, me suena, ¡cómo no!... me suena bastante".[9]

Hasta ese momento el gobierno había logrado sacar ventaja del criminal episodio de la mañana. Minutos antes del mediodía dio a conocer un comunicado en el que aseguraba que el atentado buscaba impedir que el Presidente ejerciera el derecho a la defensa para demostrar su inocencia. Pero Serpa cometió un grave error al escalar la noticia que ya por la tarde no era tanto el atentado como su acusación contra la DEA.

Jueves 28 de septiembre

En su editorial de las 7 y 30 de la mañana, el director de noticias de RCN, Juan Gossaín, cuestionó duramente la actitud de Serpa: "Un hombre tan importante como el ministro del Interior no puede andar por ahí haciendo semejantes sindicaciones". El columnista de *El Tiempo*, Enrique Santos Calderón, también le cobró al funcionario

---

[9] *Semana*, octubre 3 de 1995, sección Nación.

su metida de pata: "Por favor, doctor Serpa, un poco de mesura".[10]

Mientras tanto el canciller Rodrigo Pardo, quien se encontraba en Nueva York, trataba, con sus declaraciones a medios colombianos y norteamericanos, de rectificar lo dicho por su colega del Interior. El canciller intentó, además, explicarles por teléfono a los funcionarios del departamento de Estado que las declaraciones de Serpa no representaban la posición oficial del gobierno colombiano. Pero todos estos esfuerzos resultaron infructuosos. A media mañana la DEA calificó las declaraciones del titular del Interior como "escandalosas" y le pidió que más bien dirigiera sus palabras "contra la mafia de la droga".

Un poco más tarde los departamentos de Estado y de Justicia rechazaron duramente, en un comunicado conjunto, el "me suena" de Serpa. Aseguraron que lo que el Ministro buscaba era distraer las investigaciones sobre la narcocorrupción política, y responsabilizaron al gobierno colombiano de cualquier cosa que le pudiera pasar a los ciudadanos estadounidenses que estuvieran en el país.

El daño a las relaciones entre las dos naciones estaba hecho y era inmenso. Hacia las 4 de la tarde Serpa salió, por orden del Presidente, a leer un comunicado. Según una fuente de la Cancillería, inicialmente el ministro había querido dar una rueda de prensa pero Samper, preocupado

---

[10] *El Tiempo*, septiembre 28 de 1995. p. 4A.

por lo que pudiera resultar de una nueva improvisación, le exigió que se limitara a leer un texto previamente acordado con el canciller, en el que el ministro del Interior tuvo que echarse para atrás.

VIERNES 29 DE SEPTIEMBRE

Hacia las 11 de la mañana se hizo evidente que el comunicado de Serpa de la víspera no había sido más que una curita tratando de contener una hemorragia. El vocero del departamento de Estado, Nicolas Burns, dijo a esa hora que las declaraciones del funcionario colombiano eran "indignantes".

Pasado el mediodía el columnista de *Semana*, Roberto Pombo, llamó a Mauricio Vargas para contarle que en Palacio se estaba estudiando la renuncia de Serpa.

—Me parece lógico —dijo Vargas—, pero no estoy seguro de que Samper se atreva a perder a su escudero.

A la una, Vargas llegó al restaurante Pajares, al norte de Bogotá, para almorzar con el ministro de Comunicaciones Armando Benedetti y con el empresario Carlos Cure, quien por aquellos días se había convertido en un consejero muy cercano del Presidente de la República. Apenas se saludaron, Benedetti fue al grano.

—Serpa tiene que caerse —aseguró sin titubeos—. Cometió un error muy grave que les va a costar mucho al Presidente y al país.

—Pero de pronto esta es una buena oportunidad —especuló Vargas— para que Samper se acerque a los gringos. ¿Qué tal que les entregue la cabeza de Serpa y ése sea el principio de un acercamiento?

—Eso me parece un poquito optimista —replicó el Ministro—. De pronto ya no les basta con la cabeza de Serpa y lo que quieren es una cabeza más importante.

A las 8 de la noche, Benedetti llamó a Vargas para decirle que el Presidente acababa de decidir que Serpa se quedaba. Según el ministro de Comunicaciones, las gestiones de Rodrigo Pardo habían terminado por calmar las aguas y al parecer Washington ya no estaba interesado en la cabeza del ministro del Interior.

—Esperemos que todo esto sea para bien —dijo Benedetti—, y que no vaya a ser cierta mi teoría de esta tarde.

Poco antes de la medianoche, la edición de la revista quedó lista. Aparte de los análisis en torno al caso de Serpa, el artículo central planteaba que lo de Cancino podía haber sido un intento de secuestro. Dos hechos sostenían esta hipótesis: el primero, que el abogado del Presidente permaneció varios segundos en el suelo frente a uno de los atacantes que, armado con una ametralladora, trataba de arrastrarlo hacia otro autómovil; el segundo, que un par de testimonios indicaban que desde ese otro automóvil —un taxi— una mujer llamó a Cancino para que se subiera. En ese vehículo habían huído algunos de los atacantes.

Otro elemento del artículo era un duro cuestionamiento al vicefiscal Adolfo Salamanca, quien el jueves en la noche y tras haber sido duramente atacado por Serpa y otros altos funcionarios, le dio una explosiva entrevista a Yamid Amat, director del noticiero CM&. El Vicefiscal aseguró que no existía duda alguna sobre el ingreso de narcodineros a la campaña samperista, algo que si bien creía el 59% de los colombianos según las encuestas de esa semana, no le correspondía decirlo al número dos del organismo que estaba investigando los hechos y aún no había concluido las pesquisas.

SÁBADO 30 DE SEPTIEMBRE

A las 11 de la mañana un grupo de periodistas de diferentes medios de comunicación, entre ellos el director de *Semana*, llegó a las salas de cine del centro comercial Hacienda Santa Bárbara, en el norte de Bogotá, con el fin de atender una invitación de la embajada estadounidense para asistir a una sesión privada de la película *Apolo 13*, que estaba a punto de estrenarse en el país.

Para sorpresa de Vargas, el anfitrión era el propio embajador Myles Frechette. El diplomático conversó con los periodistas, pero no sobre la crisis política, sino sobre cine. A los pocos minutos, quienes lo escuchaban tuvieron en claro que sabía bastante del tema y que citaba escenas de las películas clásicas con gran facilidad y buena memoria. Pero los hechos de la semana habían sido demasiado crudos como para que no ocuparan una parte de la charla. Vargas era quien más preguntas hacía al respecto.

—Lo sucedido es muy delicado —dijo Frechette— y el señor Serpa no fue muy afortunado.

Al final de la conversación y poco antes de iniciarse la proyección, el director de *Semana*, que se había quedado con la idea de que debía picarle la lengua al embajador, lo llamó a un rincón del pequeño *hall* de entrada a los teatros.

—Anoche me dijeron que Serpa había estado a punto de caerse —le comentó Vargas—, pero que al final el Presidente decidió dejarlo en el gabinete.

—Eso ya no es muy importante, señor Vargas —contestó Frechette—. Yo creo que con las declaraciones de la DEA y los departamentos de Estado y de Justicia, como respuesta a la cantidad de barbaridades que dijo el ministro del Interior, las cosas se van aclarando. Nadie debe olvidar que Serpa es la figura más representativa de la administración. Por eso espero que aquí ya hayan entendido lo que piensan en Washington sobre el gobierno de Samper.

—¿Y qué piensan? —preguntó Vargas.

—Que es una mierda —respondió el embajador—. Pero no vaya a publicar eso este lunes en *Semana*.

Lunes 2 de octubre

El ex designado Alvaro Gómez, que desde hacía días venía criticando la forma como el gobierno estaba manipulando el proceso investigativo de la Comisión de Acusaciones por medio de lo que él llamaba "vericuetos jurídicos", publicó en *El Nuevo Siglo* otro duro editorial: "La grande equivocación del Presidente de la República ha consistido en no encontrar un juez capaz de crear en torno de su inocencia una credibilidad suficiente que contrarreste las evidencias que tiene en contra". Para Gómez, era difícil que Samper salvara su responsabilidad en el ingreso de los narcodineros a la campaña, porque la Constitución misma señalaba que el candidato era quien debía responder por las cuentas de su organización política.

A las 10 y 30 de la mañana, Felipe López llamó por teléfono desde Nueva York al director de *Semana*.

—El viernes tuve una cita en Washington con Robert Gelbard —le contó— y la verdad es que se da uno cuenta de que las cosas con Colombia están muy mal.

—Pues yo hablé el sábado con Frechette —repuso Vargas— y me quedé con la misma impresión, pero en el gobierno dicen que la mala hora de lo de Serpa ya pasó.

—Usted y yo sabemos que eso no es cierto —agregó López—. Gelbard habla de Samper en muy malos términos. Me confirmó que él personalmente le advirtió en una reunión en Washington, en noviembre del 93, que los Estados Unidos sabían que el cartel le había dado plata en el pasado, pero que estaban dispuestos a olvidarlo todo si Samper se cuidaba, no recibía más narcodineros y aplicaba una política contra los carteles que demostrara que no adquirió compromisos con ellos.

La conversación con Gelbard resultó bastante útil. El subsecretario de Estado para narcóticos le confirmó a

López que después del estallido del escándalo de los narcocasetes se había producido la reunión de Samper con Mike Skol y Crescencio Arcos en Nueva York, en la cual el gobierno estadounidense le había repetido que todo se podía olvidar si el nuevo gobierno colombiano daba claras muestras de luchar contra los carteles y de que no tenía compromiso alguno con ellos[11].

Según Gelbard, la presión continuó durante el segundo semestre de 1994, hasta cuando Fernando Botero convenció a Samper de nombrar al general Serrano como director de la Policía. A partir de ese instante, la CIA y la DEA volvieron a darle apoyo tecnológico a la Policía colombiana en lo referente a la persecusión a los carteles. El subsecretario le reconoció a López que los resultados del primer semestre del 95 habían sido excelentes, pero que desde hacía varias semanas el problema era la serie de revelaciones sobre la financiación de la campaña y la forma como el gobierno de Samper estaba tratando de encubrir lo sucedido, con ataques al Fiscal y a los Estados Unidos. Gelbard dijo además que, como parte de la maniobra de distracción, el gobierno estaba tratando de buscar apoyo con medidas como la conmoción interior.

López y Vargas concluyeron que había que hacer algunas consultas con el canciller Pardo y otros funcionarios colombianos para escribir un artículo sobre el mal estado de las relaciones entre los dos países, en el que la revista resumiera la posición de Washington expresada

---

[11] Ver "Unas cintas muy enredadas", relato del 29 de junio de 1994 sobre lo sucedido la víspera en Nueva York.

por Gelbard y analizara cuáles podían ser las consecuencias de ese deterioro.

Esa noche, el director de *Semana* se enteró de que la embajadora Gloria Pachón de Galán había enviado días antes su carta de renuncia. Pasó un mes desde la carátula de *Semana* que anticipó su retiro y, tal y como Vargas lo temió, el gobierno y otros medios le dieron palo a la revista por anunciar una renuncia que no se produjo. La revancha llegaba un poco tarde.

Martes 3 de octubre

A las 8 de la mañana, el Consejo Gremial se reunió para analizar las consecuencias de las declaraciones de Serpa y evaluar el desarrollo de la crisis. La sesión se inició con la propuesta de algunos de los dirigentes gremiales de enviarle una carta al ministro del Interior y pedirle su renuncia.

—Nosotros no podemos enviarle una carta a ese individuo —argumentó uno de los asistentes.

Todos le dieron la razón. Entonces surgió la idea de dirigirle una carta al propio Presidente para pedirle que retirara a Serpa. Pero algunos de los miembros del Consejo se opusieron con el argumento de que Samper les recordaría que ése era un asunto que competía al fuero presidencial. Se abrió paso la propuesta de emitir un comunicado al día siguiente que hablara de la crisis y cómo ésta podía tener nefastas consecuencias en la economía. El comunicado debía incluir una referencia al daño que Serpa le estaba haciendo al país.

En medio de la discusión de los términos del mensaje, uno de los asistentes habló de la necesidad de que el Presidente produjera una crisis de gabinete para buscar un mayor respaldo de las distintas fuerzas políticas y sacara de su equipo a todos los que habían tenido que ver con la campaña.

—El problema es que si hace una crisis —dijo uno de los asistentes— es posible que no consiga ministros para reemplazar a los que retire.

—Entonces lo mejor sería pedirle la renuncia a Samper —replicó otro de los dirigentes gremiales en medio de la carcajada general.

Mientras concluía la sesión del Consejo Gremial, en la Cámara de Representantes se iniciaba un debate sobre la crisis. El parlamentario Carlos Alonso Lucio, el mismo que días antes había sido acusado por *El Tiempo* de prometerles a los Rodríguez Orejuela durante una visita a La Picota que iba a hacer un debate contra la Fiscalía y la justicia sin rostro, extendió los objetivos de sus ataques a los Estados Unidos.

Amigo de la espectacularidad desde los tiempos en que había hecho escuela en ese campo como guerrillero del M-19, Lucio había venido anunciando en las últimas horas que revelaría una verdadera bomba. Y lo hizo. Puso a andar una grabadora en pleno Salón Elíptico del Capitolio con una cinta en la cual el jefe de la DEA en Colombia, Tony Séneca, hablaba con sus superiores en

Washington. El duro agente antidrogas se refería a los colombianos en los peores términos.

La revelación de la cinta, que buscaba indignar a la opinión nacional en contra del gobierno de los Estados Unidos, lo consiguió. Pero además de ello, logró empeorar el estado de las relaciones. Lucio era conocido como uno de los principales aliados del gobierno en la Cámara, y particularmente del ministro del Interior.

—Para nosotros —le dijo a Vargas una fuente de la embajada estadounidense esa noche—, detrás de todo eso está Serpa.

—¿Y ustedes van a reaccionar? —preguntó Vargas.

—Pues yo creo que lo hará Washington, ya que el embajador salió de vacaciones y no creo que haya ningún comunicado nuestro aquí en Bogotá.

—Y qué van a hacer con Séneca —indagó Vargas—, pues en todo caso quedó muy mal parado.

—Creo que el embajador, que nunca lo ha querido mucho, va a aprovechar el casete de Lucio para convencer a la DEA de que lo cambie, sobre todo porque el hecho de que se haya dejado grabar demuestra que no es un buen agente antidrogas[12].

---

[12] Tony Séneca fue removido de su cargo semanas después, tras haber sido severamente reprendido por sus superiores.

MIÉRCOLES 4 DE OCTUBRE

El Consejo Gremial dio a conocer su comunicado que, en efecto, enfiló baterías contra Serpa, a quien los dirigentes empresariales acusaron de poner en riesgo las exportaciones, la inversión extranjera y los flujos turísticos. Pero el Ministro seguía firme en su cargo. La víspera había asumido las funciones presidenciales debido al viaje de Samper a Alemania, una señal inequívoca de que el Presidente le brindaba toda su confianza.

La crisis seguía haciendo mella en la popularidad del Presidente. Ese día, la firma Gallup Colombia le entregó a *Semana* su más reciente encuesta. Samper había pasado de una imagen favorable de 51% y una desfavorable de 30%, en la semana de la detención de Medina, a una favorable de 36% y una desfavorable de 44%. Era la primera vez en 14 meses de gobierno que la imagen del primer mandatario era más negativa que positiva.

La moda de los casetes no pasaba. El Noticiero Nacional divulgó en televisión ese mediodía la grabación de una supuesta conversación telefónica del representante investigador del Presidente, Heyne Mogollón, con un funcionario del Banco Ganadero sobre la forma como debía tramitar los papeles para obtener un crédito estatal de fomento de Finagro. En el curso de la charla, el funcionario y Mogollón hablaban sobre la investigación a Samper e insinuaban que el parlamentario le iba a hacer un gran favor al primer mandatario. Mogollón negó enfáticamente que fuera su voz y protagonizó un duro altercado con la periodista.

Viernes 6 de octubre

—Acabo de hablar de nuevo con una fuente de la embajada —le contó Vargas a Téllez esa mañana—, y me dice que ellos están seguros de que el DAS, por orden de Ramiro Bejarano, fue el autor de la grabación a Tony Séneca y le entregó la cinta a Serpa, quien se la dio a Lucio.

—Me parece difícil de creer —contestó Téllez—. Usted sabe que yo tengo un buen amigo en la Policía Judicial del DAS, que habla mucho con Bejarano. El tipo me contó que Bejarano había tenido un duro altercado hace pocos días con Juan Fernando Cristo.

Según el relato de la fuente de Téllez, Cristo le reclamó al director del DAS que esa entidad no estuviera cumpliendo con sus deberes.

—Cómo es posible —le dijo Cristo, según el funcionario del DAS— que usted no haya hecho nada para desprestigiar a Medina y a todos los conspiradores. ¿Acaso no es el jefe de inteligencia del Presidente?

—Yo soy el jefe de inteligencia —le contestó Bejarano—, pero no el jefe de delincuencia.

Según el funcionario de Policía Judicial, era evidente que el director del DAS se estaba distanciando de Palacio. Al parecer él, que no había tenido nada que ver con la campaña, estaba cada día más convencido de que la plata del cartel entró y tenía serias dudas de que Medina fuera el único culpable de ello.

Domingo 8 de octubre

Vargas recibió ese día al Fiscal en su apartamento para tomar un café. Desde hacía tiempo, el director de *Semana* quería sostener con Valdivieso una conversación relajada y por fuera de la oficina, con el fin de establecer para dónde iban las investigaciones y qué tan lejos pensaba llegar la Fiscalía en el tema del Presidente. Pero a pesar del ambiente tranquilo del domingo por la mañana, el funcionario mantuvo su actitud críptica.

—Nosotros no investigamos al Presidente —le dijo—. Esa es función de la Cámara.

—Pero qué pasa si encuentran pruebas que lo comprometan —preguntó Vargas.

—Pues las enviamos a la Comisión de Acusaciones.

—¿Y si son pruebas muy serias?

—Hay quienes creen que estaríamos obligados a elevar una denuncia formal ante la Comisión —contestó Valdivieso.

Vargas aprovechó la charla para contarle que semanas antes un consejero de Estado le había hablado de una conversación de un ex consejero con el Presidente, en la cual Samper le había pedido que intercediera con sus ex compañeros del alto tribunal para que, en la decisión de la demanda sobre el período del Fiscal, se inclinaran por el retiro de Valdivieso en marzo de 1996 y no en agosto de 1998.

—¿A usted le han dicho algo de esas gestiones? —preguntó Vargas.

—Pues hay muchos rumores —contestó el Fiscal—, pero yo no sé nada concreto. Muchos amigos van a mi oficina a contarme historias como ésa, y entiendo que en el Consejo de Estado hay quienes sostienen que el gobierno les está enviando un doble mensaje. Por un lado está la posición del ministerio de Justicia, que inscribió un alegato en favor de mi permanencia hasta el 98, después de haber planteado la posición contraria hace algunos meses. Pero por el otro, dicen que llegan mensajes como el que usted me cuenta. Yo no estoy seguro...

LUNES 9 DE OCTUBRE

De regreso de Alemania, Samper rechazó la declaración de la dirección gremial en el sentido de que la crisis estaba comenzando a afectar la economía. Y Serpa sostuvo en los noticieros radiales de la mañana que su despacho nada tuvo que ver con la entrega del casete de Tony Séneca a Lucio.

Pero los golpes contra el primer mandatario no cesaban. Una vez más, el ex designado Alvaro Gómez se refirió a la crisis en el editorial de *El Nuevo Siglo* y metió baza en la discusión sobre si Samper se iba a caer o no: "La política colombiana está encerrada entre dos proposiciones contradictorias e igualmente válidas. La primera, que el presidente Samper no se cae. No hay nadie conspirando para derrocarlo. La segunda proposición, igualmente cierta, es que el Presidente no se puede quedar. Esto no marcha. No hay mando".

Era la primera vez que una figura de su talla pedía, aunque fuera con un juego de palabras, el retiro del Presidente.

MIÉRCOLES 18 DE OCTUBRE

En la mañana, el cura Bernardo Hoyos se presentó a la Comisión de Acusaciones para declarar bajo juramento en la investigación preliminar al Presidente. A la salida de la comisión, el sacerdote se vio rodeado de periodistas y soltó una frase que hizo ruido en los medios durante todo el día. Al referirse al desarrollo del proceso, afirmó: "Todo está arquitectado para absolver al Jefe del Estado".

El representante a la Cámara Rodrigo Garavito fue detenido esa tarde por orden de la Corte Suprema de Justicia, sindicado de enriquecimiento ilícito y falsedad, y conducido a una estación de Policía. Tras seis meses de averiguaciones, la Corte pudo constatar, con ayuda de la Fiscalía, que además de haberse alojado varias veces en el Hotel Intercontinental en 1993 por cuenta del cartel, el representante parecía haber recibido millonarios pagos de los Rodríguez Orejuela. Además de un giro de 8 millones 200 mil pesos y uno por un millón 500 mil, relacionados como pago al "Dr. Garavato" en los documentos contables que aparecieron en el maletín de Miguel Rodríguez en julio, los investigadores descubrieron que cuantiosas sumas consignadas inicialmente en cuentas de dos empleados de Garavito, habían terminado, al parecer, en los bolsillos del congresista.

La importancia de la detención de Garavito radicaba en que era la primera vez que la Corte procedía en contra de uno de los parlamentarios que el Fiscal le había pedido investigar en abril anterior. Con esa decisión, el alto tribunal parecía estar avalando la tesis sobre enriquecimiento ilícito según la cual no hacía falta sentencia previa en contra de los donantes del dinero para decir que éste era ilícito. Se trataba, a no dudarlo, de un espaldarazo a la Fiscalía.

Mientras Garavito era llevado a su sitio de reclusión, la radio y la televisión centraban sus noticias en la decisión de la Corte Constitucional en torno a la declaratoria de conmoción interior hecha por el gobierno siete semanas antes. Los magistrados habían resuelto, por votación de 7 contra 2, dejar sin piso la conmoción con el argumento de que, aunque era indiscutible que el país estaba sumido en la violencia, no había ninguna cifra consolidada que indicara que la alteración del orden público era mayor que en los últimos años. La decisión fue facilitada por el hecho de que diferentes agencias gubernamentales aportaron al proceso de estudio .constitucional de la medida cifras equívocas y contradictorias sobre el aumento de la criminalidad.

—Es evidente —le dijo a Vargas el periodista Óscar Montes, siempre enterado de lo que se comentaba en los altos tribunales— que los magistrados están convencidos de que la declaratoria de conmoción no fue más que una cortina de humo que buscaba distraer las verdaderas causas de la crisis. Uno de ellos me dijo esta mañana que el país sí estaba conmocionado, pero no por el orden público, sino por el narcoescándalo.

JUEVES 26 DE OCTUBRE

Los periódicos recogieron esa mañana el cruce de cartas entre el vicepresidente Humberto de la Calle y el ministro de Justicia, Néstor Humberto Martínez. El martes, De la Calle le había enviado una carta a Samper en la cual le pedía que interviniera ante el Consejo de Estado, por los canales jurídicos a que tenía derecho, con argumentos en favor de la permanencia de Valdivieso como Fiscal hasta 1998. Martínez le respondió el miércoles y en su carta aseguró que De la Calle estaba equivocado, pues el ministerio de Justicia ya había presentado un alegato jurídico con argumentos que apuntaban a la permanencia del Fiscal General más allá de marzo de 1996. Formalmente Martínez tenía razón, pero era evidente que De la Calle había enviado la carta porque sabía por otras fuentes del doble juego que el gobierno estaba haciendo en este caso.

VIERNES 27 DE OCTUBRE

El final de la semana estuvo marcado por el debate en torno al giro que había tomado el caso del casete en el que supuestamente Heyne Mogollón y un funcionario del Banco Ganadero hablaban sobre la tramitación de un crédito de Finagro y sobre el proceso al Presidente.

Según el Noticiero Nacional, que había revelado la cinta tres semanas antes, ésta había resultado falsa, lo que obligó al informativo a denunciar ante el gobierno a la fuente que se la entregó: se trataba del coronel Gustavo

Castro, segundo a bordo de la sección de inteligencia del Ejército, que comandaba el general Luis Bernardo Urbina.

Tras una rápida investigación, el gobierno resolvió destituir tanto a Castro como a Urbina, pues según las averiguaciones el general fue quien dió la orden de entregarle la cinta al noticiero. Ese viernes en la noche, pocas horas después de ser despedido con una salva de aplausos por decenas de oficiales y funcionarios civiles del ministerio de Defensa, Urbina recibió a Téllez y a Lesmes para una entrevista. En ella sostuvo que el casete era auténtico. Argumentó que había autorizado su divulgación porque pensaba que le estaban "mamando gallo al pueblo" con la investigación al Presidente.

El episodio era grave por cualquier lado que se le viera. Montaje o no[13], la grabación había sido filtrada a un medio de comunicación por uno de los más prestigiosos generales del país, con el evidente propósito de hacerle daño al gobierno y en ese sentido éste tenía razón al destituir a los dos oficiales. Pero esto solo resolvía una parte del problema, ya que resultaba evidente, tanto por lo que hizo Urbina como por los aplausos con que fue

---

[13] Semanas después una fuente del Ejército le dijo a Téllez que la grabación fue realizada por los hombres de Urbina con un equipo electrónico de interceptación de teléfonos celulares que estaba en prueba y que no conocían muy bien. La Fiscalía, que investigó durante un largo tiempo la autenticidad de las voces, no pudo llegar a ninguna conclusión definitiva pues se trataba de voces digitalizadas en la comunicación celular, algo que dificulta considerablemente la identificación de la voz humana con un 100% de certeza, con la tecnología disponible.

despedido por sus compañeros, que en las Fuerzas Militares había un alto grado de insatisfacción con el Presidente debido al narcoescándalo.

LUNES 30 DE OCTUBRE

El Nuevo Siglo publicó otro editorial de Álvaro Gómez que sugería la caída de primer mandatario: "Con lo que se conoce de ese proceso, la opinión pública ha llegado a una evidencia: que en la campaña presidencial del señor Samper sí hubo dineros del narcotráfico, que fueron cuantiosísimos, que se emplearon intensamente para ganar la segunda vuelta de las elecciones, y que finalmente se obtuvo un triunfo por una débil mayoría, que bien pudo ser comprada por las millonadas de recursos ilícitos que se gastaron. Este hecho, ya comprobado, es lo que ilegitima al régimen que padecemos. Por eso nosotros hemos sostenido que el único propósito político válido es tumbarlo".

JUEVES 2 DE NOVIEMBRE

Pasadas las 9 de la mañana, Luz Yolanda, la secretaria de la dirección de *Semana* entró afanada al despacho de Vargas para decirle que encendiera el radio. A los pocos segundos el periodista comprendió el motivo: todas las cadenas habían interrumpido sus emisiones para registrar una dramática noticia. Álvaro Gómez había sido gravemente herido a bala minutos antes, cuando salía de dictar una clase en la Universidad Sergio Arboleda, en el sector de El Lago, en el norte de la capital.

Fueron más o menos dos horas de espera. A pocas calles del lugar del atentado, en la clínica del Country a donde fue trasladado el ex designado, un millar de estudiantes de la Sergio Arboleda se aglutinaban y gritaban consignas contra el gobierno y el presidente Samper. Poco después de las 11 de la mañana, el director de la clínica leyó un comunicado que confirmaba lo que todos temían: Gómez había fallecido.

Diferentes medios de comunicación, entre ellos *Semana*, recibieron hacia el mediodía en sus salas de redacción llamadas telefónicas de un grupo que se hacía llamar "Dignidad por Colombia", el mismo que había reivindicado el atentado contra el abogado del primer mandatario. Pero eso en vez de ayudar a aclarar las cosas, contribuía a confundirlas: ¿quién podía haber querido matar —o secuestrar— al defensor del Presidente, y un mes después asesinar al más importante y respetado de sus críticos, al hombre que desde los editoriales de *El Nuevo Siglo* se había atrevido antes que nadie a pedirle a aquél la renuncia?

Las hipótesis se multiplicaron como en el caso de Cancino: que el gobierno quiso con ello callar la voz de su principal opositor; que fue un sector de narcotraficantes que con esos ataques desestabilizadores buscaba cobrarle a Samper la forma como los estaba tratando a pesar de que ellos le habían financiado su campaña; que fue la guerrilla tratando de generar un caos en medio del cual pudiera salir gananciosa; que fueron los Estados Unidos con el mismo propósito. En resumen, más o menos las mismas tesis aventuradas surgidas tras el atentado a Cancino, y tanta o más oscuridad.

El gobierno reaccionó con una nueva declaratoria de conmoción interior, con la certeza de que en este caso la Corte Constitucional no la tumbaría. El gobierno tuvo razón. Pocas semanas después, la Corte Constitucional avaló la declaratoria de conmoción.

Pero esta vez, había un nuevo elemento. En la noche Téllez conversó con un oficial del Ejército que tres o cuatro años atrás le había servido como fuente en el tema de guerrilla. La cita tuvo lugar en un apartamento en el occidente de la ciudad, propiedad al parecer de un amigo del oficial. El jefe de investigación encontró al militar sumido en una crisis de nervios, fumando con desespero y con una botella de whisky sobre la mesa de la sala, de la que ya había bebido cerca de la mitad.

—Edgar —le dijo—, lo que le voy a contar es espantoso. Yo creo que gente nuestra mató a Gómez.

—¿De qué me habla? —preguntó el periodista— ¿Qué gente? ¿Por qué?

—Eso es lo peor, que ni siquiera sé bien cuál de los grupos —agregó el oficial.

Le aseguró a Téllez que desde hacía varias semanas algunos altos oficiales cuyos nombres se negó a mencionar estaban hablando de darle un golpe de Estado al Presidente.

—Que yo sepa —le dijo—, ellos se reunieron con Álvaro Gómez un par de veces, pues pensaban que la junta de gobierno que reemplazaría a Samper debía ser presidida por un civil y no por un militar. Al principio, Gómez escuchó con atención los planteamientos, pero luego tomó distancia y no volvió a reunirse con ellos. Parece que le dio miedo comprometerse en esa aventura. Lo grave es que mientras se dejó hablar del asunto, otros militares, amigos del gobierno, se enteraron.

—¿Y ellos lo mataron? —preguntó Téllez.

—Pues eso es lo que yo me temo...

—No entiendo absolutamente nada —dijo el periodista.

—De lo único que estoy seguro es que hay gente nuestra metida —agregó el oficial—, pues hay mucho ruido y mucho miedo desde esta mañana. Nadie quiere hablar, pero están tratando de proteger a algunos compañeros míos metidos en el asunto.

El oficial se quedó callado. Téllez tuvo la impresión de que sabía mucho más pero no lo iba a decir.

—Usted me conoce, Edgar. Sabe de mí desde hace años, sabe lo que quiero este uniforme —dijo mientras mostraba su chaqueta verde y sus insignias—. Yo no sé a qué horas se metió nuestra gente en esta locura. Investigue, usted tiene cómo...

Téllez insistió durante hora y media para tratar de sacarle algún dato adicional. Pero fracasó. El whisky había hecho su efecto y el oficial estaba tan alterado que el periodista prefirió despedirse de él.

Viernes 3 de noviembre

A las nueve de la mañana, Téllez relató a Vargas y a Lesmes la conversación de la noche anterior. Resolvieron que mientras el director y el jefe de redacción se dedicaban a la edición especial de homenaje a Gómez, Téllez debía concentrar sus esfuerzos en tratar de saber algo más, pues con lo que tenía no se podía escribir ni una sola línea.

—¿Hace cuánto que usted no hablaba con ese oficial? —preguntó Vargas.

—Hace más o menos tres años —contestó—. Desde entonces, lo he visto dos o tres veces.

—¿Y no hay riesgo de que esté loco o algo así? —indagó Lesmes.

—Pues ni idea, él andaba muy perdido como fuente… Pero cuando me dió información ésta siempre fue veraz.

En horas de la noche, revisaron el tema. Téllez hizo un par de llamadas a otras fuentes militares y lo único que le quedó claro fue que nadie quería hablar del asunto.

—Eso es lo curioso —comentó Téllez—. Normalmente esas fuentes se interesan en analizar un crimen como éste. Pero nadie quiere tocar el tema.

—Pues ustedes dos van a tener que ponerse a investigar esto desde la otra semana —concluyó Vargas—. Por ahora es imposible referirse a eso en la revista, al menos en los términos que cuenta el oficial. Ni siquiera hemos podido confirmar que Gómez se haya reunido con militares en estos meses[14].

MIÉRCOLES 8 DE NOVIEMBRE

En medio de la confusión generada por la muerte de Gómez, los medios centraron sus esfuerzos informativos en el almuerzo del presidente Samper con Andrés Pastrana. Era la primera vez que los dos candidatos de la contienda del 94 se encontraban cara a cara para conversar. La sede fue el apartamento del canciller Rodrigo Pardo. Al terminar la cita, que duró cerca de tres horas, funcionarios del gobierno trataron de convencer en privado a los periodistas de que el Presidente había logrado convencer

---

[14] Los autores trataron infructuosamente de averiguar más detalles sobre el asunto. Semanas después el noticiero QAP transmitió una serie de informes que confirmaba que una de las pistas que seguía la Fiscalía tenía que ver con la posible participación de militares en el crimen. La revista registró esos hechos en los meses que siguieron, pero sólo cuando el embajador Myles Frechette, en una entrevista con el noticiero 24 Horas el lunes 12 de agosto de 1996, reveló que algunas personas se le habían acercado para hablarle de golpe de Estado, *Semana* volvió sobre el asunto. En su edición del 20 de agosto de 1996 y después de que algunas fuentes militares y de Policía aceptaran por fin hablar con Téllez y Lesmes sobre la participación de uniformados en el asesinato, se publicó un informe de carátula, enriquecido por averiguaciones de Felipe López con varios personajes que participaron en reuniones en las que discutieron el tema del golpe de Estado.

a Pastrana de colaborar con su gobierno y participar en el nuevo gabinete que sería nombrado después de que la Comisión de Acusaciones, tal y como todo el mundo apostaba, se abstuviera de abrir investigación formal contra Samper. Pero nadie les creyó. Del almuerzo simple y llanamente no había quedado nada, fuera de que Pastrana, muy apaleado por las encuestas desde la rueda de prensa de los narcocasetes en junio de 1994, experimentó un pequeño repunte en su imagen[15].

Esa tarde, Téllez se reunió con la jefe de prensa de la Fiscalía, Marcela Durán, buena fuente que, aunque prudente, solía confirmar algunas de las informaciones que la revista obtenía por otra vía. Ella le informó al periodista que la Fiscalía acababa de avalar la importancia del testimonio y la colaboración con la Justicia de Santiago Medina. En consecuencia, ese organismo se disponía a otorgarle al ex tesorero su casa por cárcel. El asunto iba a pasar en las horas siguientes a manos de un juez sin rostro para que ejerciera el control de legalidad sobre la decisión. Si la encontraba ajustada a derecho, confirmaría el beneficio.

---

[15] Después de haber acumulado una imagen desfavorable del 50% en una encuesta de Gallup Colombia de septiembre, contra una favorabe de 39%, Pastrana volvió a tener en una encuesta una imagen más favorable que desfavorable. En un sondeo de Gallup Colombia realizado horas después del almuerzo con Samper, obtuvo 46% de imagen favorable contra 41% de desfavorable. Pero a las pocas semanas volvió a perder terreno.

—Como quien dice —explicó Marcela Durán— que es muy posible que Medina pase Navidad en su casa.

—Ese va a ser un golpe para el gobierno y también para Fernando Botero —comentó Téllez—. Yo creo que lo va a poner a dudar.

JUEVES 9 DE NOVIEMBRE

Una nueva cita tuvo lugar esa noche entre Téllez —Lesmes no estaba en esos días en Bogotá— y la abogada, en el bar de siempre.

—Los fiscales regresan a Estados Unidos —le dijo al periodista—. Viajan el sábado y por fin van a poder hacerle la indagatoria a Pallomari. Llevan un paquete de preguntas sobre una docena de congresistas investigados, pues la Sala Penal de la Corte les comisionó esa tarea. Pero también van a averiguar sobre los aportes a la campaña samperista. Por si cualquier cosa, están preparados para grabar hasta cien horas en casete.

MIÉRCOLES 15 DE NOVIEMBRE

A las 4 y 30 de la tarde, Vargas llegó a la embajada estadounidense para una reunión con Frechette. El búnker de la sede diplomática de la carrera 13 con calle 38 estaba semivacío y las actividades prácticamente paralizadas por cuenta del conflicto entre el gobierno de Bill Clinton y el Congreso, que impedía la aprobación del presupuesto y, por ende, el funcionamiento de las oficinas públicas de ese país en todo el mundo.

—Usted me perdonará que no le pueda ofrecer ni siquiera un café —dijo el embajador—, pero así están las cosas.

Vargas le preguntó qué iba a hacer su gobierno ahora que la Fiscalía había avalado el testimonio de Medina y con ello certificado de alguna manera que los narcodineros entraron a a la campaña y que Botero y Samper lo sabían.

—No puedo hacer predicciones exactas —respondió Frechette—. Necesitaría conocer con exactitud el alcance del documento de la Fiscalía. Pero no creo equivocarme si le digo que al confirmarse el ingreso de la plata del cartel a la campaña la certificación de Colombia en marzo se va a complicar aún más.

—Y, aparte de eso, ¿cómo están las relaciones en este momento? —preguntó el director de *Semana*.

—Yo creo que mal. Ahora que regresé de mis vacaciones encuentro que las cosas en Colombia están igual o peor y que Serpa y sus muchachos siguen haciendo de las suyas.

—¿Se refiere al casete de Lucio en el que habla Tony Séneca?

—No sólo a eso —contestó el diplomático—. En cada declaración de Serpa siempre está oculta la intención de enemistar a Bogotá con Washington, pero a eso ya nos estamos acostumbrando. Hay una cosa, en cambio, que me impresiona más, y es la capacidad que tienen los ministros que viajan a Washington de mentirles a los periodistas cuando regresan a Bogotá. Esa es la única explicación de que cada vez que un ministro colombiano viaja a Washington, yo reciba un informe del departamento de Estado en el sentido de que a ese funcionario no le fue bien, de que no convenció ni logró sus objetivos, y luego veo al Ministro por televisión hablando del éxito de su visita. El propio Samper se ha contagiado de esa enfermedad. Después de su viaje a las Naciones Unidas hace algunas semanas, llegó a Colombia diciendo que se reunió 15 minutos con el presidente Clinton. Yo le puedo asegurar que la conversación entre Samper y él no duró más de un minuto. Era un coctel que el presidente Clinton ofrecía a todos los mandatarios y cancilleres asistentes a la asamblea de las Naciones Unidas. Él saludó a Samper, lo felicitó por los golpes al cartel de Cali y le pidió que lo excusara porque no había almorzado y se iba a comer un emparedado. Eso fue todo.

Vargas le preguntó si eran ciertos los rumores en el sentido de que al ex fiscal Gustavo de Greiff la Fiscalía de los Estados Unidos le estaba preparando un expediente de acusación.

—Como ya le he dicho en otros casos —contestó Frechette—, a mí no me informan sobre el contenido de procesos judiciales, pero un periodista de *The Washington Post* me contó hace algunos días que es inminente que la Fiscalía de Nueva York inicie un proceso formal contra De Greiff por obstrucción a la justicia debido a la carta que envió en el caso de *La Quica*[16].

---

[16] Véase "Unas cintas muy enredadas", nota de pie de página correspondiente al jueves 30 de junio de 1994.

VIERNES 17 DE NOVIEMBRE

Vargas se comunicó con Felipe López y le relató lo que había averiguado sobre De Greiff y la posibilidad de que los fiscales estadounidenses lo llevaran a juicio por el caso de *La Quica*. El presidente de la revista se dedicó a buscar al ex fiscal, mientras Vargas conversaba con dos periodistas de Miami y Nueva York para consolidar el tema de carátula que saldría en el siguiente número.

Esa noche, mientras se cerraba la edición, los noticieros de televisión registraron una frase del fiscal Valdivieso sobre el otorgamiento de la casa por cárcel a Medina. El jefe del ente acusador les dijo a los periodistas que si Fernando Botero colaboraba con la Justicia ofreciendo información que ayudara a aclarar el caso, también podría aspirar a beneficios como la casa por cárcel.

La columna de María Isabel Rueda que iba a aparecer en la revista en la siguiente edición se refería al mismo tema. La respetada columnista de *Semana* decía: "La peor ironía es tener a Botero en la cárcel y a Ernesto Samper en la Casa de Nariño. Al fin y al cabo, es una verdad irrefutable que sin Fernando Botero, Ernesto Samper jamás habría llegado a ser Presidente".

En la sección de Economía de la revista había otro tema indirectamente vinculado con la crisis política. Según las cifras de los estudios de mercadeo, los distintos ministerios habían pasado de invertir 4.600 millones de pesos en publicidad en 1994, a gastar más de 25.000 millones en lo que iba corrido del 95, un incremento del 439% que sólo se podía explicar por el deseo de la administración de mantener de su lado a algunos medios de comunicación y vender la imagen de un gobierno lleno de realizaciones.

JUEVES 23 DE NOVIEMBRE

Téllez y Lesmes se reunieron esa noche con la abogada. Les tenía noticias sobre la indagatoria de Pallomari con los fiscales colombianos, que acababan de regresar de Charlotte, Carolina del Norte. En términos generales su testimonio permitía redondear buena parte de los casos de los congresistas.

—Pallomari identificó —dijo la abogada— a los principales políticos que recibían pagos del cartel. Además ayudó a los fiscales a descifrar registros contables, cheques y otros documentos que, en su momento, él mismo había manejado. No les puedo dar más detalles porque de la reserva con que se maneje todo esto depende que estos políticos se vayan a la cárcel en los próximos meses.

—¿Y de la campaña del Presidente dijo algo? —preguntó Lesmes.

—Les contó a los fiscales en la indagatoria —agregó la abogada— que Miguel Rodríguez le ordenó abrir una cuenta especial en la sucursal principal en Cali del Banco de Colombia, a nombre de una de sus empresas de fachada, Exportcafé, con el fin de manejar los recursos para la campaña de Samper y los políticos que lo apoyaban. Pallomari les advirtió por fuera de la indagatoria que sólo hablaría de ese punto en una segunda oportunidad, pues los agentes estadounidenses que manejaban su caso lo habían instruido en el sentido de que sobre la campaña del Presidente no hablara todavía.

Cuando regresaban a sus casas Lesmes y Téllez comentaron ese último punto. Estuvieron de acuerdo en que, si era cierto, indicaba que Estados Unidos quería guardarse ese as para más adelante con la idea, quizás, de seguir obteniendo de Samper concesiones en la lucha antidrogas.

VIERNES 24 DE NOVIEMBRE

Temprano en la mañana el director de *Semana* recibió las respuestas de la saliente embajadora en París, Gloria Pachón, a una entrevista que Vargas le había propuesto una semana antes. La viuda de Galán aseguró que "el Presidente podría haberse retirado mientras se aclaran las responsabilidades". También recordó que Luis Carlos Galán había sido "el primero en advertir sobre el peligro de la infiltración de las mafias en la política. Por ello y por la tragedia que Colombia vivió en los 80, es inconcebible que la campaña presidencial recibiera narcodineros".

LUNES 27 DE NOVIEMBRE

En horas de la noche, Marcela Durán llamó a Téllez para decirle que el juez sin rostro del caso Medina acababa de validar el beneficio de la casa por cárcel que la Fiscalía le había otorgado. El regreso del ex tesorero a su residencia era cuestión de días.

MARTES 28 DE NOVIEMBRE

—Valdivieso se salvó por un pelo —le contó Óscar Montes a Vargas desde el Consejo de Estado—. Por un solo voto, los consejeros decidieron que el Fiscal se queda hasta 1998. La ponencia de la magistrada Clara Forero de Castro fue fundamental para convencer a los indecisos. Pero le cuento una cosa: según me dicen acá, las presiones en favor de la decisión contraria fueron enormes. Un consejero me contó que el procurador Orlando Vásquez estuvo dedicado a ese tema durante las últimas semanas.

Montes averiguó en el alto tribunal que, al parecer, Vásquez les había pedido a varios consejeros las hojas de vida de amigos de éstos para nombrarlos en la Procuraduría. Todo ello a cambio de que votaran por la salida del Fiscal en marzo de 1996. El periodista de *Semana* también se enteró de que algunos abogados de los narcotraficantes detenidos les pasaron memorandos a dos de los miembros del Consejo de Estado con argumentos que sustentaban la tesis del retiro de Valdivieso.

—Además hay que tratar de averiguar —agregó Montes— cuál fue el Ministro que les dijo a algunos consejeros que el Fiscal se quería retirar en marzo para lanzar su campaña presidencial, porque eso también me lo contaron aquí.

—No se preocupe Óscar —contestó Vargas— que, aunque sea verdad, eso no nos lo va a reconocer ningún Ministro.

Antes de colgar, Montes le planteó al director de la revista que en el artículo que se escribiera sobre ese tema para la siguiente edición, era importante aclarar que no todos los consejeros que votaron por la salida del Fiscal en marzo lo hicieron por presiones. Muchos estaban convencidos de la existencia de razones jurídicas para inclinarse en ese sentido.

Miércoles 29 de noviembre

En declaraciones a los noticieros matinales de la radio, el abogado Cancino calificó de "desastrosa" la decisión del Consejo de Estado. El doble juego del gobierno en este tema quedaba así confirmado.

Jueves 30 de noviembre

El embajador Frechette llegó a las 8 de la mañana a tomar un café con el director de la revista. Para sorpresa de Vargas, se presentó con una veraniega camisa de flores y un pantalón color caqui.

—Voy a salir al campo —le contó—. Es que con todo esto de la mudanza a la nueva sede de la embajada en la avenida Eldorado, no hay manera de trabajar ni en la oficina vieja ni en la que voy a tener ahora. Así que me conseguí una finca de aquí al lunes y me llevo para allá montañas de papeles.

Al igual que en las dos últimas reuniones, el embajador se hizo acompañar de Terry Kneebone, jefe de prensa de la sede diplomática, quien tomó apuntes de toda la charla. Vargas le preguntó a Frechette cómo veía la situación después del fallo del Consejo de Estado sobre el Fiscal.

—Algunas personas me han dicho en estos días que después de eso al gobierno se le vino todo abajo, se le desbarataron todos sus cálculos —dijo el embajador—. Los que piensan así dicen que si el Fiscal salía en marzo el Presidente mandaba una terna a la Corte para reemplazarlo, integrada por candidatos que estuvieran dispuestos a echar para atrás el proceso 8.000. De ese modo ni Botero ni ningún otro detenido tendría interés en volteársele al gobierno y Samper podría seguir tranquilo. Pero parece ser que con el fallo hay mucha gente nerviosa.

El director de *Semana* indagó con el embajador por qué los agentes antidrogas que estaban encargados de Pallomari no le permitieron hablar con los fiscales sobre la narcofinanciación de la campaña presidencial, sino solamente sobre los fondos para los congresistas. Frechette le contestó que no tenía idea[17].

---

[17] Semanas después, otra fuente de la embajada le contó a Téllez que la DEA no dejó que Pallomari hablará del caso del Presidente, porque Estados Unidos no quería que la valiosa información que el contador del cartel tenía sobre ese tema quedara

Vargas le preguntó entonces si era verdad que los Estados Unidos le iban a retirar la visa al comandante de las Fuerzas Militares, general Camilo Zúñiga, por sus supuestos vínculos con figuras del narcotráfico. Frechette le respondió que eso aún no estaba decidido, pero que el proceso de estudio del caso ya se había iniciado y que el canciller Pardo y el ministro Esguerra estaban enterados. Agregó que, de todas maneras, cualquier información al respecto sería desmentida por su gobierno hasta tanto concluyera el proceso evaluativo del caso.

—¿Eso tiene que ver con algo que haya dicho Pallomari, o el hijo de un general retirado de apellido Salcedo, que dicen que era piloto del narcotráfico y ahora está colaborando con ustedes? —preguntó Vargas.

—La ley americana me impide contestarle esa pregunta —respondió—, pero más adelante puede haber noticias de eso.

---

en manos de la Fiscalía cuando aún no se sabía si Valdivieso iba a seguir en su cargo después de marzo de 1996, o si iba a ser reemplazado por un nuevo Fiscal propuesto por Samper. Cuando días después quedó garantizada la permanencia de Valdivieso hasta el 98, los problemas para una segunda indagatoria de Pallomari ya no fueron en Estados Unidos sino en Colombia: la Procuraduría torpedeó reiteradamente la diligencia, al abstenerse con toda clase de trucos de nombrar un delegado suyo para que acompañara a los fiscales, requisito sin el cual la diligencia no se podía cumplir.

SÁBADO 2 DE DICIEMBRE

A las 10 de la noche y en medio de estrictas medidas de seguridad, Santiago Medina fue trasladado del pabellón de máxima seguridad de la cárcel Modelo a su casa en el barrio La Cabrera, al norte de Bogotá. Así concluían 4 meses y una semana de reclusión en dicha penitenciaría.

MIÉRCOLES 6 DE DICIEMBRE

Tal y como estaba previsto y sin que sorprendiera a nadie, el representante Heyne Mogollón le propuso a la Comisión de Acusaciones que se abstuviera de abrir una investigación formal contra el Presidente pues, según él, después de cuatro meses de indagación preliminar no encontró indicios ni pruebas que ameritaran lo contrario.

MIÉRCOLES 13 DE DICIEMBRE

En horas de la tarde se conoció la noticia de la detención de Jesús Sarria, en cumplimiento de una orden de captura emanada de la Fiscalía. Téllez recibió poco después una llamada de su fuente en la Policía Judicial del DAS, organismo que había realizado el operativo. El funcionario le contó que en la Casa de Nariño todos estaban furiosos con el director de ese cuerpo de seguridad, Ramiro Bejarano, a causa de la captura de Sarria.

Para *Semana* esa detención no tenía solamente una importancia periodística. Por intermedio de un abogado, el esposo de Elizabeth Montoya había presentado recientemente una demanda contra la revista por injuria, calumnia y falsas imputaciones, debido a la descripción que la revista hizo de él cuando publicó a principios de agosto el casete de su esposa hablando con Samper[18].

Pero las noticias del día aún no terminaban. Poco antes de la medianoche Óscar Montes llamó a Vargas a su casa para enterarlo de lo que estaba pasando en el Congreso. Por amplia mayoría el Senado acababa de aprobar una extraña norma que obligaba a los jueces y fiscales de todo el país a aplicar la jurisprudencia emanada de la Corte Constitucional, incluso en los casos en que dicha doctrina estuviera contenida en la parte motiva y no en la parte resolutiva de la sentencia. Montes le explicó a Vargas que eso que sonaba tan bonito y que parecía un espaldarazo a la Corte Constitucional, no era más que un *narcomico*[19].

---

[18] A fines de octubre estaba pendiente la calificación por parte de la Fiscalía del proceso contra Sarria, que podía llegar a ser llamado a juicio por enriquecimiento ilícito y narcotráfico.

[19] Hace varias décadas, los reporteros que cubrían el Congreso bautizaron con el apelativo de "mico", aquellas normas que eran colgadas a última hora en una determinada ley, sin tener relación directa con el objeto de ésta, pero con una intención específica generalmente muy coyuntural e interesada. A fines de los ochentas, cuando los parlamentarios amigos de los carteles de la droga empezaron a introducir "micos" para favorecer a los narcotraficantes, comenzó a hablarse de "narcomicos".

Los parlamentarios vinculados al proceso 8.000 y sus amigos habían encontrado en la parte motiva de una sentencia de la Corte Constitucional en 1993, un concepto según el cual el enriquecimiento ilícito no era un delito autónomo sino derivado. Esto quería decir dos cosas: que los dineros del cartel de Cali que habían servido para financiar las campañas presidencial y de Congreso en 1994 no tenían origen ilícito pues quienes los habían donado no estaban por esa época condenados por narcotráfico; y quería decir también que, en consecuencia, los parlamentarios y los directivos de la campaña presidencial que habían recibido esos dineros no podían ser acusados de enriquecimiento ilícito. Dicha noción reñía con la idea original de la norma, creada en agosto de 1989 por la administración Barco[20].

Como para que no quedara duda del carácter obligatorio que adquirían de este modo los conceptos de la Corte Constitucional, el Senado estableció en la misma norma que cualquier fiscal o juez que desatendiera la doctrina del alto tribunal podría ser removido de su cargo por mala conducta[21].

---

[20] Véase en este mismo capítulo el relato del miércoles 16 de agosto de 1995.

[21] En un ensayo titulado "La judicialización de la crisis política", el magistrado auxiliar de la Corte Constitucional, Rodrigo Uprimny, señaló sobre esta iniciativa parlamentaria que "este súbito interés de los congresistas en hacer obligatoria la doctrina de la Corte Constitucional resultaba un poco extraño y paradójico, pues meses antes, durante el trámite de la Ley Estatutaria de la Administración de Justicia, la Corte había sido objeto de fuertes ataques por los mismos parlamentarios, que consideraban

—¿Y qué ha pasado con la Comisión de Acusaciones, que debía resolver hoy, en favor del Presidente, su proceso? —preguntó Vargas a Montes.

—Pues creo que ahora que aprobaron este *narcomico* van a votar —contestó el periodista.

—¿Cómo así? —volvió a preguntar el director de *Semana*—. ¿Qué tiene que ver lo uno con lo otro?

—Que los tipos de la Comisión le hicieron saber al gobierno que mientras no se aprobara el *narcomico*, no dictarían el auto inhibitorio en favor de Presidente. "O todos en la cama, o todos en el suelo", le mandó decir a Samper uno de los congresistas, recordándole esa frase que tanto repetía él en sus campañas. Como quien dice que para salvarlo a él, se tenían que salvar los congresistas al mismo tiempo.

—¿Lo estaban chantajeando? —indagó Vargas.

—Exacto, pero ya con el *narcomico* aprobado, la votación en la Comisión para acoger el informe de Mogollón es cuestión de un par de horas.

En efecto, hacia la una de la mañana, Montes volvió a llamar al director. Por 14 votos contra 1, la Comisión aprobó la propuesta de Mogollón para que se abstuviera de seguir adelante el proceso contra el Presidente.

----

que ese tribunal era un cuerpo judicial arrogante que usurpaba los fueros del legislativo, al tratar de imponer su doctrina…". Uprimny, Rodrigo y otros, *Tras las huellas de la crisis política*, Tercer Mundo Editores, Bogotá, septiembre de 1996.

Jueves 14 de diciembre

Hacia las 10 de la mañana, Vargas llamó por teléfono al ministro Néstor Humberto Martínez, un hombre respetado y serio que la víspera había hecho lo imposible por trancar el *narcomico* en el Senado, pero salió derrotado.

—¿Qué está pasando? —preguntó Vargas.

—Cosas muy raras, Mauricio —respondió el Ministro.

Martínez le contó que él y el fiscal Valdivieso habían sido alertados desde el martes de la maniobra que se estaba cocinando en el Senado. El miércoles en la mañana, el Ministro buscó a su colega de Interior, Horacio Serpa, para que lo acompañara a la sesión, consciente de que si el hombre fuerte del gabinete se la jugaba en contra del *narcomico*, la cámara alta no lo aprobaría. Pero se llevó una sorpresa cuando Serpa le dijo que lamentaba no poder asistir a la sesión, porque tenía un compromiso inaplazable en Barrancabermeja, su tierra natal[22].

—Pero es evidente que nada era más importante que ir al Senado —dijo Vargas.

—Sí, pero Horacio prefirió viajar a Barrancabermeja —agregó Martínez—. Es que hay algo que a mí no me han

---

[22] Como lo reveló ese mismo jueves en la noche el noticiero QAP, Serpa bien hubiera podido excusarse de su compromiso: era el invitado principal a un aniversario más de la Cámara de Comercio de Barrancabermeja.

contado. Cuando se inició el debate sobre el artículo y yo hice mi exposición, muy jurídica, para oponerme, uno de los congresistas se me acercó y me dijo: "Ministro, muy bonito su discurso, el libreto está bien armado. Al gobierno le toca decir eso de dientes para afuera, pero ahora sí déjenos votar tal y como estaba acordado". Yo no entendía con quién se suponía que estaba acordado. Le sugerí a Valdivieso que volviera a pedir la palabra y lo hizo. Pero su intervención no cambió nada.

—Y Samper, ¿qué va a decir hoy? —preguntó Vargas—. ¿Va a tratar de trancar la norma? ¿Lo va a apoyar a usted?

—Pues si no lo hace, yo me largo. Anoche fui a verlo después de la votación y me preguntó si era posible buscar una salida intermedia. Yo no sé qué quiera decir con una salida intermedia. Vamos a ver si hoy hace una declaración invitando a la Cámara a hundir la norma[23].

—Yo creo que le toca —anotó el director de *Semana*—. La presión de opinión es muy grande. Basta ver los periódicos y los noticieros de radio de esta mañana. Todo el mundo está escandalizado. Todo eso para no hablar de lo que puede pasar con Estados Unidos.

Poco antes de las 12 del día, Vargas llamó al consejero de comunicaciones del Presidente para preguntarle qué iba a hacer Samper con el tema.

---

[23] En una conversación en la sede de *Semana* el miércoles 21 de febrero de 1996, Martínez le hizo al jefe de redacción, Jorge Lesmes, un relato muy similar de estos hechos al que le contó ese día a Vargas.

—Estamos estudiando si es conveniente emitir una declaración —dijo Cristo—, o si más bien dejamos que aprueben la norma así como está para luego ver si es mejor que el Presidente la objete.

—¿O sea que es posible que el Presidente se quede callado? —preguntó el periodista.

—Sí, pero sólo por razones tácticas, para no revolver más el avispero...

—Perdóneme Juan Fernando —lo interrumpió Vargas—, pero es que a mí me huele que detrás de ese mico está el gobierno...

—No señor. El autor de esa vaina es Fernando Botero, que se la ha pasado llamando a los congresistas todos estos días. Él se inventó ese artículo para ver si resuelve su problema.

—¿Y por qué el gobierno no sale a denunciarlo, o por lo menos, no se opone de frente a la norma? —volvió a preguntar el director de *Semana*—. ¿Acaso le tienen miedo a algo o a alguien, acaso hay algún compromiso?

—No Mauricio —le respondió—. Espérese a ver cómo termina el día. De pronto la cosa no sale tan mal.

Cuando Vargas colgó con Cristo, Lesmes entró a su oficina. Se disponía a cumplir una cita acordada desde hacía varios días con María Elvira Quintana, la esposa de Fernando Botero. Lesmes la había buscado para establecer con ella si después de la decisión del Consejo de Estado en el sentido de que el Fiscal se quedaba hasta 1998, Botero estaba pensando en iniciar algún tipo de negociación con la Fiscalía.

—Cuéntele a María Elvira una cosa —le dijo Vargas—. Que Juan Fernando Cristo me dijo que quien estaba detrás del *narcomico* era Botero.

Pasado el mediodía, María Cristina, la secretaria del ex ministro de Defensa desde hacía muchos años, llamó a Vargas.

—El doctor quiere desayunar con usted mañana en la Escuela de Caballería —le dijo—. Pida el permiso en la Fiscalía para que vaya a eso de las ocho.

El director de *Semana* imaginó que Botero debía estar pensando mucho cuál debía ser su siguiente paso.

Minutos después, el periodista recibió un sobre de manila dirigido a su nombre, con membrete de "Personal". En su interior había media docena de páginas escritas en mayúsculas e impresas de un computador. "Estoy en una privilegiada posición en los organismos de inteligencia", decía el remitente para presentarse. Más adelante, elogiaba la labor investigativa de *Semana* y se declaraba escandalizado por lo que estaba sucediendo en el país. A lo largo de su escrito, el individuo demostraba estar bien informado. Decía que Bejarano estaba a punto de retirarse del DAS[24], algo que coincidía con los últimos datos conocidos por los periodistas de la revista, y que el general Zúñiga estaba en problemas con los Estados Unidos, tal y

---

[24] En efecto, Ramiro Bejarano presentó días después su carta de renuncia al Presidente. Dejó la dirección del DAS definitivamente a mediados de enero.

como el embajador Frechette lo había aceptado en la conversación con Vargas.

Al final anunciaba que se iba a identificar siempre como *Don José* y concluía: "Si mi información le fue útil y quiere que siga en contacto, mándeme un mensaje al empezar el tercer confidencial con la letra A. Así sabré que le llegó esto y podré mandarle información más clasificada"[25].

Antes de la una, Lesmes regresó de su reunión con la esposa de Botero.

—Están indignados con el gobierno —dijo Lesmes—. María Elvira me dijo que ella y Botero están hartos de que Samper les tome el pelo, les prometa cosas y luego lo culpe a él de jugadas como la del *narcomico*. Él quiere hablar con nosotros.

—Sí —contestó Vargas—. A mí ya me invitó a desayunar mañana.

—Y a mí me dijeron que lo visitara por la tarde —repuso Lesmes.

—¿Será que por fin va a contar todo? —preguntó Vargas.

---

[25] En la siguiente edición de *Semana,* el tercer confidencial se iniciaba con la letra A: "Alfonso Valdivieso, el fiscal general de la Nación, decidió…". Pero como los periodistas tenían dudas sobre si la letra A debía ir en la primera palabra o en el título del confidencial, decidieron hacer ambas cosas y lo titularon "Ascenso". A partir de entonces, *Don José* siguió enviando mensajes. Vargas, Lesmes y Téllez los conservan.

—Yo sí creo —contestó Lesmes—. No veo que otra salida le pueda quedar.

—A menos que hoy la Cámara apruebe el *narcomico*...

Vargas se fue esa noche para una comida familiar y mantuvo cada 15 minutos comunicación con el celular de Óscar Montes, quien se encontraba en el salón elíptico del Capitolio, siguiendo la sesión de la cámara baja.

A las 11 de la noche, Montes lo llamó para contarle que después de horas de gestiones de Martínez, Valdivieso y, finalmente, el propio Serpa, los representantes a la Cámara estaban listos a hundir el *narcomico*.

—Sólo hay un problema —dijo Montes—. Se está rompiendo el quórum y el ministro de Justicia tuvo que atravesarse en la puerta de entrada al recinto para evitar que los parlamentarios continuaran la desbandada[26].

Diez minutos después lo llamó para confirmarle que la Cámara había votado negativamente el artículo del Senado. El proceso 8.000 se acababa de salvar.

---

[26] El ministro Martínez batió verdaderas marcas en materia de atajar *narcomicos*. En diciembre del 94 detuvo una norma que acababa con la Justicia sin rostro y con las normas de enriquecimiento ilícito. En mayo del 95, esas iniciativas renacieron y fueron incluidas por algunos congresistas en el Estatuto Anticorrupción, hasta que el Ministro denunció la jugada y la desmontó. En ese mes, Martínez tuvo además que oponerse a un artículo que derogaba toda la legislación especial, incluido el Estatuto de Estupefacientes, lo que en la práctica significaba legalizar la droga en Colombia.

VIERNES 15 DE DICIEMBRE

Después de esperar por más de 20 minutos en la puerta de la Escuela de Caballería mientras los guardias revisaban el permiso que le había otorgado la Fiscalía, el director de *Semana* logró ingresar hasta el sitio de reclusión de Fernando Botero, quien ocupaba un pequeño apartamento en el segundo piso del edificio del casino de oficiales.

El lugar estaba en obra y había una densa polvareda. Botero apareció en las escaleras impecablemente vestido con un blaser, pantalón de paño y corbata, y un suéter de cachemir color crema. Se cubría la cara con una toalla para no respirar el polvo que flotaba en el ambiente.

—Qué hubo, Mauricio, me encanta verlo —saludó.

De inmediato tomó del brazo al periodista, lo sacó del edificio y lo llevó a una cabaña de dos pisos y techo de paja a 50 metros de distancia. En la segunda planta de la cabaña, una especie de restaurante anexo al casino de oficiales, Botero y Vargas se sentaron a conversar. Un mesero les llevó café. Era la primera vez que hablaban en más de seis meses. Sus relaciones, cordiales durante muchos años, se habían deteriorado cuando el narcoescándalo empezó a asomar en mayo de ese año. Al ex ministro le había molestado profundamente la mayoría de los artículos de la revista sobre el tema. Y al periodista, la forma como Botero había hecho seguimientos a la gente de *Semana,* así como las presiones que trató de ejercer sobre Felipe López para evitar que la revista siguiera adelante con sus investigaciones.

—Empiezo por decirle —le explicó Botero— que para mí las diferencias que surgieron este año entre la revista y yo son cosa del pasado.

—No se preocupe —anotó Vargas—. Nosotros no hacemos periodismo de rencores.

—Como usted se imagina —dijo el exministro—, yo he estado pensando mucho en los últimos días y creo que la estrategia que he seguido desde cuando me detuvieron ya no me sirve. Es posible que haya llegado la hora de contar toda la verdad.

—¿Y cuál es esa verdad?

—La verdad de lo que pasó en la campaña, del papel que jugó Samper en el ingreso de la plata del cartel —contestó Botero.

—¿Usted está dispuesto a declarar que Samper sabía lo que Medina y usted estaban haciendo para el ingreso de los narcodineros? —preguntó Vargas.

—Si yo me decido a hablar, la cosa va a ser aún más grave para el Presidente —explicó el ex ministro—. Qué tal si yo le digo que Samper hizo y yo sabía, y no que yo hice y él sabía.

—¿Cómo así?

—Samper no sólo se hizo el loco, no sólo dejó hacer, sino que él mismo impulsó la búsqueda de la plata del cartel —agregó Botero—. Pero no le quiero decir más hoy porque por ahora lo que tengo en la mente es una hipótesis de trabajo.

—¿Y de qué depende que usted cuente todo eso? —indagó Vargas.

—De un análisis jurídico y de mis conversaciones con la Fiscalía —contestó.

—¿Esas conversaciones ya empezaron? —preguntó el director de *Semana*.

—Entiéndame que por ahora tengo que guardar mucha reserva[27]—se excusó Botero—. Lo único que sé es que si me decido a contar toda la verdad, mi testimonio tiene que ser tan contundente que Samper no pueda aguantarlo y se caiga. Si yo me arriesgo a hacer esto tengo que ser tan convincente que mi testimonio vuelva imposible su permanencia en la Presidencia.

—Eso depende de lo comprometedora que sea la verdad para Samper —comentó Vargas.

—Le aseguro que yo puedo contar detalles muy comprometedores, pero le repito que si me decido a hablar, si me juego la carta de revelar la verdad, tengo que conseguir con ello pegarle al tipo un tiro aquí —replicó Botero mientras colocaba el dedo índice de su mano derecha en la mitad de su frente.

---

[27] A fines de enero, *Semana* confirmó que el día anterior a la visita de Vargas a la Escuela de Caballería, Botero se había reunido con el vicefiscal Adolfo Salamanca en el consultorio de su médica personal, a donde el ex ministro había sido conducido supuestamente para unos exámenes.

Vargas quedó impactado por esa última frase. Minutos antes de las 10 de la mañana, se despidieron y Botero le hizo una advertencia.

—Sobra decir que como aún no he tomado una decisión definitiva, yo estaría obligado a desmentir cualquier cosa que publiquen al respecto.

En horas de la tarde, el turno de visitar a Botero fue para Lesmes. El ex ministro le hizo básicamente la misma exposición. Pero además de ello le reveló algunos detalles sobre la visita que el domingo anterior en la noche había realizado a la Escuela el presidente Samper en compañía de Horacio Serpa. Botero le contó que el encuentro fue muy tenso y que les presentó un extenso memorial de agravios. Le reveló que era la primera vez que Samper venía a verlo, a diferencia de Serpa quien lo visitaba con bastante frecuencia.

—Les dije, entre otras cosas, que quienes debían estar aquí detenidos eran ellos —recordó el ex ministro—. Antes de despedirse, el Presidente me dijo que esa semana iba a tratar de plantear una solución definitiva a mi problema. Creo que ahí fue donde les surgió la idea del *narcomico*.

El relato de Botero sobre la visita presidencial, cotejado con fuentes del gobierno, sirvió de base para el artículo central de Nación en la siguiente edición. La nota revelaba el distanciamiento entre el primer mandatario y su ex ministro de Defensa, pero planteaba al final —pues ésa era entonces la convicción de los periodistas de *Semana*— que era probable que esas diferencias se subsanaran.

—Todavía hay que ver si Botero se decide a hablar —comentó Vargas mientras trabajaban esa tarde en el artículo—. Hay razones para que ensaye ese camino, pero también es posible que el gobierno consiga trancarlo.

Al final de la tarde el senador Alberto Santofimio Botero se entregó a las autoridades para que éstas dieran cumplimiento a una orden de captura que, en su contra, había dictado la Sala Penal de la Corte Suprema de Justicia. De nuevo, el alto tribunal respaldaba la tesis del enriquecimiento ilícito con la que estaba trabajando la Fiscalía. Santofimio era el segundo congresista que iba a prisión por cuenta del proceso 8.000. La indagatoria de Pallomari, descrita por la abogada amiga de Lesmes y Téllez semanas atrás, estaba desencadenando ya sus primeras consecuencias.

1996

¿Hacia una salida digna?

MARTES 2 DE ENERO

Mientras Lesmes y Téllez prolongaban sus vacaciones hasta el 9 de enero, Vargas regresó ese martes a su trabajo. Lo primero que encontró en su correspondencia fue un nuevo mensaje de *Don José*, que había llegado poco antes de Navidad, cuando la revista ya estaba en receso. El supuesto oficial de inteligencia hacía en esta comunicación un análisis de los cambios en el gabinete producidos en diciembre. Armando Benedetti había dejado el ministerio de Comunicaciones para dar paso a Juan Manuel Turbay, hasta entonces Secretario General de la Presidencia y uno de los más cercanos amigos del Presidente. Según *Don José*, el general Zúñiga había comentado pocos días antes a algunos oficiales que ese nombramiento era muy importante porque el ministerio de Comunicaciones era "la plata del gobierno". La designación de Carlos Medellín en la cartera de Justicia, en reemplazo de Néstor Humberto Martínez, quien después del *narcomico* terminó por tirar la toalla, no le merecía a *Don José* mayores comentarios. En cambio, el misterioso hombre se declaraba preocupado por el hasta entonces no definido sustituto de Bejarano. Advertía que a ese cargo podía llegar "un hombre peligroso".

El mensaje agregaba que a los periodistas de*Semana* y a otros de distintos medios, considerados por el gobierno como conspiradores, los estaban investigando y monitoreando. "Para joder a los enemigos, el gobierno contactó a una empresa extranjera de ex agentes de la CIA y de la DEA que se llama Kroll", anotaba. La comunicación decía también que después de las visitas de fin de año de Vargas y Lesmes a la Escuela de Caballería, el gobierno le había pedido a oficiales de inteligencia de las Fuerzas Militares que llevaran registro de cada uno de los contactos que el ex ministro sostuviera en su sitio de reclusión. "Están nerviosos con él", decía *Don José*.

Al final de su escrito se refería a Elizabeth Montoya y sobre ella decía: "La Sarria está muy resentida con el gobierno y es posible que se reviente. Sigan ese tema de cerca".

JUEVES 4 DE ENERO

A las 11 de la mañana el abogado de *Semana*, Guillermo Puyana, llamó a Vargas para informarle que, por intermedio de su apoderado, Jesús Sarria había desistido de la demanda en contra de la revista. El periodista llamó poco después al fiscal Valdivieso y le transmitió la noticia.

—¿Será que este hombre quiere colaborar con la Fiscalía? —preguntó Vargas.

—Yo no sé —dijo Valdivieso—. Hay muchos rumores. Pero en todo caso es curioso que desista de la demanda.

El director de *Semana* debió interrumpir su charla con el Fiscal, debido a que el saliente director del DAS, Ramiro Bejarano, llegó de visita a su oficina. El gobierno le había ofrecido la embajada en Austria, pero él y su esposa estaban prácticamente decididos a no aceptar el cargo.

—Es que yo salí muy aburrido con todo lo que pasó —explicó Bejarano—. Usted no sabe las garroteras que yo tuve. Un día se las tengo que contar.

—Nosotros aquí sabemos de algunas de esas peleas —replicó Vargas.

—Estoy decidido a volver a ejercer la profesión de abogado —concluyó—. Eso es lo que me gusta. Frente a lo de la embajada tengo muchísimas dudas.

A la una de la tarde, Vargas llegó a la Escuela de Caballería para almorzar con Fernando Botero. Quería averiguar en qué iban las cavilaciones del ex ministro. Tras hora y media de conversación, el periodista comprobó que Botero parecía más inclinado que en diciembre a contar lo que él llamaba "toda la verdad". Pero aún tenía muchas dudas que resolver.

—¿Usted qué sabe de *Chucho* Sarria? —preguntó Botero—. Me dicen que él y su esposa quieren contarle a la Fiscalía todo sobre sus relaciones con Samper. Eso me lo dijo un general que me visitó hace unos días.

—Nosotros también hemos recogido muchos rumores al respecto —contestó Vargas—. Pero nada está confirmado.

Viernes 5 de enero

Vargas habló esa mañana con una de sus fuentes en el departamento de Estado en Washington. Así comprobó que el gobierno estadounidense estaba muy molesto por unas declaraciones del nuevo ministro, Carlos Medellín, en el sentido de que había que desmontar la justicia sin rostro.

—¿A qué están jugando? —preguntó la fuente—. ¿Será que quieren enviarle algún mensaje a los Rodríguez o de pronto a Botero porque saben que está pensando en revelar lo que sabe?

Vargas replicó que, en su opinión, aunque las declaraciones de Medellín fueron sin duda desafortunadas, no tenía mucho sentido tratar de sacar conclusiones sobre sus alcances.

—Yo creo que ése es un hombre decente —dijo el periodista.

JUEVES 11 DE ENERO

A las 11 de la mañana tomó posesión en Palacio, como nuevo director del DAS, el ex congresista Marco Tulio Gutiérrez. La víspera este dirigente de la vieja guardia samperista había visitado a Vargas en *Semana*. El periodista, que conocía a Gutiérrez desde hacía varios años, le dijo que debía tener mucho cuidado con la imagen que de él estaban proyectando algunos funcionarios de la Casa de Nariño. Según informaciones que Téllez había recogido en esas horas, algunos de los más cercanos asesores de Samper, comentaron durante una reunión acerca de las ventajas que tenía para el gobierno la llegada de Gutiérrez al DAS.

—Mire Marco Tulio —le advirtió Vargas—, ese grupo que algunos ya bautizaron con el nombre de "Los Halcones", anda comentando que usted sí va a ser capaz de hacer el trabajo sucio en el que Bejarano nunca se quiso involucrar.

—Esa es una gran imbecilidad —contestó Gutiérrez—. Yo ya estoy muy curtido como para ponerme a hacer bobadas por fuera de la ley. Si eso dicen "Los Halcones", debe ser que están pensando con el deseo[1].

---

[1] Meses después de numerosas denuncias sobre el papel que el DAS estaba jugando en materia de supuestos seguimientos a periodistas, al propio Fiscal General y a otros personajes considerados como "enemigos del gobierno", y tras una fuerte presión del departamento de Estado en Washington debido a los ataques de Gutiérrez contra la DEA, éste se vio obligado a renunciar. El martes 18 de junio, el noticiero QAP había dado a conocer un

Pasado el mediodía, Lesmes, quien acababa de regresar de vacaciones, salió con Vargas hacia la Escuela de Caballería. Botero les había enviado un mensaje que parecía indicar que estaba listo a hablar, y ellos se hicieron la ilusión de que podrían conseguir una explosiva entrevista. Pero al llegar a la escuela se decepcionaron. El ex ministro lo seguía pensando.

Los dos periodistas trataron de precisar qué era exactamente lo que Botero estaba dispuesto a decir, si finalmente tomaba la decisión de colaborar con la Fiscalía. Les leyó un largo y detallado documento que describía cómo había sido organizada la campaña y cómo, después de conocidos los narcocasetes, Samper, Serpa, él y otros funcionarios desarrollaron numerosaas labores de encubrimiento del escándalo. Este segundo aspecto era más revelador que el primero. Pero el documento en su conjunto tenía un gran vacío: no era explícito en el conocimiento que supuestamente Samper y Botero tuvieron sobre el ingreso de los narcodineros.

—Usted me aseguró en diciembre —dijo Vargas— que Samper sabía de la entrada de esa plata y que de alguna manera participó en su consecución. Pero yo no veo nada de eso en su documento.

---

documento atribuido a supuestos asesores del DAS, en el que le planteaban a Gutiérrez un Plan Estratégico y Táctico (PET) destinado a investigar y desprestigiar a los llamados "conspiradores", entre ellos a algunos de los congresistas que defendían la tesis de que la Cámara acusara al Presidente ante el Senado. El documento era tan crudo que incluso sostenía que algunos ministros, como Carlos Medellín, no eran del todo leales con el Presidente.

—Sí, yo también veo ahí un punto oscuro —comentó Lesmes.

—Es que esa parte todavía me falta —explicó Botero.

—¿Y qué es exactamente lo que usted puede decir para demostrar que Samper no sólo sabía sino que participó en eso? —preguntó Lesmes.

—Yo necesito por ahora mucha reserva en este punto —respondió Botero—. Pero si insisten en saber un poco más les puedo decir que un día, en plena recta final de la campaña para la segunda vuelta, Samper y yo hablamos con claridad de todo eso cuando íbamos en su carro saliendo de nuestra sede en la calle 72. En esa ocasión, conversamos sobre el dinero que Medina había conseguido en su reunión con los Rodríguez Orejuela en Cali. Samper parecía muy contento porque Medina logró recaudar más plata de la inicialmente prevista.

—¿Y usted está dispuesto a relatar eso? —preguntó Lesmes.

—Sí, claro —contestó el ex ministro.

Cuando se estaban despidiendo en el parqueadero del casino de oficiales y Vargas le estaba mostrando a Botero la camioneta blindada que la revista le había asignado para su seguridad, el ex ministro volvió sobre el tema de la reveladora conversación con Samper que acababa de contarles.

—El único problema que tengo para narrar esa charla —observó— es que no sólo, como es obvio, el Presidente la va a negar, sino que van a cuadrar como testigo al chofer del carro para que me desmienta. Va a ser mi palabra contra la de ellos dos.

—Eso puede ser cierto —replicó Lesmes—, pero si lo que quiere usted es revelar toda la verdad, tiene que contar ese episodio, ¿o no?

—Vamos a ver, vamos a ver —respondió Botero.

Al llegar a la revista, los dos periodistas encontraron a Téllez tratando de confirmar qué estaba pasando en la cárcel de La Picota.

—Están contando a los presos en el pabellón de alta seguridad —les explicó—. Parece que uno de los capos se fugó.

Minutos más tarde, la información estaba confirmada. José Santacruz Londoño, uno de los cinco miembros de la cúpula del cartel de Cali, se había fugado de la Penitenciaría en un campero de vidrios polarizados que los colaboradores de la escapada habían hecho pasar por un vehículo de la Fiscalía[2].

El gobierno de Samper, que había terminado el año de 1995 en alza por la decisión de la Comisión de Acusaciones y el éxito en la lucha contra la inflación[3]

---

[2] José Santacruz fue dado de baja por la Policía el 5 de marzo del 96, en Medellín.

[3] La inflación había caído de más del 23% en el acumulado de 1994, al 19.46% al terminar 1995, la primera vez en más de una década que estaba por debajo del 20%. Los programas sociales del gobierno, ampliamente publicitados por éste en los medios masivos de comunicación, contaban con una excelente imagen, si bien su

empezaba 1996 en reversa. Le había sucedido lo único que no le podía pasar a siete semanas de la decisión de Washington sobre la descertificación: uno de los trofeos que tenía para mostrar en la lucha antidrogas se había esfumado.

A las cinco de la tarde, el ex ministro y politólogo, Fernando Cepeda Ulloa, llegó a *Semana* para conversar con el director de la revista, con quien se reunía con alguna frecuencia para analizar la situación. A Vargas le gustaban mucho esas charlas porque le permitían salirse del día a día de las noticias, mirar las cosas con un poco de perspectiva y tratar de descifrar el rumbo que tomarían los acontecimientos y las consecuencias que tendrían.

Cepeda había contado con Fernando Botero en el grupo de sus más aventajados alumnos de la Universidad de Los Andes 15 años atrás. En 1986, cuando Virgilio Barco designó a Cepeda como ministro de Gobierno, él escogió a Botero como viceministro. Eran, pues, muy buenos amigos, y por ello Cepeda estaba al tanto de lo que se estaba cocinando en la Escuela de Caballería.

—Mire, profesor —le dijo Cepeda a Vargas, dirigiéndose a él con la palabra que le encanta usar a la hora de las discusiones—, aun si Fernando no habla, es evidente que a Samper se le está viniendo todo abajo. Con lo de

---

ejecución resultaba bastante precaria. El hecho es que la situación de Samper había mejorado ligeramente en las encuestas. De una imagen favorable del 36% y desfavorable de 44%, según Gallup Colombia, a fines de septiembre, había pasado en diciembre a una favorable de 46% y desfavorable de 44%.

Santacruz esta tarde, la descertificación es un hecho y si finalmente Pallomari cuenta lo de la campaña presidencial, el presidente está frito. A mí me parece inevitable que el Fiscal tenga que denunciarlo penalmente ante la Comisión de Acusaciones. Y con el prestigio de Valdivieso, es posible que eso por sí solo lo tumbe.

—¿Y Samper tendrá eso claro? —preguntó Vargas, a sabiendas de que Cepeda hablaba con alguna frecuencia con el Presidente.

—No sé —respondió el politólogo—, pero creo que al tipo le da miedo renunciar porque cree que si lo hace termina en la cárcel. Es que Samper se dejó meter en el cuento de Cancino[4] de que había que judicializar este proceso, y ahora que las cosas se pueden enredar más, se debe estar dando cuenta de que ése era un camino muy riesgoso porque puede llevarlo a la cárcel.

—Pero entonces, ¿cuál podría ser la solución a todo este atolladero? —indagó Vargas.

---

[4] Después de la detención de Medina, algunos ministros, como el canciller Rodrigo Pardo, defendieron la idea de mantener el proceso en un plano político. Sugirieron que Samper reconociera públicamente que el dinero había ingresado a la campaña y entrara a colaborar con la Fiscalía en la definición de responsabilidades. El abogado del Presidente, Antonio José Cancino, y otros juristas consultados por Samper prefirieron la judicialización del proceso, con el argumento de que lo que se necesitaba era que el primer mandatario quedara penalmente limpio de responsabiliades y ganara una batalla en la Cámara que le permitiera seguir adelante con su gobierno. Esta última tendencia se impuso.

—Al Presidente hay que buscarle una salida digna, permitirle que pueda renunciar sin arriesgarse con ello a terminar en una prisión. Hay que desjudicializar, despenalizar este proceso, y devolverlo al cauce puramente político del que jamás debió haber salido, pues al fin y al cabo aquí lo que se debe discutir es la responsabilidad política de Samper en los episodios de la campaña y no seguir con lo que Alfonso Gómez Méndez llama "un proceso de baranda"[5], tratando de valorar cada posible indicio, cada prueba, a ver si Samper sabía o no. Lo que pasa es que yo no sé si el Fiscal, con lo que tiene hoy en sus manos y con lo que pueda conseguir si Botero habla, esté dispuesto a estas alturas a evitar una denuncia penal contra el Presidente —concluyó Cepeda.

VIERNES 19 DE ENERO

El embajador Myles Frechette recibió a la una de la tarde al director de *Semana*. La expectativa por la posibilidad de que Botero se destapara ante la Fiscalía, ocupó la primera parte de la charla. Desde hacía varios días, el gobierno de Washington había expresado su escepticismo ante los rumores que circulaban en ese sentido.

---

[5] El ex procurador Alfonso Gómez Méndez bautizó con esas acertadas palabras el proceso que se estaba dando en la Comisión de Acusaciones contra el Presidente, en un artículo de *Semana* de la edición del 5 de diciembre de 1995.

—Si se decide a hablar —dijo Frechette—, sería muy bueno que contara toda la verdad y no que acomodara los hechos exclusivamente en su favor. Él es muy astuto y por eso mi gobierno tiene serias dudas. A mí me parece además bastante sospechoso que se la pase hablando con todo aquél que lo visita sobre lo que piensa hacer y piensa decir. Si va a decir todo lo que sabe, debería mantener ese proceso en la mayor reserva.

Vargas se guardó lo que sabía y la conversación giró hacia el tema del general Zúñiga, comandante general de las Fuerzas Militares. El periodista preguntó en qué iba el asunto de la visa del alto oficial y el embajador respondió que pocos días antes había ocurrido un pequeño incidente en torno a ese caso, durante la visita a Bogotá de John Deutch, director general de la CIA.

—La embajada le hizo saber al ministro Esguerra —contó Frechette— que mientras se aclaraba lo de la visa de Zúñiga, un alto funcionario como Deutch prefería no reunirse con él, pues la opinión pública de los Estados Unidos de seguro lo criticaría si llegaba a hacerlo.

Según el diplomático, el ministro de Defensa trató de convencerlo de que evitara ese desplante, pero Frechette se mantuvo en su posición. Por tal razón Zúñiga no estuvo presente en ninguno de los actos oficiales ni entrevistas con el visitante, y la embajada se abstuvo de invitarlo a una cena para Deutch en la residencia de Frechette.

Al terminar su conversación con el embajador, Vargas concluyó que Washignton tenía lista la decisión de cancelarle la visa a Zúñiga, pero que le había abierto un compás de espera al presidente Samper y al ministro Esguerra para que antes lo retiraran del cargo. Ese viernes en la noche, un oficial del Ejército le contó a Téllez que al parecer había un arreglo entre Frechette y Esguerra, según el cual la anulación de la visa a Zúñiga sería suspendida indefinidamente si el general aceptaba solicitar su baja en forma voluntaria[6].

LUNES 22 DE ENERO

El país amaneció ese lunes inundado de rumores bastante elaborados en torno a la inminencia del destape de Botero. Durante el fin de semana, los periodistas de la revista habían confirmado casi plenamente que para ese lunes el ex ministro había solicitado a la Fiscalía una ampliación de su indagatoria, y que los noticieros de televisión de la noche divulgarían una declaración suya con los elementos esenciales de su nueva versión de los hechos.

El domingo, en un extenso reportaje para *El Tiempo*, el ex ministro y precandidato presidencial, Juan Manuel Santos, había dicho que la situación del presidente Samper se complicaría muchísimo si Botero le decía a la Fiscalía lo mismo que le contó a él días antes en la Escuela de Caballería. Los noticieros radiales del lunes dedicaron buena parte de sus espacios a comentar esta declaración y

---

[6] El general Zúñiga finalmente pidió su baja el 11 de marzo de 1996. Y hasta fines de octubre de ese mismo año, Washington no había hecho público que le hubiese quitado la visa.

a especular sobre las posibilidades de que Botero implicara directamente al Jefe del Estado en el ingreso de los narcodineros a la campaña.

A la una de la tarde, la abogada se comunicó con Jorge Lesmes y le dio a entender, con algunas frases cifradas, que la diligencia de Botero con los fiscales sin rostro se había iniciado a las 11 de la mañana en la Escuela de Caballería. El periodista se enteró también en esas horas, por una persona muy allegada a Botero, de que las dudas del ex ministro habían quedado definitivamente despejadas ese fin de semana. Ya estaba decidido a revelarle a la Fiscalía lo mismo que en el último mes les había anunciado a los periodistas de *Semana,* a Juan Manuel Santos y a media docena de personas más con quienes tocó el tema en su sitio de reclusión.

Según lo que averiguó Lesmes, el domingo en la noche Botero había protagonizado un duro altercado con el ministro Serpa y el ex consejero de comunicaciones y nuevo vicecanciller, Juan Fernando Cristo, en la Escuela de Caballería. Cristo lo había llamado en la mañana para preguntarle qué había detrás de la declaración de Juan Manuel Santos a *El Tiempo.* Botero le respondió que iba a desmentir a Santos y le pidió que lo ayudara a redactar un comunicado con ese propósito. Cristo le dijo que iba a ir a toros esa tarde, pero que luego lo buscaría para darle una mano con esa declaración.

Cuando salió de la corrida en la Plaza de Santamaría, fue enterado de que Botero lo había llamado varias veces y se comunicó con él de inmediato. Entonces descubrió que el ex ministro estaba muy molesto porque el Presidente le había cancelado una visita prevista para esa noche, encuentro para el cual Botero había encargado una paella.

—Me dijo que no vendría porque tenía que reunirse con Rodrigo Pardo para hablar sobre las relaciones con Venezuela —le dijo Botero a Cristo bastante molesto—. ¡Cómo si no pudiera hablar de Venezuela en otro momento!

Cristo buscó a Samper para indagar el motivo de la cancelación de la visita y el Presidente le contestó que, después de lo revelado por Juan Manuel Santos en *El Tiempo* con respecto a lo que Botero andaba diciendo, no tenía sentido volver a verlo. Samper consideró, sin embargo, que era bueno que el ex consejero presidencial y el ministro Serpa fueran esa noche a la Escuela de Caballería.

Según la versión conocida por Lesmes, Botero los recibió con ánimo pendenciero en el salón del primer piso del casino de oficiales. Planteó numerosos reclamos, entre ellos que el nuevo ministro de Justicia no le pasaba al teléfono, que el canciller Pardo "no está haciendo nada para evitar que los Estados Unidos me quiten la visa" y que el fracaso de las tentativas para remover al Fiscal de su cargo en marzo le iba a costar a él muchos meses de detención.

Serpa tomó un bolígrafo y una hoja para apuntar las quejas de su antiguo colega de gabinete, pero no alcanzó a escribir ni una. Botero se puso de pie, comenzó a gritar que estaba harto, que no aguantaba más, y lanzó un vaso de vidrio por los aires, que estalló en mil pedazos al estrellarse contra la pared. Cristo, quien tuvo que agachar la cabeza para evitar que el vaso lo golpeara, vio cómo Botero lanzaba un segundo vaso contra la pared de enfrente. Cuando el ex ministro tomó un tercer vaso para repetir lo que había hecho con los dos primeros, Serpa agarró su brazo y lo detuvo.

—Ya no más Fernando —le dijo de manera enérgica.

Botero siguió vociferando reclamos, y Serpa y Cristo resolvieron partir. El ex ministro los siguió unos metros para detenerlos, pero sólo pudo persuadir al ex consejero para que regresara al salón. Conversó con él durante más de media hora, le pidió excusas y comprensión porque estaba desesperado y le aseguró que al día siguiente produciría una declaración para desmentir a Santos.

—Pero con todos estos antecedentes, el gobierno ya tiene que tener claro que Botero no aguanta más —les dijo Vargas a Lesmes y a Téllez por la tarde en su oficina.

—No —contestó Lesmes—. Él le ha hecho saber al Presidente que en una entrevista que va a grabar con Yamid Amat para la emisión de esta noche del noticiero CM&, hará el desmentido a Santos que le anunció ayer a Cristo.

El gobierno le creía. Hacia las 4 de la tarde, Felipe López habló con Cristo y éste le aseguró que los rumores sobre el destape de Botero eran falsos y que, por el contrario, el ex ministro se disponía a rectificar a Santos y a reiterar que Samper y él eran inocentes en el caso de la narcofinanciación de la campaña.

A las 6 y 45 y después de que Lesmes y Téllez recibieran nuevas confirmaciones en el sentido de que

Botero ya había implicado al Presidente en su nueva declaración ante la Fiscalía, Vargas se comunicó con la directora del Noticiero de las 7, Cecilia Orozco.

—Por lo que yo sé —le dijo— Botero ya confesó.

La periodista, que mantenía una buena relación con el presidente Samper y conversaba con él con frecuencia, le reiteró a Vargas que la versión oficial del gobierno seguía siendo la que Cristo le había dado a López dos horas antes. La periodista le aclaró al director de *Semana* que ella no creía en la versión del gobierno y que, por el contrario, estaba segura de que Botero se había destapado.

—Yo creo que al Presidente ya le contaron, pero él se niega a creer —sostuvo Vargas.

—Yo pienso que la cosa es peor —replicó Cecilia Orozco—. Tengo la impresión de que ni siquiera le están contando.

A las 7 y 30 de la noche, Téllez confirmó con un colega de CM& que la entrevista de Yamid Amat con Botero era un hecho y que en ella el ex ministro "se iba con todo contra el Presidente". Téllez llamó a Vargas a su casa para contarle y minutos después éste se comunicó con el columnista de la revista Roberto Pombo.

—Botero se soltó con Yamid —le contó—. Después de varias horas con los fiscales sin rostro, grabó una entrevista para CM& e implicó al Presidente.

—Yo no sabía lo de Yamid —contestó Pombo—, pero que les dijo todo a los fiscales ya lo sabe todo el mundo. Lo increíble es que acabo de hablar con Juan

Manuel Turbay, quien está en Palacio con el Presidente, y me dijo que Samper todavía no sabe nada. A veces pienso que nadie se ha atrevido a decírselo.

Eran las 7 y 45.

Poco antes de las ocho, Lesmes recibió una llamada de un asesor del general Serrano en la dirección de la Policía.

—Acaban de confirmarle al Presidente que Botero ya habló —le dijo—, y en Palacio andan como locos. Hay una información muy sólida en el sentido de que el Presidente quiere que el Ejército se tome los noticieros de las 9 y 30 y evite que la entrevista de Botero salga al aire.

Lesmes llamó a Vargas a la casa y lo puso al tanto de la advertencia de su fuente policial. El director de *Semana* buscó entonces a María Isabel Rueda, directora del noticiero QAP para averiguar si ella sabía algo. La periodista no estaba enterada, pero tenía otras angustias: a esa hora iba en compañía de Julio Sánchez Cristo, director del noticiero radial Viva FM, rumbo a la Escuela de Caballería, pues mientras CM&, su competidor, ya tenía la entrevista con Botero, QAP no había logrado hablar con el ex ministro.

Quince minutos después, fue María Isabel quien buscó a Vargas. Le informó desde su celular que acababa de tener una curiosa conversación con el ministro de Defensa, Juan Carlos Esguerra.

—Le pregunté si era cierto que el gobierno estaba pensando en militarizar los medios —dijo la directora de QAP—. Y él me contestó, sin confirmar ni negar nada, que como ministro de Defensa me garantizaba que él solo iría hasta donde se lo permitiera la Constitución. Me explicó que él era un jurista y que no podía actuar de modo diferente[7]. Otra cosa que te quiero contar es que Julio acaba de hablar con Cristo y él le insistió en que Botero no va a hacer nada distinto de desmentir a Juan Manuel Santos en la entrevista con Yamid.

—Pero si Palacio está plenamente enterado —repuso Vargas—. Tiene que ser que todavía creen que pueden evitar que la entrevista salga al aire.

Minutos más tarde, los periodistas de *Semana* obtuvieron una prueba definitiva de que el gobierno ya sabía lo que se le venía encima. Elvira Carmen Aparicio, ex redactora de la revista y quien llevaba varios meses como asesora de la Presidencia y la Cancillería en el manejo de la prensa internacional, le dijo a Lesmes por teléfono que se había visto obligada a regresar de su casa a la oficina porque el secretario general de la Presidencia, José Antonio Vargas, la llamó hacia las ocho para decirle: "Véngase volada que se cayó la estantería".

A las 8 y 30, QAP se curó en salud y lanzó un extra desde la Escuela de Caballería en el que anticipó un

---

[7] Esa misma noche, Téllez habló con dos generales de la República, quienes le confirmaron que algunos funcionarios de Palacio habían tratado de sondear la posibilidad de militarizar los noticieros, con el argumento de que Botero era un hombre sindicado por la justicia y de que los medios no podrían reproducir una declaración de alguien que se encontraba en esa situación. Los miembros del alto mando a quienes se les sugirió la idea, la rechazaron de plano.

comunicado de Botero. El noticiero aseguró que el ex ministro había declarado todo el día ante los fiscales del proceso 8.000 y que había dicho que durante la campaña el Presidente sí estuvo al tanto del ingreso de los narcodineros.

Mientras tanto, la directora de QAP trataba de convencer a Botero de que le concediera una entrevista al igual que había hecho con Yamid Amat. El ex ministro argumentó diferentes razones para rechazar la solicitud. Inicialmente le dijo que no se atrevía a darle la entrevista a QAP porque uno de los socios de ese informativo, el empresario Julio Andrés Camacho, era uno de los más cercanos amigos del Presidente y de seguro se iba a sentir tentado a censurar el reportaje. La periodista le respondió que la conducción del noticiero estaba en manos de ella y de la otra directora, María Elvira Samper, y que nada impediría que la entrevista saliera al aire. Minutos más tarde, y mientras continuaban discutiendo, Botero sacó a relucir un nuevo argumento: Julio Andrés Camacho y él, dijo, "somos hermanos masones y yo no le puedo hacer eso a un hermano masón".

Pero María Isabel seguía insistiendo, convencida de que ninguna de esas razones era válida. Finalmente, Botero le contó la verdad.

—Yo he preparado durante muchos días lo de hoy —le dijo— y he contado incluso con asesores de imagen norteamericanos. Entre otros muchos consejos, me recomendaron que no le diera la entrevista a ustedes, que han sido independientes del gobierno, sino a Yamid Amat, que es amigo del Presidente y de su administración. De ese modo, piensan ellos, yo neutralizo al noticiero que más podría criticarme.

Y mientras María Isabel fracasaba en su tentativa, en la Presidencia de la República el ambiente se ponía cada vez más tenso. A las 9 y 25 de la noche, el canciller Rodrigo Pardo llegó a la Casa de Nariño. En el despacho del Presidente encontró a Samper, a su colega de Defensa, Juan Carlos Esguerra, al general Serrano, y al médico y sicoanalista, Alonso Gómez, quien había cumplido una lánguida gestión al frente del Ministerio de Salud, pero desde hacía meses se había convertido en soporte vital para el sostenimiento emocional del primer mandatario.

El televisor del despacho estaba encendido. A las 9 y 30 en punto empezó CM&. Tras una breve introducción, comenzó la entrevista de Yamid Amat con Fernando Botero, quien lucía una chaqueta azul oscuro, chaleco de lana amarillo y corbata, y las ojeras claramente marcadas en su rostro cansado. Frente a él estaba el director del noticiero, Yamid Amat, quien inició la entrevista: "El país entero se está preguntando: ¿cuál es la verdad? ¿Sabía o no sabía el presidente Samper del ingreso de sumas muy importantes del cartel de Cali a su campaña?".

Botero, visiblemente nervioso, respondió: "Con mucha tristeza, porque quiero al presidente Samper, quiero a su familia y lo quiero verdaderamente, tengo que responder que sí sabía. Es la verdad. Sí sabía. Y eso me parece que es un hecho central. No sólo eso sino que él está muy seriamente comprometido en esos hechos. Y yo creo que es el momento de que el país conozca eso y que el país sepa manejar esa verdad para buscarle una salida a la crisis que se está viviendo".

El periodista volvió a preguntar: "¿Pero usted también sabía?" Botero contestó de manera confusa: "Yo no tuve la idea, yo no fui el autor intelectual, ni el autor material, yo no recibí los dineros, yo no los distribuí. Pero empecé a darme cuenta que pasaban muchas cosas raras en la campaña esos últimos días y tan pronto oí los narcocasetes, faltando dos o tres días para el día de las elecciones, todo lo que yo empezaba a sospechar fue claro para mí, luego al final de la campaña yo sí sabía".

En el despacho del Presidente, en medio del desconcierto surgió una luz de esperanza: Botero había implicado seriamente al primer mandatario, pero lo hizo con un planteamiento que rayaba en el absurdo.

—Cómo iba a saber Botero, Presidente, que usted sabía si dice que él solo supo al final de la campaña —dijo el canciller Pardo—. Hay que salir con un comunicado a cobrarle ese error: uno no puede saber que alguien sabe una cosa que uno desconoce.

Samper subió a la casa privada y se encerró en la biblioteca a escribir en su pequeño computador portátil el borrador de una declaración que pensaba leer esa misma noche. Diez minutos después hizo llamar a Pardo para revisar el texto con él. Cuando el Presidente y su canciller estaban en la biblioteca, un empleado de la casa privada se acercó a Pardo y le dijo que Botero lo llamaba por el conmutador de la Casa de Nariño.

—Dígale que yo no tengo nada qué hablar con él —contestó el canciller.

En los 15 minutos siguientes, Botero le hizo dos llamadas más y Pardo volvió a negarse.

A las 11 de la noche, la cadena latina de noticias de Estados Unidos, Univisión, lanzó al aire una entrevista de su periodista estrella, Jorge Ramos, con Botero, en la que el ex ministro repetía básicamente lo mismo que le había dicho a CM&. Ramos había llegado la víspera al país tras haber acor-dado una entrevista con Botero por intermedio del nuevo abogado y vocero del ex ministro, Fernando Londoño Hoyos, cuya hija Cristina trabajaba de tiempo atrás con Univisión en Miami.

A las 11 y 30, Samper apareció en la televisión y leyó un breve comunicado. Aseguró que la acusación de Botero en su contra era "infame" y luego agregó: "La verdad esta noche, así nos duela, es que el doctor Botero está mintiendo para salvarse".

Poco antes de la medianoche, el ex ministro de Defensa hizo un nuevo intento por hablar con Rodrigo Pardo. Lo llamó a su casa y como él continuaba en Palacio, dialogó con su esposa Inés Elvira. Le recordó que Pardo y él siempre habían sido buenos amigos y que las dos familias tenían muchos lazos.

—Lo que yo estoy haciendo no es contra él —le explicó—. Dile que si él no me ataca yo no me voy a meter con él. Dale ese mensaje y explícale que eso es lo que quería decirle.

La esposa del canciller lo llamó a Palacio para relatarle la llamada de Botero. En la Casa de Nariño la tensión seguía aumentando. El alto mando militar llegó para cumplir una cita acordada esa tarde —antes de que se supiera lo de Botero—, con el Presidente. El encuentro tenía como propósito pasar revista a la situación de orden público, que se había complicado en las últimas horas por una nueva ofensiva guerrillera. Cuando llegaron a Palacio, algunos generales comentaron entre ellos la molestia que experimentaban por la idea que el alto gobierno había tenido, cuatro horas antes, de utilizar efectivos militares para evitar que las declaraciones del ex ministro vieran la luz pública. Cuarenta minutos más tarde, concluida la cumbre, tuvieron un segundo motivo de disgusto: a pesar de que el tema de Botero sólo había sido tocado de manera general en la reunión, y de que en ella los militares habían cumplido exclusivamente con su propósito de rendir un informe sobre la situación de orden público, el vicecanciller Juan Fernando Cristo, quien seguía desarrollando de manera oficiosa labores de consejero de comunicaciones, les dijo a los periodistas que el alto mando castrense había ido a Palacio a brindarle su apoyo irrestricto al primer mandatario después del reportaje de Botero. La noticia, divulgada de inmediato por las cadenas de radio, indignó a los generales, que se sintieron utilizados[8].

---

[8] El descontento militar haría crisis 4 días después, cuando se desarrollaba en Bogotá una cumbre rutinaria de comandantes de División y de Brigada. Al igual que ese lunes 22 de enero desde Palacio se informó que el Presidente iba a almorzar con los militares y que ellos le brindarían su apoyo públicamente. Cuando los periodistas llegaron a cubrir el evento los generales se dieron cuenta que los iban a utilizar nuevamente. Y no dejaron entrar a la prensa. Pocas horas después el director de la Escuela Militar, general Ramón Emilio Cifuentes, pidió la baja del servicio activo y dio declaraciones diciendo que no podía seguir en el Ejército porque no confiaba en el presidente Ernesto Samper. El problema originado por esta dimisión estuvo a punto de agrandarse aún más

Martes 23 de enero

Poco antes de la una de la madrugada, y tras despedirse de los generales, Samper se encerró a solas en su despacho con el ministro de Salud, Augusto Galán Sarmiento. A los pocos minutos de iniciada la conversación, el Presidente comprendió que Galán deseaba renunciar. No era para menos. Tal y como lo había dicho su cuñada Gloria Pachón en la entrevista concedida a *Semana* en noviembre, su esposo Luis Carlos Galán había sido asesinado no sólo porque los carteles de la droga lo consideraban su principal enemigo, sino porque denunció la alianza entre esos mismos carteles y varios dirigentes políticos. Un hermano del líder sacrificado no podía continuar en el gabinete, cuando el principal directivo de la campaña aseguraba que el Presidente estuvo al tanto del ingreso de los narcodineros.

A la 1 y 15, todos los miembros del gabinete se encontraban en el salón del consejo de ministros. Muchos de ellos habían sido sacados de sus camas y llamados de urgencia a Palacio tras la entrevista de Botero. Los últimos en hacer su ingreso al recinto fueron Augusto Galán y el propio Presidente.

Samper dio inicio a la sesión extraordinaria con una breve exposición en el sentido de que era víctima de un

---

cuando Téllez confirmó con una de sus fuentes en el Ejército que esa misma noche iban a presentar su renuncia otros 5 altos generales. La crisis fue superada después de la intervención del Comandante del Ejército.

conjunto de circunstancias desafortunadas a las que ahora se sumaba el deseo de Botero de salvar su pellejo. Tras reiterar su inocencia, optó por abrir el debate y escuchar a sus más altos funcionarios.

—Quiero pedirles, eso sí —exclamó en tono enérgico—, que quien quiera renunciar lo haga de una vez.

Un silencio sepulcral se apoderó del salón. Pero poco a poco los ministros se animaron a pedir la palabra. Uno a uno le brindaron su apoyo al jefe del Estado. Los más vehementes fueron el de Desarrollo, Rodrigo Marín, y el de Hacienda, Guillermo Perry. Pero incluso para ellos fue difícil ocultar un cierto tono de naufragio. Marín, por ejemplo, le pidió a sus colegas acompañar al Presidente "hasta el fin". Y Perry sostuvo que el gobierno debía seguir adelante "pasara lo que pasara".

Mucho más tímida en su respaldo estuvo la ministra de Educación, María Emma Mejía. Ante una propuesta del ministro de Minas, Rodrigo Villamizar, en el sentido de que el gabinete produjera un comunicado de respaldo al Presidente, la Ministra se opuso diplomáticamente.

—Lo importante en estos momentos tan difíciles —dijo— es que busquemos la mejor solución para salir de la crisis.

La Ministra se extendió por unos minutos y planteó la necesidad de buscar un mecanismo constitucional para legitimar el mandato del Presidente. Pero el ambiente no era el más propicio para explorar ideas novedosas. La madrugada avanzaba y los asistentes estaban agotados. El único Ministro que había permanecido en silencio era

Augusto Galán y algunos de sus colegas lo comentaban entre susurros.

—Quiero decirles que no creo necesario que intervenga el doctor Galán —dijo Samper poco antes de levantar la sesión—. Los dos hemos hablado largamente en privado y tengo claros sus puntos de vista.

El primer mandatario les dio las gracias a los integrantes de su equipo de gobierno, les sugirió que se fueran a descansar y les pidió que regresaran a Palacio después del mediodía para continuar con la sesión del consejo.

Pero fueron pocos los que pudieron dormir. A diferencia de lo que había hecho Rodrigo Pardo, otros ministros aceptaron hablar telefónicamente con Botero esa madrugada. Entre ellos, el del Interior, Horacio Serpa, y el de Comunicaciones, Juan Manuel Turbay. Al igual que trató de hacerlo con Pardo, Botero les planteó que no tenía nada contra ellos y que por lo tanto él esperaba que no lo atacaran.

A las 7 de la mañana y después de invertir las horas de oscuridad que quedaban en conversar con su esposa, el canciller Pardo recibió una llamada del noticiero radial 6 AM-9 AM de Caracol. Su director, Darío Arizmendi, deseaba hacerle una entrevista en directo.

—¿Vas a pasarle? —le preguntó su esposa.

—Sí —respondió Pardo—. Voy a hablar, voy a decir lo que pienso de Botero, porque si no lo hago me voy a sentir chantajeado toda la vida.

A los pocos minutos los oyentes de Caracol escucharon al canciller cuestionar la validez del testimonio de Botero. Pardo no concentraba sus dudas en el hecho de que el dinero hubiese entrado. Ni siquiera se la jugaba en favor de la tesis de que el Presidente no hubiese sabido. Lo que sí cuestionaba y con dureza, era la afirmación de Botero de que sólo se había enterado al final de la campaña. Pardo se preguntaba cómo podía ser posible eso si en la campaña "no se movía una sola hoja sin la autorización de Botero".

En esas horas, fue el único miembro del gabinete que salió a los medios a controvertir al ex ministro de Defensa. Horacio Serpa, en cambio, se limitó a decir que había una manguala de enemigos del gobierno que buscaba desestabilizar al país. El ministro del Interior no dirigió contra Botero ni un solo ataque. En cuanto a Juan Manuel Turbay, recién posesionado en la cartera de Comunicaciones, su silencio no sorprendió a nadie pues su principal característica había sido siempre la de no dar declaraciones.

Al mediodía el gabinete en pleno regresó a Palacio para continuar con la sesión del consejo de ministros. Al llegar, los altos funcionarios fueron enterados de que Samper no la presidiría. Todo indicaba que el primer mandatario se encontraba agotado y deprimido, y que prefería permanecer en las habitaciones de la casa privada mientras conversaba por teléfono con algunos empresarios, congresistas y amigos.

Por iniciativa de Serpa, los ministros se instalaron en el lujoso comedor azul, adornado con el tríptico de paisajes del pintor Antonio Barrera, pues consideraron que si no estaba el Presidente no debían ocupar el salón de sesiones del gabinete. Pero el recinto escogido tenía un problema: carecía del sistema de sonido interno del salón del consejo de ministros, lo que los obligaba a hablar en tono alto, y como además el comedor tenía eco, eran escasas las posibilidades de llevar a cabo un debate fluido.

Uno de los primeros en tomar la palabra fue el canciller Pardo. Recogió los planteamientos hechos por María Emma Mejía en la madrugada, en el sentido de buscar una salida constitucional que permitiera legitimar el mandato del Presidente. Propuso la realización de una consulta popular para preguntarles a los colombianos si deseaban que Samper cumpliera con sus cuatro años de período, o si por lo contario, querían revocarle el mandato.

La ministra de Educación apoyó la idea de inmediato.

—Yo creo que la consulta —dijo María Emma Mejía— es el mejor camino para que el Presidente pueda quedarse con legitimidad o, si así lo deciden los colombianos, para que pueda irse con dignidad.

La idea estaba cogiendo fuerza hasta que el ministro Esguerra, quien había llegado un poco tarde, metió baza en la discusión.

—Me siento en la obligación de decirles que por razones constitucionales estoy en total desacuerdo con la utilización de la consulta popular para este propósito —dijo el Ministro, quien había hecho parte de la Asamblea Constituyente en 1991—. La consulta popular está prevista para preguntarles a los electores si apoyan o no una determinada iniciativa de gobierno, no para refrendar un mandato. Además, no podemos reemplazar un proceso jurídico que pretende definir las distintas responsabilidades penales en lo referente a la financiación de la campaña por un proceso político como la consulta.

En ese momento Serpa creyó que los dos planteamientos que aparecían enfrentados no eran del todo incompatibles. Propuso que la consulta versara sobre el programa social del gobierno y que se le preguntara a la gente si lo apoyaba a no. La tesis del ministro del Interior no encontró muchos adeptos, pues para la mayoría de sus colegas una consulta popular en torno al programa social sería percibida por la opinión como un truco populista y no resolvería en lo mínimo la crisis de legitimidad que enfrentaba el Presidente.

Hacia el final de la sesión, Samper se hizo presente en el salón. Los ministros que habían hecho las principales intervenciones las resumieron para poner al primer mandatario al tanto del debate. El Presidente estaba visiblemente agotado, con los ojos enrojecidos y la mirada adormilada. Parecía aturdido ante la desordenada tormenta de ideas de sus ministros y a ello contribuía el cada vez más insoportable eco del salón azul.

La reunión terminó sin que se llegara a conclusión alguna. Varios de los ministros abandonaron Palacio, desconcertados ante la impresión de que el Presidente no estaba en capacidad de conducir la nave del gobierno en medio de la tormenta. Por la radio se enteraron de que una alocución del primer mandatario, prevista para esa noche, había sido pospuesta para el miércoles[9].

---

[9] El relato sobre las dos sesiones del consejo de ministros de esas horas, así como otros detalles sobre lo que sucedió en Palacio en los días siguientes, fue hecho en esa semana a los autores por un Ministro muy cercano al primer mandatario que mantuvo siempre una buena relación con Vargas. Los datos fueron

Los noticieros de televisión de las 7 y de las 9 y 30 se dedicaron a registrar la lluvia de reacciones ante las revelaciones de Botero. Muchos dirigentes políticos y gremiales empezaron a pedir la renuncia del Presidente. Andrés Pastrana fue el primero en hacerlo, pero por primera vez no estaba solo. Lo acompañaban líderes de su partido como Enrique Gómez Hurtado, Juan Diego Jaramillo y Hugo Escobar Sierra. La ex canciller Noemí Sanín no usaba la palabra renuncia pero le pedía al Presidente que diera "una lección de grandeza y no se obstinara en permanecer en su cargo". De la misma idea eran dirigentes de otros grupos políticos, como el ex candidato presidencial Enrique Parejo González y la representante a la Cámara por el M-19, Janeth Suárez.

En el seno del partido liberal la discusión también comenzaba a abrirse paso. Mientras el senador Luis Guillermo Giraldo aseguraba que la situación era "insostenible" y le pedía al Presidente que considerara su renuncia, su colega, Julio César Guerra, samperista de primera línea, solicitaba al primer mandatario que escuchara "a su conciencia", y dejaba abierta la posibilidad de una consulta popular para acortar el mandato presidencial o de una licencia temporal del jefe del Estado mientras se aclaraban las responsabilidades.

---

confirmados por otros dos miembros del gabinete que tuvieron un papel protagónico en las discusiones. Para reconstruir la narración de esos episodios e incluirlos en este libro, los autores volvieron a conversar con dos de los ministros consultados entonces, quienes precisaron así algunos detalles.

Por su parte, la cúpula gremial discutió hasta altas horas de la noche el contenido de un comunicado en el que le sugería al Presidente que estudiara, entre otras alternativas, su renuncia. La preocupación de los representantes de los empresarios no era gratuita. El dólar se había devaluado más de 20 pesos en las últimas horas y la Bolsa de Bogotá había caído 1.7% ese día.

MIÉRCOLES 24 DE ENERO

Los periódicos de esa mañana dejaron en claro que el tema de la renuncia del Presidente no sólo se estaba abriendo paso entre la clase dirigente sino en la opinión pública en general. El diario *El Tiempo* de esa mañana resumía en un cuadro las distintas encuestas realizadas en las últimas horas por varios medios de comunicación. La del Centro Nacional de Consultoría indicaba que el 57% de los encuestados en las cuatro grandes ciudades opinaba que el primer mandatario debía retirarse de su cargo. Un 71% le creía a Fernando Botero su afirmación en el sentido de que el Presidente había estado al tanto de los narcodineros en la campaña. Los encuestados de la firma Yankelovich le creían más a Botero (62%) que a Samper (sólo 20%). Según la compañía encuestadora de Napoleón Franco, el 51% pensaba que Samper estaba mintiendo, el 26% opinaba que quien mentía era Botero y un 12% aseguraba que ambos lo hacían. El resultado para el primer mandatario no podía ser más desalentador[10].

---

[10] *El Tiempo*, enero 24 de 1996, p. 8A.

Hacia la una de la tarde, Vargas, Lesmes y Téllez llegaron a la Escuela de Caballería para almorzar con Botero, con la idea de pedirle que le revelara a *Semana* lo que no le había dicho a Yamid Amat. La propuesta era que el ex ministro le hiciera a la revista el relato de la conversación entre él y Samper en el carro del entonces candidato, durante la cual Botero había tenido totalmente en claro que Samper estaba al tanto de las gestiones de Santiago Medina con los Rodríguez Orejuela en Cali para conseguir el dinero.

El ex ministro les repitió a los periodistas lo que recordaba de esa charla, pero insistió en que *Semana* no podía hacer uso de esa información pues él aún no sabía si la iba a incluir en su declaración ante la Fiscalía.

—Yo sigo con muchas dudas, pues pueden poner al chofer en contra mía —les explicó—.

Mientras esto sucedía, el canciller Pardo era llamado a Palacio para discutir los términos de la alocución que el Presidente daría esa noche por televisión. Al llegar a la sede presidencial, encontró a varios colaboradores del primer mandatario, encabezados por el secretario general José Antonio Vargas, desconcertados por la actitud de Samper. El jefe del Estado continuaba recluido en las habitaciones de la casa privada, conversando casi exclusivamente con su hermano Juan y su esposa Jacquin Strouss, y sus asesores no habían podido discutir con él la alocución de esa noche.

Enterado de que Pardo estaba en la secretaría general, el Presidente accedió a bajar. Estaba de mal humor y su estado de ánimo no cambió tras escuchar al canciller,

quien insistió en la propuesta que él y Maria Emma Mejía
habían planteado la víspera.

—A ver —dijo Samper—. Exactamente ¿en qué
consiste?

Pardo explicó que el primer mandatario debía
proponer una consulta popular para que los colombianos votaran con el propósito de escoger entre dos
posibilidades: que el Presidente continuara en su cargo
hasta agosto de 1998, o que lo reemplazara el vicepresidente Humberto de la Calle y que fuera él quien concluyera el mandato[11].

La idea del canciller se oponía a la del ministro Serpa,
quien continuaba defendiendo su tesis de que lo acon-
sejable era plantear una consulta a los electores sobre el
programa social del gobierno, para saber si querían que el
Presidente lo siguiera desarrollando o no.

Esa noche Samper leyó su discurso pasadas las 7 de la
noche. Resultó evidente que Serpa logró convencerlo más
que Pardo. Al proponer la consulta popular como fórmula
de salida a la crisis, el jefe del Estado explicó que "no sería
para salvar mi nombre, sino para salvar el proyecto social
de mi gobierno". Reiteraba que no pensaba renunciar

---

[11] El vicepresidente De la Calle terminó por renunciar a la
embajada en Madrid y a la Vicepresidencia pocos meses después.
De inmediato surgieron varios nombres para sucederlo y *Semana*
planteó el de Carlos Lemos Simmonds como la posibilidad más
viable. Finalmente el político payanés fue elegido por el Congreso
como sucesor de De la Calle y hasta octubre de 1996 permanecía
en su cargo como embajador en Londres.

porque "sería un acto de cobardía que no me perdonarían los colombianos ni mis propios hijos". Saltaba a la vista, sin embargo, que en el discurso varios de sus colaboradores, con ideas no del todo coincidentes, habían intervenido: a pesar de rechazar la opción de su retiro, sostenía que "como Presidente no descartaré ninguna alternativa que nos ayude a reencontrar la normalidad a cualquier costo y sacrificio"[12].

El mandatario anunciaba que a partir del martes 30 de enero iba a convocar al Congreso a sesiones extraordinarias con varios propósitos. El primero, que aprobara una ley que levantara la reserva del sumario en su proceso, para que éste pudiera adelantarse de manera pública tanto en la Comisión de Acusaciones, como en la plenaria de la Cámara, instancias que debían decidir si había mérito para acusarlo ante el Senado. El segundo objetivo era que el Parlamento aprobara una ley para adelantar la consulta popular.

JUEVES 25 DE ENERO

Enrique Santos Calderón, el columnista más leído del país y uno de los que mayor influencia ejercen sobre la opinión, sentó su posición en su habitual escrito de los jueves. "Debe irse" tituló su columna, en la que desarrolló un

---

[12] Texto de la versión del discurso divulgada por la Casa de Nariño, archivo *Semana*.

completo análisis de las razones por las cuales el Presidente debía dejar su cargo[13].

Al coro de solicitudes de renuncia se sumó esa mañana el alcalde de Bogotá, Antanas Mockus, por aquellos días la figura política más popular del país según las encuestas. "Debería renunciar por generosidad", aseguró Mockus en una entrevista a *El Espectador*, en la que calificó la propuesta de la consulta popular como un proceso "dilatorio"[14].

No era el único que criticaba la idea de la consulta. En general, todos aquellos que sugerían la necesidad del retiro del jefe del Estado planteaban dudas sobre ese mecanismo. El hecho de que ésta fuera a hacerse para preguntarles a los electores si estaban o no de acuerdo con el programa social del gobierno, era para muchos la prueba de que se trataba de una trampa destinada a desorientar a la gente y obtener un plebiscito de respaldo para Samper gracias a que casi nadie se opondría a un programa social lleno de promesas para las clases menos favorecidas.

Al mediodía, Vargas, Lesmes y Téllez se reunieron en la dirección de la revista para examinar los últimos mensajes de *Don José*, quien había estado especialmente prolífico en las últimas horas. Aparte de un informe más o menos detallado sobre el debate interno del gobierno con respecto al tema de la consulta, que demostraba que *Don José* era definitivamente un hombre informado, en

---

[13] *El Tiempo*, enero 25 de 1996, p. 4A.
[14] *El Espectador*, enero 25 de 1996, p. 5A.

sus comunicaciones había algo bastante inquietante. El misterioso personaje retomaba un asunto del que se había ocupado en una comunicación enviada días antes de que Botero se destapara. En él había advertido que "si se desata una crisis fuerte", Vargas debía tener "mucho cuidado". "El riesgo —agregaba— puede ser físico". En uno de los mensajes recibidos entre el lunes y ese jueves, *Don José* explicaba: "Desatada la crisis hay que tratar de que la solución se dé pronto. Lo que pueden alcanzar a hacer es lo más grave de todo este problema. Generales entienden la permanencia de Samper como la suya propia y saben que al caerse ellos su destino podría ser la cárcel".

Téllez optó esa tarde por tocar a las puertas de algunas de sus fuentes en la inteligencia militar. A pesar de que casi nadie quería hablar con un periodista de *Semana*, consiguió reunirse con un oficial que le confirmó la validez de los temores de *Don José* y le dijo que la situación de seguridad de Vargas era muy delicada, pues el alto gobierno, según él, no hacía más que repetirles a los generales más cercanos a Samper que el director de *Semana* era "el jefe de la conspiración".

Por la noche, Lesmes y Téllez volvieron a reunirse con la abogada amiga. Les tenía novedades sobre la valoración que los fiscales sin rostro hacían de la ampliación de indagatoria de Botero.

—Por ahora —dijo— esa declaración no vale casi nada. Hizo una muy extensa introducción relacionada con la forma como la campaña fue organizada, que parece apuntar a que quien se entendía con los políticos era Serpa, mientras que él se dedicaba al análisis de las encuestas y a la estrategia general de imagen y opinión pública. Se trata de un excelente manual sobre cómo montar una campaña presidencial, pero los fiscales tienen la impresión de que no les está diciendo toda la verdad. Es obvio que lo que Botero busca es tomar distancia del manejo del dinero, pero su versión no resulta creíble.

—Pero, y sobre Samper y la plata, ¿no ha dicho nada? —preguntó Lesmes.

—Generalidades. Ha dicho que sabía, que estaba implicado, pero no ha aportado ninguna prueba, ningún relato que sustente eso —agregó la abogada—. En lo que sí ha sido muy detallado es en el tema del encubrimiento posterior. Ahí sí involucra en términos muy específicos a Samper. Y, por lo que entiendo, les anunció a los fiscales que podía darles información muy sólida sobre tres de los ministros: Serpa, Pardo y Turbay. Al parecer, quiere contar cosas que los involucran con el manejo de los dineros en la campaña y, sobre todo, con el encubrimiento posterior[15].

---

[15] En efecto, semanas después Botero amplió su indagatoria para dar detalles que perjudicaban a los tres ministros, quienes a raíz de eso fueron llamados el 15 de marzo a rendir indagatoria. Esas diligencias se llevaron a cabo en la segunda quincena de marzo y la primera de abril. Pero, el 9 de mayo, el Consejo de Estado echó para atrás las normas electorales que fijaban los topes de gasto de las campañas de 1994 y con ello favoreció a los ministros, que podían ser detenidos por fraude a la ley electoral, acusados de haber estado al tanto de la violación de dichos topes y de que, a pesar de ello, la campaña había solicitado y obtenido más de dos mil millones de pesos de reposición de gastos a los que no tenía derecho por haber superado los mencionados topes. Al desaparecer éstos, quedó

Esa misma noche, a las 9 y 30, el presidente Samper concedió un reportaje a María Isabel Rueda, de QAP. Reiteró los términos de su defensa frente a las acusaciones de Botero y, al ser consultado sobre la posibilidad de su renuncia y su reemplazo por el vicepresidente Humberto de la Calle, lanzó contra dicha opción un dardo venenoso al asegurar que, desde cuando habían unido sus nombres en la papeleta electoral liberal de 1994, él y De la Calle constituían "un matrimonio indisoluble".

En plata blanca, el Presidente quería decir que si él se tenía que ir, no se iría solo, sino en compañía del Vicepresidente. La jugada era hábil: se trataba de desalentar las solicitudes de renuncia sugiriendo que su sucesor constitucional tampoco podría quedarse en el cargo, lo que tornaba demasiado incierto el panorama pues, según la Carta del 91, a falta de Presidente y Vicepresidente, el Congreso —tanto o más cuestionado que Samper— debe elegir al primer mandatario.

---

sin piso la acusación por fraude. El 21 de mayo un fiscal ante la Corte consideró que había mérito para continuar la investigación contra los ministros por encubrimiento y dictó la única medida de aseguramiento prevista por los códigos para ese delito: una conminación a estar disponibles para la Justicia mientras culmina la investigación y se define si son llamados a juicio. A mediados del año, un tecnicismo jurídico anuló buena parte de estos procesos y, a finales de octubre de 1996, la Fiscalía se disponía a reabrir la causa contra los tres ministros.

VIERNES 26 DE ENERO

Gabriel García Márquez, quien venía manteniendo un prolongado silencio frente a los acontecimientos de Colombia, se enteró en México de la declaración de Samper en relación con su posible reemplazo por De la Calle. Hacia las 10 de la mañana divulgó un suscinto comunicado en el que criticaba severamente la actitud del jefe del Estado: "El Presidente tiene que serenarse. Ante la posibilidad de su caída, tanto él como sus hombres más cercanos parecen decididos a arrastrar con ellos al vicepresidente Humberto de la Calle. Es un síntoma descorazonador para los que creemos en la buena fe del Presidente"[16].

La declaración era un duro golpe para Samper, pues García Márquez era escuchado y respetado en Colombia y sobre todo en el exterior. Así lo reconoció al final de la tarde la ministra de Educación, María Emma Mejía, durante su visita a la sede de *Semana*.

—La situación es muy grave —les explicó a Vargas y López en el despacho de este último—. Yo creo que el Presidente se está preparando para renunciar y creo que la declaración de anoche sobre De la Calle es una manera de comenzar a poner condiciones para su retiro. Además, a varios ministros nos parece bastante razonable que renuncie, pues es la única salida que le queda. Incluso lo de la consulta popular, que tanto hemos impulsado algunos

---

[16] *El Tiempo*, enero 27 de 1996, p. 1A.

en el gabinete, no ha calado bien. No sé si lo que pasa es que Serpa, con el cuento de que es una consulta sobre el programa social, le hizo mucho daño a la idea, pero la realidad es que no ha encontrado respaldo.

Pero aparte de estas reflexiones, la visita de la Ministra tenía un propósito bastante definido. Ella insistía en que Samper estaba alistando maletas y que lo que debían hacer los medios de comunicación, en especial algunos que, como *Semana*, habían estado a la vanguardia en las denuncias sobre la financiación de la campaña, era contribuir a crear el ambiente para una salida digna, la misma de la que Fernando Cepeda había hablado con Vargas días antes.

—Yo creo que ustedes deben favorecer esa salida bajando un poco el tono —explicó María Emma Mejía—. Todo el mundo espera que *Semana* se venga en la próxima edición con algo violento contra el Presidente, y que pida su renuncia.

López y Vargas se apresuraron a aclarar que desde el miércoles habían decidido que la revista no pediría el retiro de Samper y que, además de varios artículos sobre el destape de Botero y las posibilidades de De la Calle, se limitaría a presentar un extenso editorial analizando la responsabilidad del primer mandatario en todo lo sucedido y planteando que su gobierno había dejado de ser viable.

—No estamos seguros de que nos corresponda pedir la renuncia —dijo López—, y por eso no nos vamos a pronunciar sobre si el Presidente debe seguir o no en su cargo.

Minutos más tarde, Vargas invitó a la Ministra a tomar un café en su oficina para conversar a solas. Ella le reiteró que varios miembros del gabinete, entre quienes se incluyó, estaban de acuerdo en que Samper no podía seguir en su puesto y debía buscar un rápido y decoroso retiro.

—Estamos tratando de convencerlo —explicó María Emma—, pero, claro, no es fácil plantear el asunto. Pienso que Rodrigo Pardo y Juan Carlos Esguerra están de acuerdo con esa salida. Y otros ministros como Guillermo Perry, aunque no lo dicen tan claramente, también creen que esa es la única solución. Ayer llegó Daniel Samper y, por lo que sé, también es de la misma idea[17].

Antes de abandonar la sede de la revista, la Ministra le confesó a Vargas que, por momentos, era ella quien sentía deseos de renunciar, como lo había hecho esa semana Augusto Galán Sarmiento.

—Tú sabes, Mauricio —le dijo—, que después de lo que vivimos con Luis Carlos para quienes trabajamos con

---

[17] Daniel Samper Pizano fue en los años setentas y ochentas uno de los más importantes periodistas de Colombia. Dirigió la Unidad Investigativa de *El Tiempo,* y desde allí denunció varios escándalos de corrupción, unos más graves que otros. Alguna vez dijo que le "gustaría tumbar a un Presidente, cualquiera que sea. Creo que el sueño de todo periodista de investigación es provocar un Watergate...". A mediados de la década pasada y tras una serie de amenazas nunca suficientemente aclaradas, decidió abandonar el país e instalarse en España. Horas antes de la visita de la ministra de Educación a *Semana,* llegó a Bogotá para ayudarle a su hermano con algunos consejos.

él, después de su asesinato, es muy difícil seguir en este gobierno. Pero yo creo que ahora mi presencia es útil para ayudarle a este hombre a irse decorosamente y evitar con ello mayores daños para el país...

Esa noche, en el servicio de noticias en español de la cadena estadounidense CNN, Santiago Medina concedió un completo reportaje a la periodista colombiana Ángela Patricia Janiot, presentadora estrella de dicha red. En ella, Medina dio a conocer una nueva prueba que se disponía a poner en manos de la Fiscalía. Era un pequeño papel escrito de puño y letra de Samper. Según el testimonio de Medina, en ese papel el entonces candidato daba instrucciones sobre la forma como el ex contralor Manuel Francisco Becerra, uno de los políticos investigados en el proceso 8.000 por sus vínculos con el cartel de Cali, debía repartir entre los dirigentes liberales de los departamentos del suroccidente del país, millonarias sumas de dinero aportadas por los narcotraficantes de esa ciudad. El documento no era muy explícito, pero parecía desmentir las afirmaciones de Samper en el sentido de que él jamás se había involucrado en el manejo de las finanzas de la campaña. A pesar de ello, la opinión pública recibió la revelación de Medina con escepticismo quizás porque, como sucedía ya entonces a menudo con este escándalo, después del alud de revelaciones de los últimos ocho meses pocas cosas eran capaces de sorprenderla y conmoverla[18].

---

[18] Aunque en ese momento no fue suficientemente valorado por la opinión, el papel aportado por Medina se convirtió en pieza clave para consolidar el proceso de Becerra, contra quien la Fiscalía dictó resolución de acusación a fines de

SÁBADO 27 DE ENERO

Hacia las nueve de la mañana, los ministros Serpa, Turbay y Pardo, el viceministro del Interior Juan Carlos Posada y Juan Samper, hermano del Presidente, se reunieron en el apartamento de Serpa para analizar la complicada situación de esa semana. Juan Samper, quien había pasado más tiempo que nadie en esos días con el primer mandatario, actuó como coordinador de la reunión y dio inicio a la discusión con una evaluación bastante pesimista.

—No nos digamos mentiras —dijo—. Esto va muy mal.

Durante varios minutos hubo un intercambio más bien desordenado de opiniones. Nadie parecía tener muy claro qué se debía hacer. El canciller Pardo tomó entonces la palabra y creyó llegada la hora de hablar con bastante franqueza.

—Tenemos que partir del hecho de que la plata sí entró a nuestra campaña —sostuvo—, en vez de seguir cometiendo el error de echarles la culpa de todo a los conspiradores.

Como ninguno de los demás asistentes parecía muy decidido a interrumpirlo para dar una opinión diferente, el canciller siguió adelante con su reflexión.

---

septiembre del 96. Una publicación de la Unidad Investigativa de *El Tiempo*, el 30 de septiembre de 1996, reveló detalles de cuánto había servido en este caso ese pequeño documento y dio a conocer otros interesantes datos sobre el caso del ex contralor.

—Reconozcamos, además —dijo—, que la propuesta de la consulta popular, que sería la base de una salida decorosa o de una permanencia legítima, no ha encontrado respaldo y que incluso dentro del gobierno hay quienes, como Juan Carlos Esguerra, se le oponen de manera decidida y razonada.

Sus interlocutores seguían en silencio, a la espera de que el crudo planteamiento de Pardo concluyera en alguna propuesta específica.

—Pienso que debemos examinar todas las posibilidades —agregó—. Y, cuando digo todas, incluyo de manera especial la de que el Presidente renuncie.

Como nadie se opuso a la propuesta y tácitamente todos aceptaron que la renuncia era una opción que debía ser considerada de manera seria, Serpa pensó que la discusión no podía seguir adelante sin el Presidente. Lo llamó por la red *Falcon* de altos funcionarios y Samper invitó a los tres ministros —Serpa, Turbay y Pardo— a que lo visitaran a las cinco de la tarde en la hacienda de Hatogrande, con el propósito de darle un debate al tema.

Al llegar a la hacienda presidencial, los ministros se encontraron con Daniel Samper, quien llevaba varias horas conversando con el primer mandatario. El canciller comprendió pronto, tras el primer intercambio de ideas en el gran salón del costado oriental de la casa claustrada de la hacienda, que el hermano del jefe del Estado se inclinaba firmemente por la idea de que éste renunciara a la Presidencia. En una intervención lúcida y por momentos emotiva, Daniel Samper expuso las razones que debían decidirlos a todos por esa salida.

—Hay que preservar el proyecto político y social para el futuro —explicó—. Ahora estamos derrotados, pero aún es momento de preservar esas ideas que tan hondo han calado entre la gente, en especial entre los más pobres. No olvidemos que lo importante no es ni ha sido nunca el poder por el poder mismo. Lo que es realmente trascendental es el proyecto político y social y, para que tenga una opción hacia el futuro, es definitivo que encontremos una buena manera de salir del poder.

El primer mandatario buscó con su mirada los ojos del canciller, como para sondear su opinión. Envalentonado tras la exposición de Daniel Samper, Pardo habló con franqueza y trató de darles mayores alcances a las ventajas de dejar dignamente la Presidencia. Para él, ésa era la única forma de garantizar que el proyecto samperista tuviera alguna opción de futuro pues, al igual que el hermano del Presidente, pensaba que la gente reconocía en el ideario de Ernesto Samper una decidida inclinación a favorecer a los más pobres.

—Quiero insistir además en lo importante que es lograr establecer de manera plena qué fue lo que pasó en la campaña —agregó Pardo—. Ya está claro que la plata entró, pero necesitamos saber por qué, por cuenta de quién, cómo se invirtió, si alguien se robó una parte, todo eso...

Con la llegada de la noche, el frío se metió de lleno por los salones y corredores de la hacienda de Hatogrande. Samper, que había permanecido en silencio y con la cabeza sostenida sobre su mano derecha mientras escuchaba los argumentos de su hermano Daniel y del canciller Pardo, comprendió el claro mensaje que le estaban transmitiendo: había llegado la hora de renunciar a la Presidencia de la República, posibilidad que, según les reconoció, él mismo estaba contemplando ante la evidencia de que después de lo sucedido esa semana, no parecía existir una salida diferente.

—Yo no niego que esa posibilidad esté sobre el tapete —explicó con la voz ligeramente quebrada—. La he explorado mucho en estos días. Tiene además varias ventajas. Hay que seguir pensando en todo esto y, mientras tanto, debemos ver cómo se desarrollan los acontecimientos.

Volvió a quedarse callado. Eran las 6 y 30 y su madre, doña Helena Pizano, entró al salón para despedirse, pues salía para Bogotá. Besó a su hijo en la mejilla y le entregó una pequeña nota escrita a mano, que el Presidente colocó sobre la mesa de centro del salón. Al partir doña Helena, Samper leyó mentalmente la nota, hizo una mueca, se sentó y siguió en silencio. Serpa aprovechó el momento para decir, sin mucha convicción, que no era el momento de rendirse.

—Hay que seguir luchando —anotó sin explicar qué quería decir con eso ni cómo debía ser esa lucha.

Samper retomó la palabra sin reparar en lo expresado por el ministro del Interior.

—En todo caso —dijo—, yo quiero hacer un gran discurso para la instalación de las sesiones extras este martes. Si tenemos suerte, será un discurso para cambiar el rumbo de las cosas. Si no, será un discurso para la historia, una constancia de lo que quisimos y no nos dejaron hacer por este país...

Como prueba final de que en su mente se había abierto paso la idea de la renuncia, el Presidente les encargó a Pardo y a su hermano Daniel algunas notas para el discurso ante el Congreso. Luego se puso de pie para despedir a los tres ministros.

—Miren cómo será de difícil esta decisión, que incluso en mi propia familia las opiniones están divididas —dijo al tomar de la mesa la nota que le había dejado su madre—. Mientras Daniel me convence de renunciar, mi mamá me escribe esto: "Si no luchas hasta el final, te arrepentirás toda la vida".

LUNES 29 DE ENERO

Esa mañana, los temores expresados por *Don José* en sus misteriosos mensajes se confirmaron. A las 11 y 35 Luis Alberto Manrique, conductor de Mauricio Vargas, salió del parqueadero de *Semana* en la Cherokee blindada que la revista había puesto al servicio de su director. A media cuadra del edificio, y tras doblar hacia el norte rumbo a la calle 94, dos camionetas con las luces encendidas lo cerraron y le impidieron seguir adelante. A los pocos segundos, dos hombres armados con ametralladoras descendieron, uno de cada vehículo, y golpearon con fuerza los vidrios de las puertas delanteras de la Cherokee. Uno de ellos, el que se encontraba al lado del conductor, preguntó a gritos por el periodista. Cuando se dió cuenta de que Vargas no venía en la Cherokee, el sujeto comenzó a proferir amenazas.

—Dígale a ese hijueputa que se cuide, que lo vamos a matar, que de esta semana no pasa —exclamó frustrado—. Y no nos mire a la cara, ¡agáchese!...

El conductor bajó la cabeza y, en unos cuantos segundos, los individuos partieron a toda velocidad sin que testigo alguno pudiera memorizar las placas de las dos camionetas ni los principales rasgos físicos de los amenazantes personajes.

—Lo que quieren es que yo me vaya del país —les dijo Vargas a Lesmes y Téllez en la oficina de la dirección, cuando se enteró del episodio—. Pero no les voy a dar ese gusto.

La gerente de *Semana*, Ángela Montoya, garantizó a partir de entonces que al periodista lo acompañara un grupo de escoltas. Por su parte, Vargas informó al ministro de Defensa, al director del DAS y al secretario general de la Presidencia, José Antonio Vargas Lleras. A este último le recordó que la célebre oficina de comunicaciones de la Casa de Nariño, aquella a la que pertenecía el agente que se coló en la sede de *Semana* en marzo de 1995 tras la publicación del testimonio de *María* y la misma de uno de cuyos celulares habían salido llamadas de amenaza al conmutador de la revista en agosto del mismo año luego de la detención de Fernando Botero, continuaba operando. Después de aclararle que no pretendía realizar sindicación alguna y que se limitaba a hacerle ver que el gobierno había manejado sus denuncias por este tipo de episodios con bastante alegría, le dijo que lo sucedido esa mañana era bastante más serio que todo lo anterior.

—José Antonio, déjeme hablarle con franqueza —le dijo Vargas—. Una cosa es que hayan entrado millones de dólares del narcotráfico a la campaña del Presidente. Otra, que el Presidente haya o no sabido y haya o no ayudado a encubrir esos hechos. Hasta ahí, estamos en medio de un debate político y jurídico. Pero algo muy distinto es el terrorismo de Estado...

—No se preocupe, Mauricio —le contestó Vargas Lleras con amabilidad—. Nada de eso va a pasar. Le prometo que personalmente me voy a poner a investigar el asunto.

MARTES 30 DE ENERO

El país siguió, como pocas veces en la historia, el discurso del Presidente en el Salón Elíptico del Capitolio, donde se habían reunido los integrantes de las dos cámaras legislativas para la instalación de las sesiones extras. Las apuestas de ese día habían ido incluso hasta la posibilidad de que el primer mandatario aprovechara la ocasión para plantear su renuncia. Pero quienes pensaban así —y deseaban— se vieron pronto decepcionados.

En un discurso impecablemente escrito desde el punto de vista formal, Samper trató de poner las cosas a su favor y se colocó como víctima, alegando que, con episodios como el atentado contra la vida de su abogado Cancino —quien partía en esos días a vivir a España—, se le había desconocido su "derecho de defensa". "Lo que quiero pedir a los señores congresistas —agregó— es que me juzguen prontamente y con las garantías que me reconoce la Ley. Nada más, pero tampoco nada menos".

Al referirse a lo sucedido en la elección de 1994, recogió parte de las ideas del canciller Pardo. Reconoció que se había equivocado al escoger a algunos de los colaboradores de la campaña y pidió que, ante "la indignación que yo comparto" por esos hechos, era urgente esclarecer en cuanto a la campaña "quién la contaminó, cómo, cuándo y utilizando qué canales".

Reiteró que todo eso había sucedido "sin mi conocimiento" y cobró los éxitos de la captura de los grandes capos de Cali y el norte del Valle, en operaciones que, según dijo por primera vez, "personalmente conduje".

Puso en manos del Congreso la idea de la consulta popular, pero en el tono de su intervención resultaba evidente que la iniciativa estaba naufragando, pues propuso realizarla sólo después de culminado el proceso judicial que se iniciaba en el parlamento, cuando quizás ya no iba a ser necesaria.

Y lo más importante. Respecto a la renuncia, reconoció haber pensado en el tema, pero no se atrevió a ir más lejos: "Algunos piensan que la única vía posible sería (...) el retiro del Presidente. Pueden tener la seguridad de que si yo estuviera convencido de que ese es el mejor camino para el país, ya lo habría escogido".

Antes de terminar, acudió al argumento que utilizaba con frecuencia para referirse a los disparos que había recibido en el aeropuerto Eldorado en marzo de 1989, cuando sicarios del paramilitarismo asesinaron al dirigente comunista José Antequera, a quien Samper se acercó a saludar segundos antes del ataque. Habló de este episodio como si el atentado no hubiese sido en contra del líder de izquierda, sino en contra suya. Lo hizo para explicar que el debate desatado sobre su responsabilidad en el mayor escándalo de corrupción política de la historia de Colombia era un nuevo atentado, esta vez de orden "moral", contra su figura[19].

Cuando terminó su intervención y declaró instaladas las sesiones extraorinarias, dos terceras partes de los parlamentarios se pusieron de pie para aplaudirlo. La ovación duró más de un minuto y el Presidente respondió a ella alzando el brazo derecho y mostrando una sonrisa que nadie le había visto en la última semana. Ahí estaban los congresistas, o buena parte de ellos, dispuestos a brindarle el apoyo que necesitaba, justo cuando la mayoría de los colombianos parecía estar dándole la espalda. La ventaja para Samper era que su suerte jurídica y política estaba en esos momentos en manos de los primeros, no de los segundos.

MIÉRCOLES 31 DE ENERO

—Definitivamente yo creo que el Presidente está bastante corrido de la idea de renunciar —le dijo la ministra María Emma Mejía a Vargas esa mañana por teléfono—. Es que el aplauso de ayer en el Congreso fue muy

---

[19] *El Tiempo*, enero 31 de 1996, p. 1A.

impresionante. A mí me emocionó mucho. ¡Qué tal lo que debió emocionar al Presidente!

Vargas, quien sabía que en el fin de semana en Hatogrande la renuncia había estado a punto de convertirse en realidad, le preguntó a la Ministra qué pensaba hacer ella, después de haber trabajado por la idea del retiro.

—¿Quieres saber si estoy pensando en renunciar? —le preguntó.

—No exactamente —le respondió Vargas—. Lo que pasa es que como te veías tan decidida a impulsar y ambientar la renuncia, me imagino que es porque estabas convencida de que esa era la única salida. Y por eso te pregunto: ¿Ahora qué?

—Pues mira —contestó—, la verdad es que yo sí he pensado mucho que ésa sería una fórmula. Si el Presidente, con la razón que le da lo que pasó ayer en el Congreso, decide quedarse, pues ésa es su decisión. En cuanto a mí, voy a tener que pensar muy bien lo que debo hacer...[20]

---

[20] El miércoles 3 de abril, en plena Semana Santa, Vargas recibió en su oficina a la ministra Mejía para almorzar. Ella le explicó que estaba pensando en retirarse en la crisis ministerial que de seguro se desataría cuando la Cámara archivara el proceso del Presidente. "He decidido quedarme hasta entonces, pues tengo compromisos con una tarea que estoy desarrollando en el sector educativo. No me siento políticamente comprometida con el Presidente y por eso, podría dejar el ministerio una vez crea que he concluido el ciclo de lo que me propuse". El miércoles 10 de julio, cuando finalmente se produjo la crisis de gabinete, María Emma Mejía fue nombrada como nueva canciller, en remplazo

Viernes 2 de febrero

Lesmes y Téllez llegaron a Palacio a las 10 de la mañana para una entrevista con el Presidente que éste había aceptado concederle a *Semana* a solicitud de Felipe López. Después de una charla de cerca de una hora, durante la cual pudieron puntualizar varios apartes de la entrevista cuyo primer borrador habían venido trabajando desde mediados de la semana con la ayuda de Juan Fernando Cristo, Samper y los dos periodistas cumplieron con la sesión de fotografías. Poco antes de despedirse, Lesmes le hizo una última pregunta al primer mandatario, aclarándole que se trataba de una mera curiosidad.

—Presidente —le dijo—: ¿qué habría pasado si Botero, además de decir que usted sabía del ingreso de la plata del cartel a la campaña, acepta que él había estado al tanto y confiesa su participación en esos hechos?

—Muy sencillo —respondió Samper—, que habría logrado mucha más credibilidad y, simple y llanamente esa misma noche me habría tumbado.

---

de Rodrigo Pardo quien le había expresado al Presidente su decisión definitiva de dejar el gobierno.

Epílogo

¿Un Presidente bajo chantaje?

Hacia las 4 de la tarde del viernes 2 de febrero de 1996, mientras revisaba con Felipe López, Lesmes y Téllez, la edición de la entrevista que ellos le habían hecho al Presidente, Vargas recibió en su celular una llamada del fiscal Alfonso Valdivieso.

—Acaba de pasar algo muy grave —le dijo el alto funcionario—. Mataron a Elizabeth Montoya de Sarria.

—¿Cómo así? —preguntó Vargas.

—Como se lo estoy diciendo —agregó Valdivieso—. Me lo confirmó el general Serrano hace un rato. El cadáver lo encontraron ayer en la noche, pero la identificación se tomó varias horas.

—Es un asunto muy delicado —anotó Vargas—. ¿No se suponía que ella había enviado unos mensajes en el sentido de que quería colaborar con la Fiscalía y contar lo que sabía de la campaña?

—Pues algo de eso había, pero la cosa no era muy clara—concluyó el Fiscal.

El asesinato de la *Mona Sarria* era el principio de una larga cadena de episodios que tendían a enredar aún más el proceso 8.000 y el caso del Presidente. La muerte violenta de una persona que sin duda tenía mucho que aclarar ante la Justicia sobre su papel en la campaña presidencial del 94 y en el pasado político de Samper, despertó un alud de nuevas sospechas y suspicacias que habían de agravarse con el paso de los meses.

Sesenta días después del crimen, *Semana* reveló que el recién ascendido coronel Germán Osorio, durante varios años edecán de Policía de Samper y sin duda el uniformado que más tiempo había trabajado a su lado, mantuvo permanente contacto telefónico con los esposos Sarria en las semanas previas al asesinato de Elizabeth Montoya, tal y como lo demostraban los registros de por lo menos 22 comunicaciones celulares confirmadas por el DAS. La revista reveló también que pocas horas después del crimen, el coronel había partido para Roma, Italia, a hacerse cargo de un puesto en la embajada colombiana que acababa de ser creado[1]. Más adelante la Fiscalía descubrió algunos cheques que vinculaban a Osorio con los Sarria y por eso ordenó su detención el primero de agosto. A fines de octubre los investigadores trataban aún de

---

[1] El gobierno italiano nunca comprendió muy bien la justificación del nuevo cargo. Esto, unido a las revelaciones de *Semana*, obligó a la Policía a ordenar el regreso de Osorio al país meses más tarde.

establecer si los giros correspondían a transacciones legítimas o si, por el contrario, podían ser la base de una acusación contra el oficial por enriquecimiento ilícito.

Dos semanas después del asesinato de la señora de Sarria, el Fiscal General presentó denuncia penal en contra del Presidente ante la Comisión de Acusaciones de la Cámara de Representantes. El documento y sus anexos probatorios apuntaban hacia la posibilidad de encausar al jefe del Estado por enriquecimiento ilícito, fraude y, en caso de no ser autor o copartícipe de los anteriores, por el encubrimiento de esas conductas. El mismo Congreso, cuyas dos terceras partes lo habían ovacionado de pie el 30 de enero, terminaría archivando el caso en junio, tras una votación en la plenaria de la Cámara de 111 votos contra 43. De esa manera terminó un tortuoso proceso, salpicado de denuncias por presuntas irregularidades en la conducción de las pesquisas, atribuidas al representante investigador, Heyne Sorge Mogollón Montoya[2].

El proceso dejó muchas más dudas que certezas y, a pesar de su ropaje jurídico, quedó la impresión de que fue interferido por el gobierno con los más clásicos instrumentos de la vieja política colombiana: la repartición de

---

[2] A fines de octubre, la Corte Suprema de Justicia había detectado que, en efecto, en el proceso al Presidente se presentaron algunas irregularidades, como el ocultamiento de pruebas a los demás miembros de la Comisión de Acusaciones de la Cámara. El alto tribunal trataba de establecer si esa falta, castigada por la ley penal, era atribuible al representante investigador o a los funcionarios encargados del manejo del voluminoso expediente.

favores presupuestales y burocráticos a los parlamentarios que votaron en favor de Samper. Los medios de comunicación, en especial *El Tiempo* y el noticiero QAP, denunciaron la forma como, por ejemplo, millonarias partidas presupuestales fueron asignadas de manera privilegiada por el gobierno para adelantar obras en aquellos municipios de donde eran oriundos los congresistas que, como el representante Mogollón, resultaron definitivos para salvar al Presidente de una acusación.

Desde su inicio en la Cámara a comienzos de febrero, el proceso despertó sospechas no sólo en Colombia sino también en el exterior, en particular en los Estados Unidos, cuyas autoridades cada vez veían con peores ojos a la administración Samper. El primero de marzo, la administración de Bill Clinton presentó su informe anual al Congreso para calificar la cooperación antidrogas de los diferentes países que reciben ayuda de Washington. Tal y como había sido anunciado semanas antes, el gobierno de Colombia fue descertificado y colocado así en la misma categoría de Afganistán, Birmania, Siria, Irán y Nigeria, todos ellos regímenes de facto considerados por los Estados Unidos como sus enemigos y por la comunidad internacional como parias. Así, quedaron en suspenso sanciones económicas que, a fines de octubre, asomaban amenazantes en el horizonte, pero que los EE.UU. no se decidían a aplicar en espera de que dos proyectos de ley redactados por el ministerio de Justicia, con la asesoría de funcionarios estadounidenses —uno sobre aumento de penas a los narcotraficantes y otro sobre la incautación de bienes ilícitos—, fueran aprobados por el Congreso colombiano en los términos que Washington quería.

El 11 de julio, Samper recibió el más duro golpe propinado por el gobierno de los Estados Unidos contra mandatario colombiano alguno. Ese jueves en la mañana, Rodrigo Pardo llegó a *Semana* para concederles a Vargas y a la asesora editorial, Pilar Calderón, una entrevista en la que pretendía explicar las razones de su retiro y hacer una valoración personal del narcoescándalo. Cuando los periodistas encendieron la grabadora para comenzar la charla, el columnista de la revista, Roberto Pombo, llamó a Vargas.

—Hay un rumor muy fuerte de que le quitaron la visa a Samper —le dijo.

Después de colgar, el director de *Semana* le preguntó al saliente canciller si sabía algo. Pardo le dijo que no y los dos coincidieron en que la decisión, aparte de ser muy grave, era bastante sorpresiva, a pesar de que 10 días antes, el domingo 30 de junio, el prestigioso diario *The Washington Post* había revelado un memorando del embajador Frechette a sus superiores en el que recomendaba, entre otras medidas de presión contra el gobierno colombiano, que se contemplara la de quitarle la visa al primer mandatario. Sin embargo, tras conocerse el memo del embajador, todo el mundo supuso que Washington sólo llegaría a adoptar dicha medida como último recurso para sancionar a la administración Samper.

—Eso estaba en la agenda —agregó Pardo—. Pero, si se iba a dar, era más adelante.

A las 11 y 5 Vargas llamó por teléfono a Terry Kneebone, jefe de prensa de la embajada estadounidense, y le puso el tema, a sabiendas de que mientras el departamento de Estado no divulgara de manera oficial la información, Kneebone y cualquier funcionario de la embajada se las arreglaría para evitar confirmarla.

—Si un medio de comunicación colombiano —dijo el periodista— afirmara en este momento que el gobierno de los Estados Unidos le quitó la visa al presidente Samper, ¿su oficina cómo reaccionaría?

—En este momento, lo desmentiría —contestó Kneebone—, pero dentro de una hora quizás ya no.

En efecto, al mediodía el vocero oficial del departamento de Estado, Nicholas Burns, hizo el anuncio y dejó entrever una posibilidad que a fines de octubre continuaba vigente: que Samper fuera investigado penalmente en los Estados Unidos. Burns aseguró que el Presidente colombiano perdía su visa por haber "ayudado o sido cómplice conscientemente del tráfico ilegal de narcóticos"[3], algo que a la luz de la ley penal estadounidense bien podía servir de base para un proceso criminal.

Pero ni la pérdida de su visa americana con base en semejante señalamiento, ni ninguno de los episodios anteriores; ni el hecho de que tres de sus ministros fueran afectados —en un caso sin precedentes en la historia de Colombia— por una medida de aseguramiento en el marco de una investigación penal; ni la evidencia, convertida en sentencia judicial[4], del ingreso de varios miles de millones

---

[3] *Semana*, julio 16 de 1996, p. 27.
[4] Durante el segundo semesre de 1996, Medina y Botero fueron sentenciados por jueces sin rostro por el delito de

de pesos del narcotráfico a su campaña; ni los señalamientos de los dos principales implicados en ese caso —Botero y Medina— en el sentido de que el entonces candidato estaba al tanto; nada, absolutamente nada, hizo cambiar de opinión al primer mandatario. Desde principios de febrero había tomado la decisión de quedarse a cualquier costo personal y para el país, y a fines de octubre estaba cumpliendo cabalmente con esa determinación.

A lo largo de 1996, fueron muchas las solicitudes de renuncia que debió escuchar. Algunos de los principales diarios del país se la habían pedido directa o indirectamente tras la confesión de Botero, y todos volvieron sobre el tema después del episodio de la visa. *El País* de Cali sostuvo en su editorial del viernes 12 de julio, al día siguiente del anuncio del departamento de Estado: "El antídoto contra el desprestigio internacional no es la demagogia nacionalista, sino la fuerza moral e institucional de un gobierno respetable que Colombia merece y que, por ahora, no tiene". *El Colombiano* aseguró ese mismo día: "Samper debió renunciar cuando hacerlo era un acto libre y magnánimo. A pesar de todo, debe hacerlo ahora porque la Patria merece un mejor destino". *El Espectador*, cuya nota editorial había hablado ya varias veces del retiro del Presidente, expresó ese viernes: "Invocamos la responsabilidad del señor Samper para que al escoger las salidas del laberinto en que ha sido colocado, anteponga el interés de todos los demás colombianos al suyo propio".

---

enriquecimiento ilícito en favor de un tercero: la campaña presidencial de Ernesto Samper.

En cuanto a *El Tiempo*, el primer diario del país y uno de los más prestigiosos del continente, cuyo director Hernando Santos se había negado a dar ese paso hasta entonces y por el contrario había respaldado una y otra vez al mandatario, pidió su salida en la nota editorial del sábado 13: "Queremos colaborarle al señor presidente Samper, a quien hemos acompañado con afecto, con lealtad y aun con sacrificio, para que piense en la posibilidad de dejar el poder"[5].

Numerosos periódicos del extranjero, de la importancia de *El País*, de Madrid, *The Miami Herald*, *Clarín*, de Buenos Aires y el prestigioso semanario británico *The Economist*, para citar apenas algunos, hicieron similares planteamientos en el curso de 1996. Los 15 dirigentes gremiales más importantes de Colombia fueron hasta la Casa de Nariño el lunes 29 de abril a pedirle personalmente que, por el bien del país, dejara el cargo. Samper hizo gala de su habilidad para tratar de enredar el comunicado empresarial, pero fracasó: la solicitud de renuncia se mantuvo después de más de 4 horas de deliberaciones en el salón del consejo de ministros.

A pesar de todo lo anterior, el Presidente no dio su brazo a torcer. Prefirió tratar de derrotar por cansancio a todos aquellos que, a lo largo de la crisis, pidieron su salida, incluida una gran masa de colombianos que las

---

[5] *El País, El Colombiano, El Espectador*, julio 12 de 1996, páginas editoriales. *El Tiempo*, julio 13 de 1996, p. 4A. Este último volvería pronto a respaldar a Samper y su director Hernando Santos haría del mandatario una encendida defensa a mediados de octubre en una entrevista con *Cambio 16*.

encuestas calcularon a lo largo del 96 entre el 45% y el 55%. Aferrado al poder, atrincherado hombro con hombro con su principal aliado —la mayoría parlamentaria que siempre lo respaldó en el Congreso— sostuvo una y otra vez que más de la mitad de los colombianos rechazaban la posibilidad de su caída, a pesar de que la verdadera cifra que las encuestas revelaban de quienes expresaban que Samper no debía dejar el poder no era tanto como la mitad, sino más bien un total entre el 35% y el 45%, un poco más de una tercera parte. Esta cantidad resultaba en todo caso sorprendente, pues luego del alud de revelaciones del narcoescándalo era casi imposible que un Presidente sobreviviera y que mantuviera de su lado a una porción tan importante de la opinión[6].

Algunos aseguraron que ese respaldo reflejaba la creencia de una franja significativa del país en la inocencia de Samper. Pero eso no es del todo cierto. Según una encuesta de Gallup Colombia de febrero de 1996, el 58% de los consultados opinaba que el entonces candidato presidencial había estado al tanto del ingreso de los narcodineros a su campaña, mientras que sólo un 27% opinaba que Samper no se había enterado de ello o que la campaña no había recibido narcofondos[7].

Que alrededor del 40% de los colombianos haya rechazado siempre la posibilidad de la renuncia del

---

[6] Las encuestas aquí citadas son de las firmas Gallup Colombia y Centro Nacional de Consultoría, en diferentes momentos de 1996.

[7] Encuesta de Gallup Colombia para *Semana*, febrero de 1996.

Presidente se debe más bien a dos circunstancias que las encuestas también reflejaban. La primera, que en esa mismo sondeo de Gallup Colombia de febrero del 96, el 64% de los interrogados declaraba que otras campañas políticas en el pasado recibieron narcofinanciación, algo que sin duda contribuía a que la opinión fuera laxa con Samper. Y la segunda, que a lo largo de la crisis siempre hubo un gran miedo a lo que podía significar para Colombia la caída de su Presidente, en especial porque su sucesión se debatió entre dos posibilidades que no generaban consenso alguno: su reemplazo por el vicepresidente Humberto de la Calle, elegido en la misma cuestionada votación, así hubiese claridad de que nada había tenido que ver con la entrada de los aportes del cartel; o, en caso contrario, la designación de ese reemplazo por un Congreso aún más cuestionado que el Presidente por sus vínculos con las organizaciones del narcotráfico.

De cualquier modo, el hecho es que a fines de octubre del 96 todo parecía indicar que Ernesto Samper continuaría en la Presidencia de la República. Pero, ¿a qué precio para su gobierno y para el país? Difícil decirlo. Parecía evidente, eso sí, que su permanencia en la Casa de Nariño se iba a dar en medio de aterrador cruce de chantajes. Por un lado, los narcotraficantes detenidos amenazaban una y otra vez con revelar lo que sabían sobre la financiación de la campaña presidencial, algo que mencionaban cada vez los abogados que conversaban con los periodistas de *Semana*. Esta presión deshizo en repetidas ocasiones el consenso interno del gobierno, como sucedió entre septiembre y octubre de 1996 con la propuesta de algunos congresistas de revivir la posibilidad de extraditar a los capos colombianos a los Estados Unidos, prohibida por un artículo de la Constitución de 1991. Mientras el ministro de Justicia, Carlos Medellín, acompañaba la iniciativa, su colega del Interior, Horacio Serpa —quien seguía vinculado a investigaciones penales por el narcoescándalo—, se oponía. El primer mandatario, por su parte, había calificado el debate de "inoportuno"[8].

Del otro lado y con igual capacidad de chantaje actuaba el gobierno de los Estados Unidos, que asomaba el garrote de las sanciones económicas en contra de Colombia para presionar la aprobación de la extradición, así como de una legislación penal mucho más severa tanto en materia de penas como de incautación por parte del Estado de los bienes ilícitamente obtenidos por los narcotraficantes.

Pero éstos no eran los únicos que parecían contar con una gran capacidad de chantaje sobre el gobierno. También estaban los grupos económicos, entre ellos y de modo especial el más poderoso, el Grupo Santo Domingo, dueño de una de las mayores cadenas de radio y de buena parte de las concesiones de la programación de televisión. A principios de noviembre, dicha organización empresarial —que había hecho los mayores aportes de dinero lícito a la campaña de Samper— estaba a punto de ser beneficiada con la suspensión de una gigantesca adjudicación de emisoras de radio en FM, licitación gracias a la cual podían surgirle nuevos e importantes competidores

---

[8] *El Tiempo*, octubre 19 de 1996, p. 1A.

que al parecer no deseaba tener. Para 1997, el Grupo Santo Domingo se vislumbraba como el más seguro adjudicatario de un canal privado de televisión, en el nuevo esquema de privatización de ese servicio.

Una muestra de la solidez y decisión del respaldo del Grupo a Samper, la tuvo el propio embajador Myles Frechette en Nueva York, durante un almuerzo en el apartamento de Julio Mario Santo Domingo, cabeza de la organización empresarial, el viernes 17 de mayo de 1996. El diplomático narró el encuentro en una charla con Vargas en la residencia de la embajada, el lunes 27, diez días después.

—Fue muy agradable —le contó—, pues a los dos nos encanta el Armagnac y nos tomamos más de una botella después de almorzar. En la primera hora de conversación hablamos de generalidades que iban desde la pintura hasta la comida. En la segunda, me hizo un detallado análisis de por qué creía él que Samper se debía caer. Y en la tercera, me explicó con igual detalle que ellos nunca se lo iban a pedir públicamente, porque les parecía una canallada.

Según el relato del embajador, Santo Domingo se dio cuenta de que no había logrado convencerlo de lo tercero y se preocupó mucho. Insistió en su explicación una y otra vez sin conseguir que Frechette aceptara su validez. Fue tanta la inquietud del empresario[9] que siguió expo-

---

[9] La preocupación era explicable. Por aquellos días Washington estaba a punto de tomar medidas en contra de la aerolínea Avianca, propiedad de Santo Domingo, en el marco de un conflicto aeronáutico que se resolvió meses después.

niendo su punto de vista bajo un paraguas con el cual acompañó al embajador hasta la calle, mientras llovía a cántaros sobre la ciudad de los rascacielos.

Otro sector que ejercía una poderosa capacidad de presión era la mayoría parlamentaria que apoyaba a Samper. En este caso, sin embargo, el chantaje parecía más bien una alianza de intereses gracias a la cual avanzaba en el Congreso —con el apoyo del gobierno— una reforma constitucional que los conocedores del asunto considereraban claramente destinada a favorecer a la vieja clase política, que se sentía golpeada por la Carta del 91. Sin un apoyo tan evidente de la administración, pero con una indiferencia francamente sospechosa, en el Capitolio avanzaba otro proyecto que buscaba desmontar los contratos vigentes entre la televisión estatal y los concesionarios privados de los espacios informativos, iniciativa tras la cual se ocultaba el deseo del gobierno y de sus amigos congresistas de sacar del aire a los noticieros que habían sido protagónicos en las denuncias del proceso 8.000.

Frente a este espectáculo de un gobierno que ya no podía ser árbitro de conflictos, ni jalonador de reformas y soluciones, sino exclusivamente otorgante de favores a cambio de apoyos fundamentales para su supervivencia, la economía perdía su dinámica y las perspectivas de crecimiento para el 96 se reducían a la mitad, en buena medida por cuenta de los nubarrones en el horizonte generados por la crisis política y en especial por la amenaza de sanciones por parte de los Estados Unidos. En el frente social, que se suponía era aquel en el cual el gobierno de Samper concentraba sus acciones y por cuenta del cual el mandatario justificaba su permanencia en el poder, las cosas no iban mejor: en septiembre de 1996 el desempleo superó, por primera vez en un decenio, la cota del 12%[10] y la inflación rompió en agosto y septiembre su tendencia a la baja, mantenida a lo largo de los noventa.

El pesimismo se adueño de la inmensa mayoría de los colombianos a mediados del 96. Según Gallup Colombia, más del 78% de sus encuestados en septiembre pensaba que las cosas en el país estaban empeorando, mientras sólo un 9% pensaba que estaban mejorando, una cifra con ribetes de marca histórica. El contraste con diciembre del 94 era bastante dramático: en ese entonces, el 38% creía que las cosas estaban mejorando y el 31% que estaban empeorando.

Esta sensación de desesperanza se veía agravada por un profundo deterioro de la situación de orden público, pues la guerrilla, consciente de la oportunidad que le brindaba la falta de legitimidad del gobierno como consecuencia de la crisis política, arreció sus ataques durante todo el año.

Al acercarse el final de ese tortuoso 1996, no parecía haber duda: el Presidente que se iba caer seguía aguantando. Pero el país que trataba infructuosamente de gobernar desde su cuestionada jefatura del Estado, daba claras muestras de no estar resistiendo ya los embates de la crisis.

---

[10] Dicha tasa, que el Departamento Administrativo Nacional de Estadística mide trimestralmente, era inferior al 8% a mediados de 1994. Con el aumento de septiembre del 96, fue la primera vez en 10 años que ese indicador creció durante cuatro trimestres consecutivos.